# TRISKELLION 2

Traduit de l'anglais par Jacqueline Odin

Titre original : *Triskellion 2, The burning*


Cet ouvrage a été réalisé par les Éditions Milan
avec la collaboration d'Ingrid Pelletier et Astrid Dumontet.
Création graphique : Bruno Douin
Mise en page : Petits Papiers


300, rue Léon-Joulin, 31101 Toulouse Cedex 9, France
Loi 49-956 du 16 juillet 1949
sur les publications destinées à la jeunesse.
ISBN : 978-2-7459-3437-6
www.editionsmilan.com

# TRISKELLION 2

## La marque de feu

WILL PETERSON

MILAN

*Pour William, Rosemary et James ;*
*Katie et Jack*

# Triskellion : l'histoire jusqu'ici

Les jumeaux américains Rachel et Adam Newman ont passé un été particulièrement éprouvant à redécouvrir leurs racines britanniques dans le village natal de leur mère, Triskellion. Loin de la sérénité attendue, leurs vacances se sont vite transformées en une terrifiante aventure.

Pendant ce séjour chez leur grand-mère, Celia Root, ils se sont en effet liés d'amitié avec « Gabriel », un mystérieux voyageur. Le jeune garçon a obtenu leur aide dans la recherche d'une amulette perdue depuis longtemps, et cette quête leur a attiré de nombreux ennemis, les villageois étant quasi prêts à tout pour protéger ce qui leur appartenait. Les jumeaux ont bientôt eu à leurs trousses le commodore Wing, le grand-père dont ils ne connaissaient pas l'existence, ainsi que son fils Hilary, un sinistre et dangereux personnage manifestement résolu à les détruire.

L'exhumation du triskèle, puissant objet ancien, a dévoilé le sombre secret des origines de Rachel et d'Adam. Effrayante révélation du passé, qui influencera chaque instant de leur avenir…

Comme leur amie archéologue Laura Sullivan les emmène, par hélicoptère, loin du village où ils sont devenus indésirables, Rachel et Adam semblent tirés d'affaire.

À moins qu'ils ne se précipitent droit dans un piège ?

# prologue

*L'hélicoptère virait légèrement, survolait un terrain noir et plat lorsque Rachel entendit le pilote transmettre un message grésillant à Laura Sullivan.*

*Celle-ci hocha la tête et rangea les notes qu'elle était occupée à lire.*

*Rachel regarda sa mère et son frère, serrés l'un contre l'autre sur les sièges en face d'elle. Adam avait la joue plaquée à la vitre.*

*Ils voyageaient depuis environ une heure, peut-être plus, pensa-t-elle, et elle n'avait pas quitté des yeux le paysage qui défilait non loin au-dessous d'eux. Un patchwork de champs verts et marron vaguement reliés par des routes irrégulières avait fait place à des groupes de maisons ocre, de plus en plus compacts et rapprochés aux abords de la capitale. Des files de voitures s'étaient constituées et serpentaient lentement le long des axes principaux. Des lumières avaient clignoté aux fenêtres puis disparu, éclipsées par l'éclat du soleil matinal qui baignait la multitude d'immeubles et la courbe de la rivière au centre de Londres.*

*Adam s'était penché, enthousiaste, et avait montré la grande roue du Millénaire, le palais de Westminster et d'autres monuments connus par les films et les photos. Des endroits qu'ils avaient vus mais qu'ils n'avaient jamais visités.*

*Rachel bâilla. Dans le fracas des pales de l'hélicoptère, il lui sembla entendre un léger bourdonnement, l'espace d'une ou deux secondes. Une abeille était-elle prisonnière quelque part à l'intérieur de la cabine ?*

*Bzzz... dnk. Bzzz... dnk.*

*La jeune fille chercha autour d'elle et finit par découvrir la passagère clandestine, progressant sur le cercle vitré du hublot juste au-dessus de sa tête. Avec le ciel derrière elle, l'abeille évoquait un petit homme en train d'explorer une nouvelle planète. Rachel se demanda si l'insecte avait embarqué avec eux à Triskellion.*

*Une vigilante abeille de Jacob, venue assister à leur départ.*

*Laura se tourna et, dans un geste rassurant, lui toucha le bras. Elle fit un signe à Kate Newman, lui dit qu'ils allaient atterrir dans une poignée de minutes. Rachel observa sa mère qui hochait la tête et pressait la main d'Adam, un faible sourire crispé sur le visage.*

*Elle paraissait fatiguée.*

*Rachel était épuisée elle aussi, autant physiquement que mentalement. Les dernières heures, les dernières semaines écoulées lui donnaient l'impression d'un cauchemar dont elle se réveillait, exténuée, mais avec l'assurance au moins que c'était fini. Qu'elle se sentirait mieux quand ils seraient dans l'avion, et encore mieux huit ou neuf heures après, lorsqu'ils arriveraient enfin chez eux.*

*Par le hublot, elle voyait le paysage en contrebas s'étendre, plat, aussi loin que son regard portait. Sans arbre, sans rien.*

*Elle entendit les hommes à l'avant discuter dans la radio, le crépitement du haut-parleur analogue au bruit d'un insecte furieux alors que l'hélicoptère virait à nouveau.*

*Un complexe de bâtiments apparut peu à peu devant eux, sur leur gauche. Il était en béton marron, à un seul niveau, et elle distingua la ligne d'une clôture d'enceinte. Elle eut beau scruter les environs, nul avion, nulle tour de contrôle ne se présentait. Elle n'avait jamais vu un aéroport pareil.*

*– Laura ? Où sont les avions ?*

*Le grand « H » dans le cercle d'atterrissage grossissait au fur et à mesure de leur rapide descente. Ils se posèrent en plein milieu avec une secousse qui ébranla la mâchoire de Rachel, et elle interrogea son frère des yeux : ni bleu ni bosse ?*

*Il répondit aussitôt par la négative.*

*Puis tout se passa très vite…*

*Rachel fut entraînée hors de l'hélicoptère, dans le tourbillon rugissant des pales. Elle fit volte-face, vit Adam subir le même traitement et voulut se rapprocher de leur mère. Mais Laura éloignait Kate, mettait de la distance entre elle et les hommes qui étaient arrivés par la porte métallique de l'un des bâtiments plus petits.*

*Les hommes qui venaient emmener ses enfants.*

*Ils avaient des casques à écouteurs et des lunettes noires. Ils restaient silencieux.*

*Alors qu'on la conduisait de force vers la porte, Rachel essaya de dégager sa main, en pure perte naturellement. Adam l'appela et tous deux hélèrent leur mère, mais quand Rachel se retourna, elle s'aperçut que sa mère sanglotait et secouait la tête. Laura s'efforçait de l'apaiser; criant par-dessus le bruit décroissant du moteur, elle lui affirmait que tout irait bien.*

*Rachel regarda, impuissante, Adam franchir contre son gré une autre porte, à plusieurs mètres sur la droite. Il lui cria quelque chose qu'elle ne comprit pas, sa voix noyée par le tourbillon et par ses plaintes à elle tandis qu'elle luttait pour se libérer.*

*Le cauchemar n'était pas fini. Elle ne s'était pas réveillée…*

*La dernière image de l'extérieur qui s'offrit à Rachel fut une ligne floue, l'arc furieux de l'abeille qui bourdonnait autour d'elle. Elle tourna violemment la tête pour lancer un ultime regard, pour transmettre un ultime message, puis cette image-là se déroba aussi lorsque la lourde porte en métal claqua dans son dos.*

# première partie :
# la cellule Espoir

Rachel se réveilla dans un lit. Dans son lit.

Non pas le lit en cuivre grinçant dans la chambre fleurie du cottage de sa grand-mère, à Triskellion, mais son propre lit, dans sa propre chambre. Sa chambre à New York.

Elle resta immobile un moment, à promener ses yeux sur la pièce, craignant de les refermer au cas où la chambre disparaîtrait. Tout était là : l'exemplaire écorné de *Où est Charlie ?*, un de ses livres d'enfant préférés ; le cochon en porcelaine qui ne contenait jamais que deux ou trois dollars en petite monnaie ; le chat poilu aux yeux de verre ; un ours en peluche sale et abîmé qui avait appartenu à sa mère. Chaque objet était à sa place, évoquant des souvenirs qui semblaient désormais remonter à un passé lointain. Le regard de Rachel glissa du poster de Johnny Depp jusqu'à la fenêtre, où de minces rayons de lumière se faufilaient entre les lattes en bois du store. Les coups de Klaxon et le grondement sourd de la circulation filtraient depuis la rue. Les bruits de Manhattan qui s'animait…

Rachel cligna des paupières.

La chambre ne disparut pas. Ce n'était pas un rêve. Mais la jeune fille s'interrogea : comment était-elle arrivée ici ?

Elle se rappela le trajet en hélicoptère (le départ de Triskellion avec Adam, sa mère et Laura Sullivan), l'atterrissage, un endroit gris et brumeux, à des kilomètres de tout. Elle se rappela la séparation d'avec Adam et l'entrée contre son gré dans un bâtiment, son impression de faiblesse extrême après les péripéties de la journée.

Dans sa tête, le film des événements commença de se rembobiner en vitesse rapide…

Rachel frissonna et sentit une crampe atroce lui tordre le ventre lorsque la révélation faite par Gabriel resurgit dans sa mémoire. Ils étaient comme lui. Elle et Adam étaient des humains, mais ils avaient… quelque chose d'autre dans leur sang. Dans leurs gènes. Quelque chose qui les rendait très différents. L'estomac noué, elle prit conscience que cette singularité influencerait désormais à elle seule le moindre instant de leur existence : leur lignée avait été créée des siècles plus tôt par l'union d'un humain et de quelqu'un venu d'un autre monde. Rachel eut des haut-le-cœur et, pendant une minute, elle crut qu'elle allait vomir.

Elle respira profondément et ferma les yeux jusqu'à ce que les nausées s'apaisent.

Elle avait beau ignorer ce qui s'était passé, du moins elle et Adam étaient-ils de nouveau avec leur mère. Du moins étaient-ils chez eux. Simplement, elle ne se souvenait pas de la manière dont elle était arrivée ici. Elle avait dû dormir pendant des jours. Peut-être qu'on lui avait administré une substance pour l'y aider…

Malgré ce trou de mémoire, elle jugea rassurant d'être à bonne distance de l'Angleterre, du village où tout avait commencé. Ce serait un immense soulagement de parler avec sa mère ; avec Adam...

Puis Rachel se rendit compte que, pour la première fois de sa vie, elle n'entendait pas la voix de son frère dans sa tête. Ni la voix de Gabriel, ni aucune autre d'ailleurs. Pas même le ronflement insistant, comme le bourdonnement des abeilles, qui indiquait à la jeune fille qu'elle était en communication avec eux, qu'elle était prête à recevoir leurs pensées.

Juste le silence.

Un peu affolée, elle sortit du lit. Elle devait trouver Adam et savoir si c'était pareil pour lui. Elle avait le cerveau embrumé, sa langue lui semblait épaisse et lourde dans sa bouche. Elle vacillait sur ses jambes et, devinant qu'elle s'était levée trop vite, elle tendit le bras vers le bureau près du lit pour s'y appuyer.

La surface du bureau était aussi en ordre qu'un mois plus tôt, avec les stylos dans le pot en plastique, une pile de disques et le petit miroir rond, rouge, posé dessus. Rachel le saisit et observa son reflet. Elle avait une mine épouvantable. Ses boucles châtaines étaient grasses et emmêlées, son visage blême et gonflé, comme si elle avait pleuré pendant des jours. Elle reposa le miroir à plat et, alors qu'elle redressait la tête, une impression la frappa. Cette chambre – sa chambre – avait l'apparence visuelle, l'ambiance sonore et l'atmosphère attendues, mais il s'en dégageait une odeur curieuse.

Une odeur synthétique, comme l'intérieur d'une voiture neuve.

Rachel mit ses sandales en plastique rose et se dirigea vers la porte. La poignée était anormalement raide. La jeune fille la secoua et laissa échapper un cri lorsque le battant pivota. Il ne s'ouvrit pas sur le vestibule moquetté qui menait à la chambre de ses parents, mais sur un couloir blanc, à l'éclairage intense.

Et quelque part à proximité, une alarme retentit.

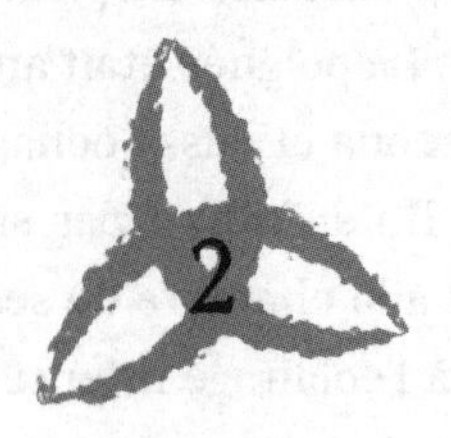

Quittant la pénombre de sa chambre, Rachel plissa les yeux vers la lumière blanche et crue que les tubes fluorescents répandaient le long du passage. Dans le couloir vibraient le faible vrombissement sourd produit par les éclairages et le signal d'alarme qui avait retenti dès l'instant où la jeune fille avait ouvert la porte.

L'alarme qu'elle avait déclenchée.

Rachel avait la peur au ventre et les idées confuses, mais elle était surtout ébahie par la vision de ce corridor impersonnel au sortir de sa propre chambre.

Elle avait l'impression d'être un personnage d'un tableau surréaliste (une de ces peintures qu'aimait tant sa mère), circulant de pièce en pièce au milieu d'un paysage onirique, avec le claquement de ses sandales qui résonnait comme le tic-tac d'une pendule.

Il y avait des portes tous les deux ou trois mètres, et Rachel poussa doucement chacune d'elles, en premier lieu pour s'assurer de leur existence. Elle leva un regard effarouché lorsqu'un homme passa en vitesse devant elle, quelques mètres plus loin, à l'endroit où le couloir formait un T avec un autre corridor. L'homme s'arrêta et lui jeta un coup d'œil avant de repartir en hâte.

Rachel demeura figée. Elle avait vu, sur le visage de l'homme en combinaison blanche, une expression furtive de panique au moment où il l'avait aperçue. Elle l'avait regardé s'empresser de mettre de petits écouteurs puis s'éloigner précipitamment.

Comme s'il avait eu peur d'elle.

Rachel longea deux autres portes et s'immobilisa devant une troisième, sur laquelle était écrit quelque chose. Elle scruta la petite inscription et son estomac se noua de nouveau. L'étiquette annonçait :

ADAM NEWMAN

Rachel essaya de tourner la poignée… la porte n'était pas fermée à clé. Elle l'ouvrit et entra dans la chambre de son frère.

– Salut, Rachel, dit Adam.

Assis sur son lit, il cessa un instant de regarder la console de jeux sur laquelle il était occupé à pianoter.

– Tu viens de te réveiller ? lui demanda-t-il.

Stupéfaite par l'indolence de son frère, Rachel ne put répondre immédiatement. À défaut, elle examina la chambre. Comme dans la sienne, chaque chose était à sa place ordinaire. À l'inverse de la sienne, tout était éparpillé sur le sol ou débordait des tiroirs ; le vieux gant de base-ball qui avait appartenu à leur père, les posters de thrash metal collés au mur, la guitare électrique toujours privée de deux cordes, la télévision dans l'angle couverte de chaussettes dépareillées. Le fouillis habituel, pensa

Rachel. Le décor était parfait jusque dans le moindre détail. Mais, contrairement à la chambre new-yorkaise d'Adam, la pièce d'ici n'avait pas cette odeur… de garçon.

– J'ai merveilleusement bien dormi ! continua Adam. Une éternité, j'ai l'impression. Je n'ai rêvé à rien, je ne me suis pas réveillé avec des voix dans la tête.

Rachel se laissa tomber sur le lit à côté de son frère.

– Et tu ne trouves pas ça étrange ?

Adam haussa les épaules et revint à son écran.

– Si c'est étrange de profiter de ma première bonne nuit de sommeil depuis des semaines, alors j'ai besoin que tu m'expliques.

– Mais les voix, c'est la tienne et la mienne, objecta Rachel. Toi et moi… et Gabriel. On communique par nos pensées.

Adam braqua ses yeux sur sa sœur.

– Tu veux que je te dise ? Ces temps-ci, je crois que j'en ai assez de savoir ce que tu penses ; et ce que pense Gabriel, regarde où ça nous a menés.

Il s'était soudain désintéressé de son jeu et il avait adopté un ton inflexible, un ton auquel sa sœur avait du mal à répliquer.

– Franchement, il m'a flanqué la frousse. Je voudrais qu'on revienne à notre vie d'avant, mais je suppose que ce n'est plus possible. Je fais de mon mieux pour oublier.

Rachel comprenait très bien sa réaction, sa difficulté à accepter ce qu'il avait appris sur lui-même. Elle voyait qu'il avait peur. En revanche, elle n'arrivait pas à comprendre pourquoi il n'était pas plus perturbé d'être dans sa propre chambre… alors que ce n'était pas du tout la sienne.

– Mais cet endroit ? insista-t-elle, désignant la pièce autour d'eux.

– Ils veulent juste qu'on se sente chez nous, répondit Adam. Ils m'ont préparé un sandwich bacon, laitue, tomate. J'avais un creux !

Un frisson de panique parcourut les membres de Rachel.

– Ils ? Qui t'a préparé un sandwich ?

– Un type a frappé à la porte quand je me suis réveillé, il m'a demandé si j'avais faim. C'était bizarre, parce que j'avais envie d'un sandwich bacon, laitue, tomate depuis des jours. Je n'arrêtais pas d'y penser.

Rachel voulait secouer son frère. Comparé à toutes les expériences étranges qu'ils avaient faites, cette obsession pour un sandwich était d'une insignifiance absolue.

– Tu te moques de savoir où on est ? Ce qu'est cet endroit ?

– Je sais que ce n'est pas Triskellion.

Adam reprit sa console.

– Je me sens plus en sécurité ici, conclut-il.

– On était censés rentrer chez nous. Avec maman. Tu l'as vue ?

– Elle est ici aussi, j'imagine, répondit-il sans lever les yeux.

L'acceptation d'Adam commençait à irriter Rachel. Elle donna de petits coups de coude dans les côtes de son frère.

– Tu sais où on est ?

– Pas précisément, reconnut-il en s'écartant d'elle.

Il fit un geste vers la fenêtre.

– Mais ça ressemble à New York, plus ou moins…

Rachel se leva et ouvrit le store, laissant la lumière entrer à flots. Certes, le paysage avait un aspect... américain. Ce n'était pas le New York qu'ils connaissaient, mais une agglomération de hauts immeubles, dont les rangées de fenêtres brillaient au soleil. Rachel se rassit sur le lit, la tête dans les mains, et s'efforça de rassembler ses idées.

– Pourquoi ne pas allumer la télé ? suggéra-t-elle. Les infos devraient nous indiquer où nous sommes... dans quel pays, du moins.

Elle prit la télécommande, mit l'appareil en marche et fit défiler les chaînes. Il y avait des dessins animés, et Adam voulut que sa sœur s'arrête quand la figure jaune de Homer Simpson leur sourit sur l'écran. Mais Rachel continua d'enfoncer le bouton avec vigueur : d'autres dessins animés apparurent et, de temps en temps, une série comique américaine, dont les acteurs leur étaient aussi familiers que leurs proches. Les rires préenregistrés les rassurèrent un instant, rappel des soirées douillettes chez eux, en famille ou avec des amis. Lorsqu'elle atteignit la quarantième chaîne, Rachel jeta la télécommande à travers la pièce dans un geste de frustration. Il n'y avait ni présentateurs, ni bulletins météorologiques, ni questions d'actualité...

Aucune information.

– C'est bizarre, déclara Adam.

Il haussa les épaules avant de retourner à son jeu.

Rachel sentit la panique lui étreindre la poitrine.

– Ils ne veulent pas qu'on sache où on est, affirma-t-elle.

Elle regarda Adam qui, malgré son apparente concentration sur son jeu, se mettait à mordiller sa lèvre tremblante et à écraser les larmes qui perlaient aux coins de ses yeux.

– Tu crois que maman est ici ? demanda-t-il, la gorge serrée.

L'assurance qu'il avait manifestée quelques minutes plus tôt s'évanouissait.

Sa question resta sans réponse, car quelqu'un frappa à la porte et la jeune fille invita spontanément la personne à entrer.

Le battant pivota : Laura Sullivan s'avança dans la pièce. Rachel l'évalua d'un coup d'œil, stupéfaite par sa transformation depuis la dernière fois qu'ils s'étaient vus. Laura semblait propre comme un sou neuf. Ses longs cheveux roux étaient noués en queue-de-cheval, ses vêtements élégants et professionnels.

– Salut les amis, dit-elle. Comment allez-vous ?

Elle avait un ton calme et cordial, mais ses yeux passaient nerveusement d'un jumeau à l'autre. Rachel le remarqua et eut une poussée d'adrénaline. Ses pensées se bousculaient. Elle cherchait quelqu'un qui puisse expliquer cette situation, quelqu'un à accuser…

Laura Sullivan avait découvert leur secret par hasard, alors qu'elle fouillait le cercle de craie de Triskellion. Était-ce là l'occupation des archéologues ? Exhumer le passé pour gâcher le présent ? Rachel éprouva un puissant élan de colère devant le fait que Laura avait déterré leur passé personnel. Si seulement ils n'étaient pas allés à Triskellion, si seulement Laura n'avait pas exploré la tombe de l'âge du bronze, ils n'auraient rien su. Ils auraient pu vivre le reste de leur existence comme des Américains ordinaires. Ils auraient pu grandir en toute innocence et avoir à leur tour des enfants. Comment le pouvaient-ils, maintenant qu'ils connaissaient leur patrimoine génétique ?

Si seulement. Si seulement...

– On est où ? s'écria Rachel. Maman a dit... On pensait que vous nous rameniez chez nous !

Elle haussait la voix, hurlait presque.

– Où est maman ? Vous nous avez trompés !

Laura écarta les mains, implorante.

– Rachel...

Mais un déclic se produisit chez la jeune fille, qui courut à travers la pièce et se jeta sur Laura Sullivan, refermant ses doigts sur le visage et les cheveux de la grande Australienne.

Les mains robustes et musclées de l'archéologue saisirent les poignets de Rachel et les immobilisèrent. Toutes deux restèrent face à face tandis qu'Adam hésitait, ne sachant pas s'il devait défendre sa sœur ou tâcher d'empêcher l'affrontement. Rachel s'aperçut que, en dépit de l'effort pour la maîtriser, le regard de Laura débordait de compassion. Soudain, la volonté de résistance de la jeune fille s'effondra. Le corps vidé de ses forces, elle s'écroula en sanglotant dans les bras de Laura, qui la serra contre elle et lui caressa les cheveux.

– Laisse-moi au moins essayer d'expliquer deux ou trois choses, dit-elle.

Rachel se libéra de l'étreinte de Laura et la regarda droit dans les yeux.

– Vous avez intérêt à être convaincante, répliqua-t-elle.

– Cet endroit s'appelle la cellule Espoir, commença Laura, qui s'était assise entre les jumeaux sur le lit d'Adam. Il est inclus dans une organisation plus vaste nommée le consortium Éclipse.

Adam lança un regard perplexe à sa sœur.

– De quoi s'agit-il ? demanda calmement Rachel, comme un patient auquel un médecin va annoncer une mauvaise nouvelle. D'un hôpital ?

– Non, répondit Laura. C'est un centre de recherche archéologique.

– Et vous travaillez ici ?

Rachel secouait la tête en essayant de démêler l'affaire.

– Oui, en ce moment…

– Et l'histoire de l'émission, alors ? voulut savoir Adam, dont la voix exprimait toute la déception. Je croyais que vous étiez productrice.

Laura inspira profondément et expulsa l'air avec lenteur.

– Je vais tâcher de répondre à autant de questions que possible, d'accord ? Je serai sincère avec vous.

– Donc, jusqu'à présent, vous ne l'avez pas été, je me trompe ? dit Rachel.

Laura soupira et baissa la tête quelques secondes.

– Écoutez, il y a des réponses que je peux vous donner, d'autres que je dois taire… et d'autres encore que je ne possède tout simplement pas. Bon, au sujet de la télé : oui, je suis une archéologue diplômée et je produisais l'émission animée par Chris Dalton, mais c'était aussi une bonne couverture pour mon travail de recherche ici.

– Une couverture ? répéta Adam.

Sa déception n'avait guère duré.

– Vous parlez comme une espionne !

Laura sourit.

– Vu que Dalton est dans l'exagération permanente, personne n'a remarqué que je menais de véritables travaux. Les dirigeants de la cellule Espoir se sont arrangés pour que j'obtienne ce poste avec lui parce qu'ils savaient que la télévision était un bon moyen d'accès à des sites présentant un intérêt particulier.

– Quel intérêt particulier ? enchaîna Rachel.

– Disons, tout ce qui pourrait avoir des liens de nature… extraterrestre.

Rachel se sentit frémir. D'un coup d'œil, elle vit qu'Adam frissonnait aussi.

– Et vous pensiez que Triskellion avait un tel lien ?

– Oui, affirma Laura. Je savais que c'était un site intéressant, qu'il y avait beaucoup de phénomènes curieux dans cette zone. Néanmoins, je ne m'attendais pas à des révélations aussi… concluantes. Nous avons fouillé des tombes partout dans le monde, mais aucune n'avait jamais fourni de restes authentiques.

– Il y a donc d'autres endroits semblables à Triskellion ?

Rachel avait pensé tout haut, mais avant même d'avoir fini sa phrase, elle eut peur d'entendre la réponse.

– On peut le formuler ainsi, expliqua Laura. Il existe des quantités de tombes et de sites sacrés sur notre globe. Selon la cellule Espoir, certains d'entre eux indiquent le lieu d'atterrissage, ou le lieu de sépulture, de « visiteurs ».

– D'une autre planète ? chuchota Adam.

Laura avala sa salive et examina un instant le motif sur la couette du lit.

– Ce que je puis garantir, c'est que nous accumulons les signes montrant qu'il y a des visiteurs depuis des milliers d'années. Ils sont très proches de *Homo sapiens* : des humains, dont l'ADN est toutefois bien différent. Je pense que nous détenons maintenant des preuves.

Rachel avait les yeux fixés sur le sol.

– Alors, d'où est-ce qu'ils viennent ? demanda Adam.

– J'aimerais bien le savoir ! s'exclama Laura. Mais s'ils nous rendent visite depuis longtemps, comme à Triskellion voilà plusieurs milliers d'années, nous pouvons supposer sans trop nous avancer qu'ils sont à de multiples égards plus évolués que nous.

– Comment ça ?

Adam haletait. Il voulait des renseignements supplémentaires, et vite.

– Eh bien, ils ont voyagé jusqu'ici avant même que nous inventions la bicyclette. Peut-être avant même que nous inventions la roue. En dehors de leur capacité à se déplacer, nous pensons qu'ils sont beaucoup plus évolués sur le plan de la communication mentale, de l'action par la seule pensée.

Le regard de Laura passa alternativement de Rachel à Adam.

– Il faut en convenir, c'est une aptitude prodigieuse. Imaginez ce que les humains pourraient faire s'ils la possédaient…

– Mais certains l'ont déjà, répliqua Adam. Ils lisent les pensées, ils voient l'avenir, vous savez ? Par exemple…

– Les jumeaux ? l'interrompit Laura, se tournant vers Rachel.

– Pas uniquement eux, protesta la jeune fille. Il y a d'autres gens qui pratiquent la télépathie.

– Exact, convint Laura. Il y en a. Et nous commençons à croire que les gens qui ont de telles aptitudes descendent tous, d'une certaine manière, de ces visiteurs. Ils portent tous un fragment de leur ADN, quoique affaibli au fil des siècles.

Rachel sentit ses poils se dresser sur sa nuque.

– Comme nous, dit-elle.

– Oui, comme vous, confirma Laura. Mais vous êtes un cas exceptionnel. Tout ce que nous avons découvert à Triskellion concorde : les deux corps dans la tombe sont vos ancêtres. Un humain, et quelqu'un… d'ailleurs. Jusqu'à votre grand-mère, les générations successives n'ont connu ni le brassage ni la mobilité. Par conséquent, nous avons un lien génétique quasi intégralement préservé entre vous et ce premier visiteur de Triskellion. Vous comprenez ?

– Ça fait de nous des monstres, je crois, observa Adam.

– Non ! se récria l'archéologue. Ça vous rend incroyablement intéressants. Vous êtes des humains, bien sûr, mais il y a une fraction d'ADN en vous qui est totalement... euh... autre.

Laura entoura le jeune garçon du bras et le serra contre elle. Il ne s'opposa pas à cette étreinte.

– Vous constituez notre source d'information la plus précieuse sur ce qu'étaient ces visiteurs. Sur ce qu'ils sont...

– Et Gabriel ? l'interrogea Rachel.

Laura Sullivan parut déconcertée.

– Gabriel ?

Rachel vit en un clin d'œil que Laura n'avait pas le moindre souvenir du jeune garçon qui avait guidé leur étrange aventure dans le village. Cette amnésie était-elle l'œuvre de Gabriel, démonstration des facultés mentales que l'archéologue elle-même venait d'évoquer ? Gabriel les possédait en abondance, manifestement. Ou était-ce juste que Laura n'avait pas prêté attention à leur ami ? Rachel choisit de ne pas insister, de toute façon.

– Personne, en fait. Juste un garçon.

Et, ignorant le regard interrogateur de son frère, elle changea de sujet en hâte :

– On pensait que vous nous rameniez chez nous. Maman a dit...

L'émotion étreignit Rachel, qui avait très envie de s'enquérir de sa mère, mais redoutait la réponse.

– Moi, je n'ai jamais dit ça, Rachel. C'était un risque que je ne pouvais pas prendre.

Laura regarda la jeune fille avec franchise.

– J'ai dit à ta mère que je vous emmènerais dans un endroit sûr, ce que j'ai fait.

– Pourquoi faut-il nous mettre en sécurité ?

– Vous avez constaté ce que le triskèle peut faire aux gens. Hilary Wing n'avait pas vraiment à cœur de vous aider, et cette amulette a rendu Chris Dalton presque fou. Elle l'obsédait. Il était prêt à tuer pour l'obtenir.

– Comme l'anneau, dit Adam. Dans le film… ce qui arrive à Gollum !

Le triskèle !

Rachel s'aperçut brusquement qu'elle ne savait pas ce qu'il était devenu. Elle l'avait tenu dans son poing durant le trajet en hélicoptère, mais ne se souvenait pas l'avoir vu dans sa chambre à son réveil. Elle s'efforça de dissimuler son affolement lorsqu'elle demanda :

– Où est-il à présent ?

– En lieu sûr, répondit Laura.

Elle prit les mains des jumeaux et les serra.

– Mais le triskèle n'est pas le seul à avoir besoin de protection. Vous aussi.

– Pourquoi ? s'obstina Rachel. Nous sommes en danger ?

– Vous n'êtes pas en danger ici, affirma aussitôt Laura. Mais des gens s'intéressent à vous. À ce que vous êtes. À ce que vous pouvez faire.

Pendant quelques instants, tous trois se turent, et seul le ronflement de la circulation à l'extérieur troubla le silence.

Laura se leva.

– Bien, assez de questions pour aujourd'hui. Nous avons tout le temps, assura-t-elle. Tu dois avoir faim, Rachel.

La jeune fille hocha la tête, l'estomac soudain creux, et Adam déclara qu'un nouveau sandwich ne serait pas de refus, si on lui en proposait un.

– Bon, en route pour la cuisine, et puis je vous ferai visiter.

Ils esquissèrent un pas vers la porte. Rachel saisit le bras de Laura.

– Une dernière question, l'implora-t-elle.

L'archéologue acquiesça.

– Tu veux des nouvelles de ta mère, c'est ça ? Écoute, je te promets que nous en parlerons.

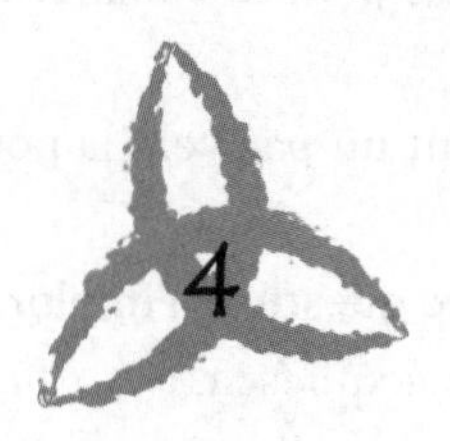

Assise au bord du lit, Kate Newman feuilletait un magazine pour essayer de se distraire… en vain. Chaque fois que ses pensées l'emportaient ailleurs, à l'instant même où elle semblait près d'oublier durant quelques précieuses secondes, elle était ramenée au cauchemar de sa situation présente. Un choc qui lui faisait l'effet d'un coup de poing dans l'estomac.

Elle avait tenté de démêler la confusion qu'avaient été les derniers jours, le chaos et le chagrin du mois précédent. Elle se sentait terriblement coupable à l'idée de n'avoir pas soutenu ses enfants. Au moment où ils auraient eu le plus besoin d'elle, elle s'était repliée sur sa douleur.

Le conflit avec Ralph, son mari, couvait depuis longtemps, et la séparation avait été inévitable. Néanmoins, certaines horreurs qu'il avait proférées – les raisons pour lesquelles il ne pouvait plus rester – l'avaient ébranlée jusqu'au tréfonds. Elle avait un devoir capital envers les jumeaux, mais alors, l'univers s'effondrait. Elle avait cru que sa tête allait éclater s'il lui fallait se débattre aussi avec les sentiments d'autres personnes. Elle avait eu la conviction qu'elle n'était pas en mesure de s'occuper de ses enfants, de les protéger. Le seul endroit qu'elle avait pu envisager pour leur permettre d'échapper au désordre était chez leur grand-mère, en Angleterre.

Elle avait commis une grave erreur.

Elle l'avait deviné au mot laconique de sa mère annonçant leur arrivée sur place. Elle l'avait entendu au ton des brefs appels qu'elle avait reçus d'eux. Ses craintes avaient été confirmées par le courriel énigmatique de Jacob Honeyman, le vieil apiculteur qu'elle avait connu petite. Puis son inquiétude s'était transformée en véritable effroi quand l'archéologue australienne lui avait téléphoné en pleine nuit. Quand elle avait appris qu'elle devait venir immédiatement. Que Rachel et Adam avaient besoin d'elle.

Qu'ils étaient en grand danger.

Laura Sullivan, ou un de ses proches, avait tout organisé. Quelques heures après le coup de téléphone, le taxi était en bas dans la rue et le billet de la British Airways attendait Kate à l'aéroport Kennedy. Au terme d'un trajet durant lequel l'angoisse l'avait empêchée de dormir, elle avait été accueillie sur le tarmac par l'archéologue et conduite jusqu'à un hangar d'aviation excentré, où un hélicoptère au moteur déjà chaud était prêt à les emporter d'urgence vers le sud-ouest de l'Angleterre. Cette Laura Sullivan avait manifestement des moyens considérables à sa disposition.

Sans doute grâce à la chaîne de télévision qui l'employait, avait pensé Kate.

Comme les jumeaux, leur mère avait supposé que le but de l'opération était de les ramener tous trois chez eux. Au lieu de quoi ils avaient échoué ici. Dans cet endroit quelque part en Angleterre. Logée dans une chambre qui était une copie de la sienne à New York, elle avait l'impression d'être pensionnaire d'un hôtel confortable mais terne. Un hôtel de cauchemar, où la porte était fermée à clé de l'extérieur.

Depuis son arrivée sur le sol anglais, Kate n'avait eu que de courtes conversations avec Laura, menées pour la plupart dans le fracas assourdissant du rotor de l'hélicoptère : Rachel et Adam avaient participé à un chantier de fouilles ; à cause de résultats inattendus, il s'était révélé nécessaire d'éloigner les jumeaux du site. Kate avait des questions, une foule de questions. Ses enfants étaient-ils malades ? Victimes d'une contamination ? Laura était restée dans le vague, avait affirmé que tout s'éclaircirait quelques jours plus tard.

Et, stupidement, Kate l'avait crue. Stupidement…

Le sentiment de culpabilité empira, plus mordant, parce qu'au fond d'elle-même, Kate croyait que ce qui était arrivé était sa faute et avait un rapport avec la sensation secrète qui la rongeait depuis toujours. Qui se nourrissait d'elle, enroulée au creux de son estomac comme un sombre ver malfaisant.

La sensation qu'un funeste événement s'était produit, et allait se reproduire.

C'était cette sensation qui l'avait éloignée de sa mère, l'avait poussée à l'exil… et avait persisté à New York. Elle avait tâché de la dissimuler, de l'enfouir, comme le fait honteux qu'elle n'avait pas de père. Mais la sensation s'était intégrée à sa personnalité et avait provoqué chez elle un état quasi permanent de crainte et de mélancolie.

Kate regarda ses ongles rongés. Et voilà qu'elle se trouvait séparée de ses enfants. Ses chéris. Une séparation obtenue par la ruse. Laura Sullivan avait tenté de la rassurer, promis que cette situation ne durerait pas, juste le temps que les experts (experts en quoi ?) vérifient qu'ils allaient bien.

– Juste le temps qu'ils s'acclimatent, avait-elle dit.

Kate avait presque l'impression qu'on l'avait internée dans un service psychiatrique pour la protéger d'elle-même. Pour protéger ses enfants. Ses pensées se bousculèrent. Et si c'était le cas ? Peut-être qu'il s'agissait en effet d'un hôpital psychiatrique. Alors que des idées bizarres et alarmantes commençaient à s'agiter dans son esprit, elle se laissa retomber sur le lit et cacha son visage au plus profond de l'oreiller amidonné.

Puis elle entendit la porte s'ouvrir.

Elle se redressa au moment où un homme et une femme entrèrent dans la pièce. Ils souriaient, mais leurs sourires étaient figés et il n'y avait pas de chaleur dans leurs yeux. La femme lui tendit des médicaments sur un plateau : deux comprimés et une petite tasse remplie de liquide. Pour qu'elle se sente mieux, affirma l'homme. Kate refusa poliment. Leurs voix devinrent aussitôt glaciales, l'homme saisit les bras de Kate, l'immobilisa et la repoussa sur le lit.

Ensuite, la femme sortit une seringue de sa poche et Kate perçut la piqûre de l'aiguille…

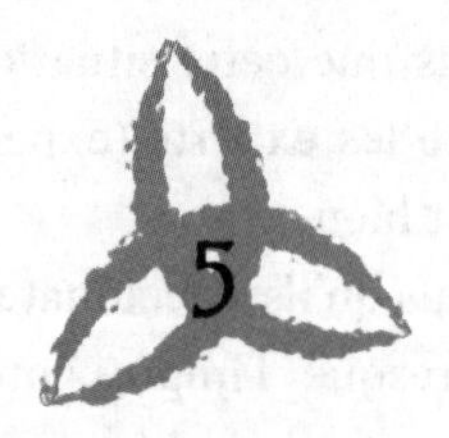

Rachel et Adam s'efforcèrent de suivre le rythme de Laura Sullivan le long des interminables couloirs blancs de la cellule Espoir. Ils passèrent devant une succession de portes, pleines et fermées pour la plupart. D'attirants petits hublots permettaient néanmoins quelquefois d'entrevoir des pièces plongées dans une obscurité partielle. Les jumeaux aperçurent des gens illuminés par de puissantes lampes de travail, penchés sur des ordinateurs ou des terminaux. Certains semblaient étiqueter des fragments de bois et d'autres matériaux.

– Que font-ils ? demanda Rachel à Laura loin devant.

– Ils cataloguent des objets mis au jour à Triskellion et les datent au carbone 14. Je vous montrerai plus tard. Nous aurons tout le temps, assura Laura.

Ils tournèrent à droite dans un nouveau corridor et, arrivant au bout, Laura ouvrit une large porte métallique avec un badge. Ils pénétrèrent dans un autre passage, plus sombre et chaud, avec un genre de natte au sol et des éclairages orange sur les murs.

Laura sourit et fit un clin d'œil à Rachel :

– Nous y sommes.

Elle poussa une double porte battante sur leur droite. Aussitôt, l'odeur les frappa. Rachel et Adam se précipitèrent et se retrouvèrent au milieu d'une cuisine qui leur était très familière.

– Nous voilà en terrain connu, dit Rachel.

Les jumeaux considérèrent les casseroles, le tableau sur lequel Adam dessinait sans cesse des têtes idiotes, les plans de travail où ils avaient vu leur mère préparer le dîner quantité de fois...

– Je n'y suis pour rien, Rachel, admit Laura. Quelqu'un a pensé que vous vous sentiriez davantage chez vous pendant votre séjour ici.

– J'apprécie, déclara la jeune fille.

C'était un fac-similé parfait de leur cuisine, mais il n'en demeurait pas moins un fac-similé. Tout comme sa chambre, se dit-elle. Elle se demanda ce qu'il y avait réellement de l'autre côté de la fenêtre. Une projection ? Une image en trois dimensions ?

– Pourtant, je ne me suis jamais sentie si peu chez nous.

– Oh, je ne sais pas, dit Adam, qui se hissa sur un tabouret devant la table haute. C'est forcément mieux que chez Bonne-maman.

Alors qu'il s'asseyait, un homme asiatique franchit une double porte battante à l'autre bout de la pièce. Il portait une veste et une toque de chef immaculées. Il adressa un large sourire à Rachel et Adam.

– Bonjour ! les salua-t-il.

– Ah, monsieur Cheung, dit Laura. Je vous présente Rachel et Adam, nos pensionnaires. Rachel, Adam... M. Vincent Cheung.

L'homme s'approcha en hâte pour leur serrer la main et s'incliner, affable, devant chacun d'eux.

– Voyons... Adam... œufs sur le plat, bacon croustillant, chapelet de saucisses et pommes de terre sautées, sans ketchup... pain grillé et jus d'orange. Exact ?

Le jeune garçon hocha la tête avec enthousiasme, bavant presque. M. Cheung avait fait une énumération rapide de ses préférences pour le petit déjeuner. Le chef se tourna vers sa jumelle, l'air cordial.

– Et Rachel... crêpes au sirop d'érable, yaourt, pain complet grillé avec beurre de cacahuète, nectar de mangue et *caffè latte* décaféiné, je crois.

Rachel ne put que confirmer, pantoise, le menu de son petit déjeuner idéal. Elle sentit son estomac gargouiller et se rendit compte à quel point elle avait faim.

M. Cheung lança une spatule en acier qu'il fit tournoyer à toute vitesse et rattrapa de l'autre main.

– Quelque chose pour vous, Laura ?

– Juste un café, s'il vous plaît, Vincent... Oh, allez, peut-être qu'une crêpe ne me ferait pas de mal. Au sirop et à la crème fouettée, bien sûr.

– Bien sûr ! approuva M. Cheung.

Rachel et Adam observèrent le chef au travail. Un cliquetis de casseroles, le sifflement de la vapeur et un rare crépitement de flamme fournissaient un contrepoint à la mélodie joyeuse, quoiqu'un peu fausse, qu'il sifflotait. Une poignée de minutes plus tard, la table débordait de mets alléchants. M. Cheung sourit au spectacle des jumeaux qui se mettaient à dévorer. Laura sourit aussi, apparemment ravie de les voir s'égayer.

– Laura, commença Rachel, la bouche pleine de crêpe. Vous ne nous avez toujours pas dit où est maman.

– Elle est ici, répondit Laura.

L'archéologue glissa un regard à M. Cheung. Celui-ci, après un sourire étincelant aux adolescents et une petite révérence, s'en alla d'un pas vif dans le cellier.

– Où exactement ? insista Rachel.

– Ici, mais dans une autre partie du bâtiment, précisa Laura. Elle y restera quelque temps... c'est provisoire, d'accord ?

Laura parut peu disposée à en dire plus, puis elle aperçut l'expression alarmée des jumeaux.

– Écoutez, il faut que vous compreniez certaines choses. Votre maman a traversé une période difficile à New York. Je sais que vous aussi, mais Kate est vraiment très... fragile.

Rachel et Adam n'avaient pas besoin d'explication. Ils ne connaissaient que trop les dépressions noires dans lesquelles leur mère sombrait des mois durant ; les remèdes à base de plantes, les comprimés, les potions et les thérapies qu'elle avait employés pour essayer d'apaiser ses angoisses. Leur père n'avait jamais été d'un grand secours, car c'était un scientifique peu enclin à l'autoanalyse. Pendant que sa femme gisait recroquevillée sur le sofa, il la regardait comme une bête curieuse et tentait en vain de comprendre quelles pensées la torturaient.

– Si maman est dans une de ses mauvaises périodes, il vaudrait mieux qu'elle soit avec nous, vous ne croyez pas ? dit Adam.

Il s'éclaircit la voix et enfourna une nouvelle bouchée, mais il avait eu un ton implorant.

Laura posa une main sur la sienne et il rougit.

– Bien sûr, confirma l'archéologue. Et elle le sera. Mais, vous savez, elle vient tout juste d'apprendre l'histoire de ce nouvel ADN… qui vous êtes, qui elle est. Ce n'est pas une mince affaire, elle est un peu sous le choc et il va lui falloir du temps pour l'accepter. En outre, nous devons à tout prix éviter de vous réunir pendant que nous effectuons des tests préliminaires sur vous…

– Des tests ? demanda Rachel, l'air soudainement inquiète. Quel genre de…

Laura l'interrompit aussitôt pour la rassurer :

– Non, non, pas de quoi vous tracasser… Vous vous souvenez des échantillons d'ADN que j'avais prélevés ? La salive et les mèches de cheveux. Ce style-là, et quelques tests psychométriques pour évaluer vos facultés intellectuelles. Étant votre parente la plus proche, votre mère présente un grand intérêt pour nous. Des examens fondamentaux ont montré que, même si une large part de son matériel génétique est identique au vôtre, elle ne porte pas le gène… différent.

– Vous parlez du gène extraterrestre ? demanda Rachel avec brusquerie.

Laura sourcilla un peu à ce mot.

– Nous ne pouvons pas nous prononcer là-dessus, déclara-t-elle. En revanche, nous pouvons certifier que ce gène différent est récessif : il est resté latent pendant des années et n'est réapparu que quand deux autres ensembles de gènes, ceux de vos grands-parents, se sont rencontrés. Comme une famille de bruns qui donne soudain naissance à un roux, ou un couple blanc qui engendre un enfant noir.

– Ou des jumeaux ? compléta Adam.

– Exactement, continua Laura. Et même si le gène semble avoir sauté la génération de votre mère, il nous faut identifier les points communs qui existent entre elle et vous, tels que des schémas de pensées, des réactions émotionnelles, de manière à voir où se situent les véritables différences. Pour le découvrir, nous devons réaliser des tests similaires sur elle. Mais tant que nous ignorons l'ampleur de vos capacités mentales, nous ne pouvons pas vous laisser tous les trois ensemble, car cela pourrait fausser nos résultats. Mes propos ont-ils un sens ?

Rachel haussa les épaules. Ces paroles n'avaient ni plus ni moins de sens que le reste.

– Alors, combien de temps prendront ces tests ? demanda-t-elle.

– Juste quelques jours, sans doute, indiqua Laura. Nous commencerons demain et nous verrons comment nous progressons. Ensuite, vous retrouverez votre mère, je vous le promets.

Rachel hocha la tête avec lenteur. La perspective des tests la tourmentait d'instinct, même si Laura jurait qu'ils étaient totalement inoffensifs. Elle essaya de transmettre ses réflexions à son frère, pour savoir s'il les partageait. Elle eut beau s'acharner, elle ne put établir le contact. Il ne quitta pas des yeux son petit déjeuner. Il avait l'air ensommeillé, subitement.

La liaison était coupée entre elle et Adam. Rachel se demanda s'il y avait une substance dans ce qu'il mangeait... dans ce qu'elle mangeait.

Comme elle allait avaler sa dernière bouchée de yaourt, elle se ravisa. Elle regarda, là-bas, le plan de travail où M. Cheung avait cuisiné.

Une goutte de sirop d'érable y était tombée, et une grosse abeille semblait occupée à sucer le liquide. Rachel l'observa : les antennes de l'insecte remuèrent, il pivota face à elle...

Soudain, M. Cheung ressortit du cellier. Il traversa la pièce à vive allure et, avant que Rachel ou Adam puisse l'en empêcher, donna un coup de spatule sonore sur l'acier inoxydable du plan de travail.

Il sourit aux jumeaux tandis qu'il ramassait l'abeille avec un torchon et jetait le petit corps écrasé dans la poubelle en métal.

– Morte ! annonça-t-il.

*La voiture roule dans l'obscurité. Des gouttes de pluie s'abattent en diagonale dans le faisceau des phares et s'écrasent sur le pare-brise. Penché en avant, le conducteur essaie de mieux voir tandis que l'auto aborde à toute allure les virages serrés de la route à flanc de colline. La passagère essuie en vain la buée avec un mouchoir en papier. Sur la banquette arrière, les jumeaux se cramponnent l'un à l'autre pour se réconforter.*

*Il y a des phares derrière eux, laiteux et flous, fragmentés dans le rétroviseur. On les suit, le conducteur en a la certitude maintenant – maintenant qu'ils ont pris cette route isolée qui grimpe de plus en plus, de plus en plus étroite, et ne mène nulle part.*

*Les lumières se rapprochent et le conducteur accélère, puis donne un coup de volant. Des rochers encombrent la route, nets et déchiquetés soudain dans l'éclat des phares. La voiture dérape et, comme au ralenti, franchit le talus, dévale la berge vers le lac sombre.*

*La femme se retourne pour regarder une dernière fois ses enfants terrifiés, sa bouche figée dans un « Oh » épouvanté. Les bouches des jumeaux imitent celle de leur mère, mais elles s'ouvrent et se referment tels les becs de bébés oiseaux sur le point d'être arrachés de leur nid, leurs hurlements masqués par le crissement du rocher contre le métal et le fracas du verre brisé.*

*La voiture bascule sur le côté, puis sur le toit, une aile avant percute un énorme rocher, et l'auto s'enfonce tout entière dans les ténèbres du lac en provoquant à peine une éclaboussure. Sous la surface, les hurlements de la mère sont noyés, sa voix n'est plus que bulles. Dans l'obscurité uniquement éclairée par les phares, des mèches de cheveux tourbillonnent devant son visage à la façon des algues. La tête de l'homme saigne, des nuages rouges s'épanouissent dans l'eau. Quatre petits poings martèlent en silence les vitres noires, à tout prix désireux de survivre.*

*Rachel, survolant la scène, voit la forme argentée de l'auto couler vers les profondeurs comme un lent poisson lourd. Deux bulles montent dans l'eau, pareilles à des globes de mercure, et elle aperçoit deux petits corps qui s'agitent, se débattent et finissent par émerger, illuminés par les phares d'un véhicule noir stationné sur la route en contre-haut.*

Rachel s'assit droite comme un i.

Tremblante, inondée de sueur, elle passa ses doigts dans son épaisse chevelure moite. Elle avait dû s'assoupir. Elle avait eu les paupières si lourdes après ce petit déjeuner copieux, et il faisait si chaud dans la pièce.

Laura lui avait recommandé de se reposer, disant qu'il lui faudrait un peu de temps pour retrouver son état normal. Normal ? Rachel doutait de se sentir à nouveau normale un jour. Promenant son regard sur la chambre familière et pourtant étrangère, elle chercha sans succès un dispositif de réglage de la température. Elle se rendit compte que, si elle n'entendait toujours pas les pensées de son frère, elle s'était remise à rêver.

Mais il n'y avait là rien de réjouissant.

Le rêve, avec ses images cauchemardesques de noyade dans un lac sombre, lui avait laissé une sensation d'effroi horrible, glaçante.

Qui étaient les jumeaux dans la voiture ?

Certainement pas elle et Adam : ils n'avaient jamais eu d'accident, et l'homme et la femme dans l'auto n'étaient pas leurs parents. Peut-être que ces jumeaux les représentaient, elle et son frère ? Peut-être que c'était juste un cauchemar sur une séparation brutale entre parents et enfants ? Rachel ferma bien les yeux et s'efforça de se remémorer les images du rêve. Elle avait l'impression d'avoir été à la fois dans le véhicule et loin au-dessus de lui, à regarder chaque instant terrible comme une séquence de film revue au ralenti. Elle se rappela les visages, l'intérieur de la voiture, avec ses sièges en cuir éraflé et les lumières vertes sur le tableau de bord. Elle perçut l'humidité. Elle distingua des fleurs violettes qui poussaient parmi les rochers.

Puis elle se souvint d'un curieux détail. La petite fille sur la banquette arrière était enveloppée dans une couverture à carreaux écossais fixée par une grosse broche en or.

Une broche en forme de triskèle.

Installée dans son bureau, Laura Sullivan fixait des yeux l'écran de son ordinateur portable et se débattait avec sa conscience.

Elle n'avait encore jamais remis en cause ses motifs personnels, mais il devenait très difficile de ne pas le faire. N'avait-elle pas bien agi en amenant les jumeaux ici ? Après tout, ils n'étaient plus en sécurité à Triskellion, et rentrer à New York aurait assurément été dangereux pour eux. Laura devinait que quelque chose n'allait pas aux États-Unis. Les chefs américains réclamaient certainement l'envoi des jumeaux outre-Atlantique pour des examens plus « agressifs », mais jusqu'à présent Van der Zee avait soutenu Laura en gardant Rachel et Adam au Royaume-Uni. La jeune femme avait affirmé qu'il fallait les observer de près, leur permettre de se détendre et de s'épanouir dans cet environnement protégé, avec leur mère à proximité. Néanmoins, était-il légitime de leur administrer ces médicaments ?

Laura secoua la tête, irritée de n'être pas honnête avec elle-même. Certes, ils ne pratiquaient pas des tests chirurgicaux sur les jumeaux, comme les vautours du consortium Éclipse aux États-Unis en avaient à coup sûr l'intention, mais ils les droguaient. Une telle attitude ne pouvait pas être légitime.

Laura s'était attachée à Rachel et Adam, et elle savait ce lien réciproque. Elle voulait les préserver. Toutefois, il était indéniable qu'ils constituaient la plus importante découverte scientifique du siècle. Peut-être la plus importante découverte scientifique de l'Histoire. Le projet nécessitait la docilité des jumeaux, elle l'acceptait ; selon la volonté des dirigeants, ils absorbaient des sédatifs depuis quatre jours déjà, soit la durée des scanners. Aujourd'hui, enfin réveillés, ils étaient apparus désorientés, ralentis. Laura avait donc protesté, mais les meneurs de la cellule continuaient d'imposer les tranquillisants. Ils avaient tout de même consenti à réduire les doses dans la nourriture.

Laura referma brutalement son ordinateur et fixa le mur. Ce n'était pas de l'archéologie ; c'était une violation des droits des jumeaux. On leur volait leur adolescence, et elle savait qu'elle faisait partie des voleurs.

Elle s'était imaginé une vie bien différente…

Elle se souvint des journées brûlantes de sa propre adolescence dans la banlieue de Perth. Pendant que sa sœur jouait à la poupée, elle se promenait dans la cour à Subiaco, donnait des noms aux roches et mémorisait chaque dinosaure depuis la période triasique jusqu'au crétacé.

Même à cette époque, elle avait la certitude que son avenir tournerait autour de son obsession du passé.

Elle se souvint qu'elle recherchait les fossiles, ce qui l'avait amenée à s'intéresser aux sites aborigènes, aux pistes chantées et aux récits oniriques. Ces cartes invisibles du paysage ancien que les hommes des tribus conservaient dans leur tête, dans des chansons ou des histoires. Ils avaient le passé, le présent et l'avenir dans leur esprit. Ensuite, elle avait éprouvé de la curiosité pour les sites sacrés d'autres parties du monde : les grottes et les tombes oubliées depuis longtemps, les cimetières de l'âge du bronze.

Et, un jour, certains éléments d'informations épars avaient commencé à s'assembler.

C'était à ce moment-là que l'Américain, à l'université d'Australie occidentale, lui avait proposé d'entrer dans la cellule Espoir. Il avait lu certains de ses articles et déclaré qu'ils travaillaient dans la même direction. En échange d'un accès complet à ses travaux, la cellule

Espoir avait offert à Laura une liberté totale pour continuer ses recherches dans tous les endroits de son choix, promettant de lui ouvrir des portes si nécessaire.

Laura détestait la paperasserie requise pour obtenir l'autorisation de fouiller des sites étrangers, elle avait donc accueilli ce sésame avec joie. En outre, même si l'argent n'avait jamais été une priorité, il fallait reconnaître que les grosses sommes apparues sur son compte bancaire du jour au lendemain avaient tout changé pour elle qui avait vécu de bourses d'études pendant dix ans. Une occasion en or, à y repenser.

Et voilà que maintenant, elle était complice de gens qui droguaient des adolescents.

Laura rouvrit son ordinateur. Elle releva ses messages puis cliqua sur l'icône de sa webcam. Elle fut heureuse de voir Rachel debout, en train d'arpenter sa chambre, plutôt que léthargique comme durant les six heures précédentes.

Laura l'observa pendant plusieurs minutes. Elle prit une gorgée du café qu'elle avait préparé un moment avant, mais il était tout froid.

Rachel semblait en quête de quelque chose. Remuant la main devant les ampoules et l'orifice de la climatisation, elle donnait l'impression de chercher un insecte… ou une caméra. À peine cette idée eut-elle frappé Laura que Rachel fit volte-face, leva la tête vers un angle de la pièce et braqua ses yeux droit sur l'objectif caché de la webcam de l'archéologue.

Laura Sullivan se sentit soudain écarlate, exposée, alors que Rachel grimpait sur une chaise, puis, agitant l'index devant l'objectif de la caméra comme pour dire « je t'ai eue ! », obturait le judas avec une boulette de chewing-gum.

Laura poussa un soupir irrité lorsque l'image sur son écran devint noire ; en même temps, elle éprouva pour Rachel une secrète admiration plus forte que son agacement. Une fille combative ne se laissait jamais abattre, pensa-t-elle. Tout bien considéré, l'adolescente avait peut-être encore besoin de sédatifs.

Comme les autres.

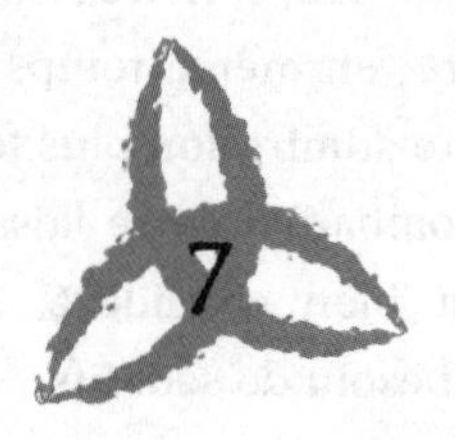

# 7

Rachel claqua la porte derrière elle, indignée d'avoir découvert la caméra espionne et furieuse contre elle-même de ne pas l'avoir vue plus tôt. Elle avait depuis quelque temps la sensation d'être observée. Elle s'y attendait, en réalité, mais la confirmation de ses soupçons la mettait dans une rage incroyable. Ne pouvait-elle faire confiance à personne ? Elle fut surprise de constater qu'on ne l'avait pas enfermée dans sa chambre.

Elle enfila le couloir comme un ouragan, tambourina contre la porte de son frère et la poussa sans attendre la réponse.

– Ils nous espionnent, Adam ! cria-t-elle, sachant pertinemment que la chambre du jeune garçon aussi était sous surveillance. Adam ?

Elle s'avança dans la pièce… personne. Seul le lit défait témoignait du passage de son frère. Rachel referma brutalement la porte et s'éloigna d'un pas impétueux dans le couloir qu'avait suivi Laura lorsqu'elle les avait emmenés prendre leur petit déjeuner.

Comme elle tournait à droite vers la partie ancienne du bâtiment, Rachel se trouva soudain nez à nez avec une femme en blouse de laboratoire, pas plus grande qu'elle. La femme sembla horrifiée et recula contre le mur, fouillant ses poches à la recherche de petits écouteurs et tâchant de ne pas croiser le regard de l'adolescente.

Rachel jeta un coup d'œil sur la double porte qui menait à la cuisine et pour laquelle un badge était nécessaire.

La colère la rendit audacieuse.

– Ouvrez-moi cette porte, s'il vous plaît, ordonna-t-elle à la femme.

Celle-ci eut l'air effrayée. Elle essaya d'éviter Rachel et de la contourner, mais la jeune fille lui fit barrage avec son propre corps.

– Ouvrez cette porte, j'ai dit ! Je ne suis pas une prisonnière ; je suis libre !

La femme leva la tête un instant, ses yeux fuyant éperdument le regard de Rachel.

– Nous ne… Nous ne sommes pas censés vous parler, murmura-t-elle.

Elle réessaya de s'échapper, mais Rachel la renvoya d'un coup d'épaule contre le mur.

– Où est Adam ? Où est mon frère ?

Rachel saisit les cheveux courts sur la nuque de la femme, lui renversa la tête et la dévisagea d'un air furibond.

– Je vous en supplie ! Nous ne sommes même pas censés vous regarder, implora la femme.

Rachel imprima une forte secousse à sa chevelure coupée au carré.

– Ouvrez-moi. Tout de suite !

Et elle lui tira de nouveau les cheveux, parlant très près, les yeux plantés dans les siens. Soudain, toute résistance quitta le corps de la femme. Elle cessa de lutter, se tourna calmement vers la porte et glissa son badge dans la fente contre le mur.

– Voilà, dit-elle, poussant l'un des battants.

Puis elle adressa un faible sourire à Rachel et reprit son chemin comme si l'incident n'avait jamais eu lieu.

Rachel, immobile sur le seuil, l'observa qui s'éloignait. Elle était stupéfaite de cette brusque renonciation et se sentait coupable de l'avoir obtenue par la violence.

– Désolée ! cria-t-elle.

Mais la femme ne se retourna pas.

Rachel emprunta le corridor et pénétra dans la cuisine déserte. La tête de M. Cheung apparut entre les rideaux en plastique du cellier.

– Salut Rachel. Une petite faim ?

– Non, merci, répondit Rachel d'un ton sec. Je cherche mon frère.

Elle longea la table haute et se dirigea vers la porte battante au fond de la pièce.

M. Cheung se raidit et s'avança vers elle.

– Rachel, je regrette... Je ne crois pas que...

D'un geste impérieux de la main, l'adolescente réduisit le chef au silence, puis franchit la double porte.

Celle-ci donnait sur une autre partie du bâtiment, à l'évidence moins récente. Une épaisse moquette recouvrait le sol et des tableaux ornaient les murs. Rachel sentit une odeur de fumée et entendit, quelque part au bout du couloir, une faible musique classique.

Le son la guida jusqu'à une porte ouverte. Elle vit une grande pièce confortable où rugissait un feu de bois, garnie d'énormes fauteuils et sofas rembourrés. Sur la tablette de la cheminée trônaient plusieurs pendules d'aspect ancien, leurs rouages exposés sous des globes. Jetant un coup d'œil, Rachel aperçut des appareils et des personnages mécaniques de formes et de tailles diverses perchés sur des étagères, dans des alcôves de chaque côté du foyer. Dans l'un des énormes fauteuils, derrière une table basse devant le feu, était assis un homme noir d'une cinquantaine d'années. Il dressa la tête pour regarder la nouvelle venue et sourit.

– Bonjour, Rachel, la salua-t-il.

Sa voix était un grondement sourd et rassurant : une voix américaine. Il se leva et invita la jeune fille à le rejoindre près du feu.

– Vous voulez bien fermer la porte ?

Rachel obéit et s'avança, hésitante.

– Salut Rachel ! dit son frère, dont la tête pointa audessus du dossier qui le cachait jusqu'alors.

– Asseyez-vous donc, dit l'homme. Je viens de faire connaissance avec Adam. Je suis le docteur Clay van der Zee.

Il tendit la main.

– J'exerce ici comme directeur des recherches, d'après la terminologie en usage. Bienvenue à Espoir.

Rachel lui serra la main, remarquant sa peau sèche et lisse, ses ongles très propres.

Il lui désigna un fauteuil magnifiquement capitonné à côté d'Adam.

– Vous savez, votre frère m'a bel et bien époustouflé.

Il indiqua un plateau de jeu sur la table devant lui. Adam sourit jusqu'aux oreilles.

– D'ordinaire, les gens doués ont besoin de huit tentatives au minimum pour trouver la solution, dit Van der Zee, puis il secoua la tête en feignant la surprise. Or Adam a réussi en deux coups.

Rachel reconnut le jeu, du moins le type de jeu. Ils en avaient un dans la maison de vacances où ils séjournaient jadis, au cap Cod. Leur plateau avait dix rangées de quatre trous. Dans une rangée que dissimulait un petit capot, un joueur formait un code de quatre couleurs. Son adversaire essayait ensuite de deviner la combinaison cachée en plaçant des pions colorés dans les rangées successives. On pouvait découvrir le code selon un processus logique, par élimination. Mais cette version-ci paraissait plus difficile : elle comprenait six couleurs différentes, d'où un nombre de possibilités quasi infini. Réussir en deux coups était pure chance… ou autre chose.

– Adam a toujours brillé dans ce genre de jeux, affirma Rachel.

Le jeune garçon hocha la tête, loin de démentir les preuves de son génie.

– Et vous, Rachel ? demanda Van der Zee. Accepteriez-vous de faire une partie ?

Il orienta le jeu vers elle.

– Ne regardez pas, je place la combinaison.

Rachel se sentit puérile, à se cacher les yeux pendant que l'homme abritait les pions colorés derrière sa main. Lorsqu'il fut prêt, il lui tapota le genou avec enthousiasme et lui fit un signe du menton. Rachel plongea son regard dans les yeux sombres de Van der Zee. Il lui rappelait un épagneul : une légère tristesse aux coins des paupières, mais une expression chaleureuse, amicale, l'envie de faire plaisir.

– Quand vous voulez, Rachel, dit-il.

La jeune fille considéra les trous vides du plateau. Aucun indice. Elle ferma les yeux. Elle réfléchit un moment puis, alors que ses pupilles s'adaptaient à l'obscurité sous ses paupières, des couleurs se mirent à briller. Elles palpitaient et se succédaient comme des feux de circulation. Rachel se concentra… et les couleurs formèrent un alignement : rouge, vert, bleu, jaune, rouge encore, et violet.

Rachel rouvrit les yeux, regarda le plateau.

– Vas-y, l'encouragea Adam. Je crois que j'ai déjà trouvé.

Sa sœur sortit des pions colorés de la boîte devant elle et les rangea dans l'ordre : rouge, vert, bleu, jaune, rouge, violet.

Van der Zee sourit discrètement à mesure que Rachel enfonçait les pions dans les trous. Il hocha la tête et souleva le petit capot, révélant une combinaison de couleurs en tous points identique. Adam regarda sa sœur, un peu déçu qu'elle l'ait surpassé.

– En un coup, déclara Van der Zee. Fantastique supposition, ou devrais-je parler d'intuition ?

– N'importe, éluda Rachel, haussant les épaules.

Elle parcourut la pièce des yeux, cherchant à fuir le regard scrutateur de l'homme qui semblait porter un intérêt de médecin légiste à ses moindres souffles et cillements.

– Pourquoi avez-vous tant de pendules ? demanda-t-elle, afin de changer de sujet.

Le visage de Van der Zee s'illumina.

– Elles me fascinent, tout simplement, répondit-il.

Il se leva et montra la tablette de la cheminée.

– Chacune est particulière. Dans sa forme, dans sa taille. En dépit de ces différences, tous les rouages qui les composent agissent ensemble, de façon harmonieuse, pour la régularité, la bonne marche du monde. Individuellement, chaque rouage est inutile ; mais assemblez-les, c'est la métamorphose !

Van der Zee entrelaça ses doigts, formant un nid avec les mains, et regarda tour à tour les jumeaux.

– Certaines pendules ont un cadran peint, propre à dissimuler ce qui se passe dessous ; un aspect neutre qui ne donne aucune idée du mouvement continuel des rouages. Mais j'aime tout spécialement celles-ci, parce qu'elles me permettent de voir comment elles marchent.

– Je parie que vous n'êtes jamais en retard, dit Adam, risquant l'une de ses plaisanteries médiocres.

Rachel grimaça. Van der Zee rit avec indulgence.

– La ponctualité ne m'importe pas beaucoup ; plutôt la synchronisation de ces éléments mécaniques. Chaque petit composant est aussi essentiel que les grosses roues pour que l'appareil fonctionne. Venez voir ceux-ci…

Il conduisit les jumeaux vers les étagères à gauche de la cheminée. Une collection de vieilles poupées et de jouets mécaniques semblait exposée là.

– Celui-ci est vraiment vieux, d'environ deux siècles, annonça-t-il en désignant un petit singe poilu, vêtu d'un gilet de soie, assis sur un tabouret, des cymbales dans les mains.

– C'est un vrai singe ? demanda Adam.

– Ah non ! C'est ce qu'on appelle un automate. Artificiel. Comme un petit robot. La fourrure doit être véritable ; du lapin, sans doute. Fabrication française, je crois. Regardez.

Van der Zee poussa un levier à la base de l'automate. Le mécanisme se mit à vrombir et à cliqueter. Avec une saccade, la tête du singe pivota, comme s'il braquait ses yeux noirs en verre sur les trois humains.

– Il me donne la chair de poule, avoua Rachel.

– C'est génial ! la contredit son frère.

Le corps sous le gilet de brocart remua, comme doué de vie, et, dans des sonorités de boîte à musique, se mit à jouer la mélodie aiguë d'une vieille comptine. Rachel frissonna et Van der Zee lui sourit. Avec une nouvelle saccade, l'automate avança la tête, et ses fines lèvres en cuir se retroussèrent dans un rire silencieux, révélant une rangée de minuscules dents jaunes. Les jumeaux sursautèrent lorsque les bras du singe se rapprochèrent soudain et firent tinter les cymbales, sa tête s'agitant d'un côté et de l'autre, son corps frétillant.

Van der Zee l'arrêta.

– Formidable, n'est-ce pas ? s'extasia-t-il.

Il leur en montra quelques autres : un minuscule canari dans une cage dorée qui battait des ailes et lançait des sifflements voilés ; un chef cuisinier au visage de caoutchouc qui faisait sauter des œufs en étain dans une poêle ; un clown mécanique en pantalon à carreaux qui pivotait et buvait une bière imaginaire à la bouteille. Rachel et Adam furent le plus fascinés par l'abeille retenue par un fil de fer, tournant autour d'un petit pot de miel, ses ailes mobiles bruissant.

– C'est ma préférée aussi, reconnut Van der Zee.

Rachel pensa subitement à leur ami Jacob Honeyman et se demanda ce que le vieil apiculteur ferait d'une abeille mécanique.

– Oui, elle est sensationnelle, dit la jeune fille.

Pour finir, Van der Zee attira l'attention des jumeaux sur un coffret dans un coin de son bureau, de la taille d'une boîte à chaussures, mais en bois épais et sombre. Sur le couvercle, une incrustation en os, semblait-il, représentait un triskèle. Rachel et Adam échangèrent un regard. Leur émerveillement pour les automates fut remplacé par une vive appréhension.

– Vous pourrez peut-être me renseigner…

Van der Zee tourna la clé dans la serrure et souleva le couvercle du coffret. Rachel sentit une poussée d'énergie, une vibration, tandis que l'or mat du triskèle apparaissait, contrastant avec l'intérieur en velours rouge. Van der Zee saisit l'amulette et la vibration cessa immédiatement.

– C'est un objet de l'âge du bronze, autant que nous le sachions, dit Rachel.

Elle voulait qu'ils s'en tiennent à des réponses simples, qu'ils ne révèlent rien, comprit Adam.

– La plupart des gens considèrent que le motif est d'origine celtique, ajouta-t-il.

Le regard de Van der Zee passa d'un jumeau à l'autre, comme s'il essayait de les jauger. Puis il sembla se raviser : il rangea nonchalamment le triskèle dans le coffret, donna un tour de clé et sourit.

– J'ai un bon exercice à vous proposer, mes amis, annonça-t-il.

Il les entraîna vers une vieille machine à sous dans un angle.

– Le bandit manchot.

Il prit un tas de pièces marron usées, en tendit une à Rachel.

– Mettez un penny dans la fente, dit-il. Voyons si vous devinez ce que vous allez obtenir.

Rachel introduisit la pièce, tira sur la manette et ferma les yeux un instant. Aussitôt, de petites taches rouges se mirent à danser sous ses paupières dans l'obscurité.

– Des cerises. Quatre cerises, affirma-t-elle.

Les cylindres s'immobilisèrent : une rangée de quatre cerises. Un flot de pièces se déversa par l'ouverture métallique de la machine et rebondit sur le sol.

Van der Zee sourit.

– Vous gagnez à tous les coups. Voilà ce que j'appelle de l'intuition.

– Je parlerais d'une intuition surhumaine, dit une voix australienne derrière eux.

Rachel et Adam se retournèrent et virent Laura Sullivan. Elle se tenait sur le seuil, main dans la main avec un petit garçon et une petite fille, tous deux enveloppés dans un châle à larges carreaux colorés.

Des jumeaux.

# 8

M*oi, c'est Morag*, dit la petite fille.

Rachel allait se faire connaître à son tour quand elle se rendit compte que la fillette n'avait pas ouvert la bouche. Elle vit Morag sourire et perçut aussitôt le lien entre elles, pareil à une vibration profonde circulant le long d'un fil invisible. C'était une sensation réconfortante. Familière…

Laura Sullivan toussa, comme si elle relançait un acteur qui avait oublié sa réplique.

– Moi, c'est Morag.

À haute voix, cette fois-ci. Un accent chantant, aux inflexions aiguës.

– Et voici Duncan. On est jumeaux, comme vous.

Comme vous…

Rachel s'approcha et les présenta, elle et son frère. Les petits jumeaux, roux tous les deux, avaient des cheveux brillants et bien coiffés, et portaient des vêtements assortis : pantalon ou jupe à larges carreaux verts et noirs. Adam leur trouva une ressemblance avec le dessin qu'il avait vu chez sa grand-mère sur une boîte à biscuits en fer-blanc.

– Vous êtes des highlanders, exact ? demanda-t-il.

Morag gloussa et secoua la tête.

– Nooon ! Juste des Écossais.

– Oh, pardon, s'excusa Adam, distinguant mal la nuance. Vous venez de Glasgow ? Ou de… ?

Il connaissait aussi Édimbourg, la capitale, mais il hésitait sur la prononciation.

– On vient d'Orkney, répondit Morag. C'est une île minuscule. Vous en avez entendu parler ?

Adam fit signe que non. Il se pencha ensuite vers le garçonnet occupé à scruter le plancher comme s'il examinait le grain du bois nu, ciré.

– Bonjour, dit Adam.

Il attendait une réponse, mais le garçonnet ne leva même pas les yeux. Adam jeta un coup d'œil à sa sœur et haussa les épaules.

Rachel essaya de transmettre ses pensées à son frère. Adam semblait plus vif que durant tous les jours précédents. Peut-être que quelque chose s'était dissipé ? Elle sentait les canaux se rouvrir…

*Il est timide*, dit-elle en esprit.

*Ou muet*, répondit Adam de la même manière.

– Il n'est pas muet, intervint Morag à haute voix, surprenant Rachel et Adam, les arrêtant net. C'est juste que Duncan ne parle pas beaucoup.

– Il ne veut rien dire, alors ? demanda Adam, soucieux de dissimuler sa gêne.

Morag secoua la tête.

– Non, pas vraiment.

Elle enlaça son frère. Il se contracta, tapotant le plancher avec la semelle de sa chaussure noire et brillante.

Morag avait un regard intense, et Rachel n'arrivait pas à s'en détacher. La vibration qu'elle avait sentie circuler entre elles augmenta soudain. Le bourdonnement doux devint irrégulier, quasi assourdissant.

– Rachel ?

Le bruit dans sa tête couvrait presque la voix de son frère tandis qu'elle cherchait à se libérer du mystérieux courant qui passait entre elle et la fillette, qu'elle cherchait à se déconnecter.

Puis le phénomène cessa.

Rachel battit des paupières et tenta de s'éclaircir les idées. Quand elle se fut ressaisie, elle vit que Morag s'éloignait déjà et sautait sur les genoux de Clay van der Zee. L'homme accueillit la fillette avec chaleur et sourit gaiement à Duncan, qui suivit sa sœur d'un pas tranquille à travers la pièce et s'installa sur un petit fauteuil près du bureau. Morag immobilisa Rachel de ses yeux écarquillés, l'appela, s'efforça de lui communiquer un message que l'adolescente ne put déchiffrer.

– Morag et Duncan sont ici depuis longtemps, expliqua Van der Zee.

Il attira la fillette contre lui et l'étreignit.

– Depuis qu'ils ont perdu leurs parents, disons.

– Quatre ans, huit mois et vingt-trois jours, précisa Morag.

– Ils font partie de la famille, conclut Van der Zee.

Morag lui adressa un large sourire, mais c'était ce genre de sourire figé qu'une enfant prend pour une photo : pas très naturel. Puis elle tourna son sourire vers Rachel, la fixant à nouveau des yeux comme si elle voulait lui dire quelque chose.

– Vous avez déjà fait les tests ? demanda-t-elle à haute voix.

Rachel détourna son regard de l'étrange petite fille pour consulter Laura Sullivan.

– Euh, demain, je crois, répondit-elle.

L'archéologue confirma.

Morag avait manifestement perçu l'appréhension dans la voix de Rachel, parce qu'elle lui assura :

– Il n'y a vraiment pas de quoi s'inquiéter.

Les jumeaux écossais devaient avoir environ huit ans, mais la fillette donnait soudain une impression de maturité remarquable.

– Ils sont très amusants, continua-t-elle. Comme des jeux.

– À propos, déclara Van der Zee en montrant le plateau où s'alignaient les pions colorés, Rachel est très forte à celui-ci. Presque aussi forte que toi, Morag, en réalité.

Rachel rougit et se sentit ridicule.

– La chance du débutant, prétendit-elle.

– Je peux faire une partie avec elle ? glapit Morag. S'il te plaît…

Van der Zee eut un petit rire.

– Peut-être plus tard, répondit-il.

Morag parut boudeuse un instant, puis Van der Zee lui parla en secret, et bien vite tous deux chuchotèrent et pouffèrent comme s'ils étaient seuls dans la pièce. Derrière le bureau, une grande pendule murale en bois émettait un tic-tac sonore, et les bûches crépitaient dans la cheminée.

L'atmosphère était très douillette et horriblement bizarre.

Rachel alla rejoindre Adam. Ils échangèrent des sourires nerveux avec Laura Sullivan, qui passa devant eux et entreprit de ranger le jeu de Van der Zee.

– Tu l’as senti ? souffla Rachel à son frère.

– Quoi donc ? demanda Adam.

– Avec la petite. Juste après le moment où elle nous a dit que son frère ne parlait pas.

– J’ai senti un truc, mais je ne savais pas si ça venait de toi.

– Ah non, ça ne venait pas de moi, lui garantit Rachel. J’avais l’impression que quelqu’un maniait une perceuse sous mon crâne. Je ne sais pas ce qui se passait dans sa tête à elle, mais ses pensées n’étaient pas joyeuses.

Morag rit de bon cœur alors que Van der Zee lui chuchotait quelque chose.

– Elle a l’air plutôt joyeuse, pourtant, observa Adam.

– Ensuite, c’est comme si elle m’avait… libérée.

Rachel se souvint des vibrations qui déferlaient en elle. L’expérience lui rappelait un jeu vidéo à la fête foraine où leur mère les emmenait tous les étés. Pour un dollar, on saisissait une poignée en plastique traversée par un courant électrique, progressivement la tension augmentait, on essayait de s’accrocher, jusqu’à ce que les décharges deviennent trop douloureuses et obligent à lâcher.

Adam lut les pensées de sa sœur.

– J’ai toujours bien réussi à ce jeu, se remémora-t-il.

– Ensuite, elle a coupé le courant, pour ainsi dire.

– Ils sont pareils que nous, hein ? demanda Adam.

– Plus forts que nous. Beaucoup plus forts…

Ils dévisagèrent un moment les jumeaux écossais. Morag écoutait Van der Zee avec attention tout en tripotant les boutons de son gilet tandis que son frère, assis un peu plus loin, regardait dans le vide, la figure contractée comme s'il se concentrait sur quelque chose dont ils n'avaient pas la moindre idée.

Adam haussa les épaules.

– Peut-être qu'ils s'exercent depuis bien plus longtemps que nous, simplement.

Son murmure n'avait pas pu porter jusqu'à l'endroit où Duncan était assis, mais le garçonnet braqua soudain les yeux sur eux et adressa un très léger sourire à Adam.

Rachel se tourna vers Van der Zee.

– Pourquoi est-ce que tout le monde ici porte ces drôles d'écouteurs ? se renseigna-t-elle.

– Ouais, je croyais qu'ils écoutaient de la musique, ajouta son frère, mais…

Van der Zee sourit.

– Il ne s'agit pas de musique. Et tout le monde n'est pas concerné. Je n'ai pas besoin d'en mettre.

Adam regarda Rachel.

– Laura non plus. Ni M. Cheung, compléta-t-il.

– Ce sont des inhibiteurs, expliqua Van der Zee. Ils protègent des… intrusions dans les pensées. Une spécialité des mômes tels que vous.

Il serra Morag et pointa le menton vers Duncan.

– Ces deux-là s'amusaient bien avec le personnel avant que nous l'équipions.

– Tu es un vrai rabat-joie, plaisanta Morag.

– Comment se fait-il que vous n'en ayez pas besoin ? demanda Adam.

– J'ai travaillé avec l'armée, répondit Van der Zee. On nous a enseigné certaines… techniques.

– La résistance aux interrogatoires, par exemple ? J'ai vu ça dans un film, un jour.

– Oui, et le docteur Sullivan a appris quelques-unes de ces méthodes.

Van der Zee fit une grimace à Morag.

– Des procédés pour neutraliser des perturbateurs comme ces petiots !

Comme nous, pensa Rachel.

– Et M. Cheung ? s'informa Adam.

– Ah, M. Cheung est un cas particulier. Saviez-vous qu'il était moine shaolin ? Il a un esprit très puissant, une des raisons pour lesquelles nous l'avons engagé.

Le docteur Van der Zee sourit.

– Une autre raison, c'est qu'il cuisine la meilleure soupe aigre-piquante en dehors de Shanghai.

– J'ai une surprise pour vous…

À cette voix, Rachel se retourna et découvrit Laura Sullivan tout près d'elle.

– Encore une ? soupira la jeune fille.

– Notre vie en est pleine, ces derniers temps ! lança son frère.

Laura hocha la tête un peu tristement, puis son expression s'adoucit et devint enjouée.

– J'en conviens, mais je crois que celle-ci va vous plaire.

Adam et Rachel échangèrent un regard.

– Je vous le promets.

Rachel commençait à s'interroger sur la véritable valeur des promesses de Laura Sullivan mais, avant que l'idée puisse vraiment prendre forme, un léger coup à la porte la fit sursauter. Du coin de l'œil, elle vit Van der Zee reposer Morag par terre avec douceur, comme s'il se préparait une scène qu'il ne voulait pas manquer.

– C'est bon, Kate, dit Laura. Vous pouvez entrer.

Kate ?

Laura avait à peine fini d'articuler le prénom que les jumeaux se précipitaient vers la porte et se jetaient dans les bras de leur mère à l'instant où celle-ci franchissait le seuil.

– Voilà un spectacle extraordinaire, commenta Van der Zee en tapotant la tête de Morag. Extraordinaire…

Sur le bureau à l'autre bout de la pièce, le téléphone sonna et, le visage rayonnant, Van der Zee s'éloigna à regret pour aller répondre.

Rachel étreignit sa mère.

– J'étais si inquiète, dit-elle.

Adam caressa le bras de Kate.

– On s'inquiétait tous les deux, avoua-t-il.

– On ne savait pas où tu étais.

– Ni si tu savais où on était, nous.

– Je vais bien, assura Kate Newman.

Laura Sullivan se tenait à proximité.

– Je leur ai certifié que vous alliez bien, affirma-t-elle.

Même si c'était merveilleux de retrouver leur mère, Rachel n'ignorait pas qu'il y avait un problème. Insister pour la revoir avait porté ses fruits, Laura avait manifestement cédé. Néanmoins, Rachel s'apercevait que l'archéologue avait peut-être cherché à les protéger, redoutant qu'ils voient leur mère dans cet… état. Rachel s'accrochait à elle, mais il n'y avait aucune urgence dans l'étreinte qu'elle recevait en retour. Les bras de sa mère avaient été lents à l'entourer, elle ne sentait pas leur pression dans son dos, pas de caresse dans ses cheveux.

– Où est ta chambre ? demanda Adam. C'est une copie de la tienne à New York, comme la mienne et celle de Rachel ? Et tu as vu cette cuisine incroyable, où on t'offre tout ce qu'on veut ? Le chef chinois m'a fait un délicieux sandwich bacon laitue tomate, le meilleur que j'aie jamais mangé. On pourrait y aller ! Il te préparera un steak, ou des sushis, ou ce qui te tentera. On va manger un morceau ? Tu as faim ?

Rachel aurait aimé que son frère arrête de jacasser. Il y avait d'autres choses qu'elle souhaitait dire à leur mère, d'autres questions qu'elle désirait lui poser.

« Est-ce qu'ils t'ont parlé de nous ? De l'endroit d'où on vient ? »

– Je crois que votre maman est fatiguée, dit Laura en s'avançant. Il faudrait peut-être qu'elle dorme. Vous vous rattraperez plus tard.

– Oui… fatiguée, dit Kate Newman.

Son élocution était lente et imprécise, comme si elle avait des difficultés à prononcer ces mots pourtant tout simples.

– Plus tard, conclut-elle.

Rachel mit fin à l'étreinte et recula. Elle essaya, en vain, de regarder sa mère dans les yeux.

– Maman ?

Alors qu'elle se tournait pour jeter un coup d'œil à son frère, elle aperçut Van der Zee qui raccrochait et tentait de communiquer quelque chose à Laura Sullivan.

– Que se passe-t-il ? demanda la jeune fille.

Kate s'assit lourdement sur le sofa, et Rachel considéra Laura puis Van der Zee. Il y eut un silence embarrassé. La peur noua le ventre de l'adolescente. Van der Zee toussa et rompit le silence :

– Je crains d'avoir de mauvaises nouvelles.

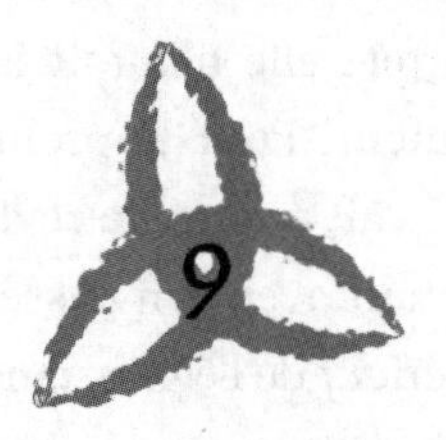


Le cercueil paraissait flou alors qu'il s'enfonçait dans la terre noire, chargée d'eau.

Levant la tête, Rachel s'aperçut que tout le paysage était estompé et brouillé par le voile glacial qui flottait dans l'air. La brume enveloppait les pierres tombales voisines et mouillait l'assemblée clairsemée autour de la tombe de sa grand-mère. Rachel considéra de nouveau les feuilles des fougères qui bruissaient à ses pieds, tels des doigts squelettiques appelant les vivants à rejoindre les défunts.

Les employés des pompes funèbres descendirent le petit cercueil dans la fosse et des larmes inattendues jaillirent des yeux de Rachel. Lorsque Van der Zee leur avait annoncé la mort de Bonne-maman, les jumeaux avaient éprouvé un curieux manque de réaction. Kate, dans son état fragile, n'avait manifesté aucune émotion particulière. Elle n'avait pas été proche de Celia Root et, dès que possible, avait quitté sa mère et l'Angleterre, Rachel le savait bien. Pour cette raison peut-être, ni elle ni son frère n'avaient jamais eu l'impression de nouer une véritable relation avec leur grand-mère. Mais à présent que celle-ci allait être ensevelie, Rachel eut un brusque et douloureux regret : elle n'aurait jamais l'occasion de la connaître vraiment. Pour la première fois de sa vie, quelqu'un qu'elle avait connu ne reviendrait pas.

Un lien important avec son passé était rompu.

Plus tôt, à l'intérieur de l'église, tandis que le triskèle du vitrail rayonnait derrière sa tête, le pasteur avait prononcé des paroles bienveillantes. C'était un jeune homme potelé, au visage frais, qu'une paroisse des environs avait détaché après le tragique décès du révérend Stone. S'il n'avait pas vraiment connu Celia Root, on l'avait bien informé, à l'évidence. Il l'avait décrite comme une femme d'exception. Très secrète, mais brave, loyale et stoïque : une personnalité telle qu'on n'en voyait plus. Il avait évoqué sa carrière de pilote, tant aux États-Unis qu'en Angleterre, ses transferts d'appareils d'une base militaire à une autre. Son immense courage après un terrible accident et la douleur incessante qu'elle avait supportée durant des années. La colonne vertébrale du village, avait-il affirmé.

Rachel avait jeté un coup d'œil à son frère. Ils avaient cru que leur grand-mère était terrorisée à l'idée de voler, incapable de prendre un avion pour traverser l'Atlantique, alors en piloter un ! Bonne-maman Root et leur mère n'avaient jamais rien mentionné à ce sujet.

L'un des nombreux sujets passés sous silence.

Posé sur le cercueil devant un bouquet de lis blancs, un cadre argenté contenait une photo en noir et blanc. L'image était familière à Rachel : une élégante jeune femme aux cheveux ondulés, au rouge à lèvres caractéristique, appuyée contre une vieille voiture, une cigarette entre les doigts. Elle avait été si vivante, si intrépide, si belle.

Rachel avait senti son cœur se serrer et un sanglot lui monter dans la gorge. Debout au premier rang, les yeux des villageois rivés sur sa nuque, elle avait tendu vers sa mère une main hésitante. Kate l'avait prise et serrée, mais le geste avait semblé tiède. Mécanique.

Ils avaient peu parlé au cours du trajet, qui avait duré une bonne partie de la nuit. Le grand monospace gris métallisé de la cellule Espoir s'était mis en route de très bonne heure et Rachel avait essayé, en vain, de distinguer des points de repère dans l'obscurité. Une fois ou deux, à travers la vitre teintée, elle avait entrevu un panneau de signalisation dans la lumière des phares et retenu les indications, au cas où…

Adam et elle avaient passé la majorité du temps à dormir, à lire ou à écouter de la musique. Les moindres ébauches de conversation avaient vite avorté et le silence s'était réinstallé. Les jumeaux étaient naturellement inquiets à la perspective de retourner au village ; de plus, la présence de Laura dans la voiture les avait empêchés de s'adresser à leur mère. Même quand les autres dormaient, ou que l'archéologue avait sur les oreilles le casque relié à son ordinateur, ils gardaient l'impression que quelqu'un allait surprendre leurs propos. En outre, leur mère n'était sortie du sommeil qu'à de rares moments, et les jumeaux n'avaient alors pas voulu la presser de questions. Depuis leurs retrouvailles deux jours plus tôt, elle paraissait distante et ne donnait souvent pour toute réponse qu'un petit sourire abattu.

Depuis quand Rachel n'avait-elle pas vu sa mère dans un état « normal » ? Impossible de s'en souvenir. Il y avait déjà plusieurs mois en tout cas, mais la jeune fille supposait – espérait – que la dépression, le divorce et le décès de Celia Root y étaient pour beaucoup.

Rachel avait répondu à la faible étreinte de sa mère lorsque les porteurs s'étaient avancés pour soulever le cercueil. Les yeux secs, elle les avait regardés descendre l'allée avec lenteur, laisser derrière eux la tombe du « croisé » puis sortir dans le matin gris.

Maintenant que la modeste assemblée commençait à se disperser, Rachel et Adam voyaient qui était venu rendre un dernier hommage à leur grand-mère. Quelques personnes s'approchèrent afin de jeter une poignée de terre sur le cercueil ou de déposer des fleurs : Hatcham, le patron de L'Étoile ; l'employée du bureau de poste ; un médecin que Rachel reconnut vaguement. De tous les villageois présents, le seul à les regarder en face fut Jacob Honeyman, l'apiculteur. Bonnet à la main, il vint d'un pas traînant répandre un peu de terre dans la fosse et placer un petit bouquet de pois de senteur, enveloppé dans un essuie-tout, à côté de la tombe.

Honeyman leva les yeux vers Rachel et Adam. Avec un sourire triste, il leur fit des clins d'œil et des signes de la tête comme s'il s'efforçait de communiquer à leur façon particulière mais sans posséder cette faculté.

Les jumeaux le saluèrent en silence.

*Nous allons bien*, assurèrent-ils mentalement. Dans le matin froid, loin du site d'Espoir, ils percevaient à nouveau clairement les pensées de l'autre. Affirmer qu'ils allaient bien était très exagéré et ils le dirent surtout pour eux-mêmes, sachant que Honeyman ne pouvait pas les entendre. L'apiculteur, après un ultime signe de la tête, remit son bonnet de laine, agita la main et s'en alla.

À l'écart de l'assemblée, aussi gris et figé que s'il était sculpté dans la pierre des tombes, se tenait le commodore Wing. Dans l'église, il s'était assis seul au premier rang, de l'autre côté de l'allée par rapport à Rachel, Adam et Kate Newman. Feignant de ne voir ni sa fille ni ses petits-enfants, il avait regardé droit devant lui, imperturbable, pendant l'oraison du pasteur. Ensuite, l'air absent, il avait à peine remarqué la considération que lui témoignaient les villageois en sortant.

– Pourquoi refuse-t-il de nous parler ? chuchota Adam à sa sœur.

Rachel haussa les épaules.

– Il a perdu presque en même temps son fils et… la femme qu'il aimait, je suppose, répondit-elle.

– Et ce serait notre faute ? demanda Adam.

Rachel jeta un coup d'œil sur le joli cimetière et vit deux autres tombes récentes, couvertes de fleurs, encore dépourvues de dalle.

Celle de Hilary Wing, peut-être ? Et du révérend Stone ?

Rachel savait que son frère et elle n'étaient pas directement responsables du décès des deux hommes, mais ne pouvait éluder la question : Stone, Hilary ou même leur grand-mère seraient-ils morts à cette heure si Adam et elle n'étaient jamais venus à Triskellion ? Néanmoins, peut-être que ces événements avaient un caractère inévitable. La tragédie était annoncée depuis des siècles pour le village et leur arrivée avait été un simple catalyseur.

La brume se transforma en bruine. Kate se mit à frissonner, claquant des dents. Les jumeaux la serrèrent contre eux et virent Laura quitter l'endroit où elle était demeurée en retrait, sous un arbre, près du chauffeur aux lunettes noires.

– Je crois qu'il faudrait songer à rentrer, dit-elle, drapant un châle sombre autour des épaules de Kate et lui ouvrant un parapluie.

Adam promena son regard sur le cimetière quasi désert et, plus loin, sur la lande – ces deux lieux où il avait eu peur comme nulle part ailleurs.

– Oui, on devrait y aller, dit-il. J'ai hâte de rentrer.

Rachel dévisagea son frère et prit conscience que, malgré sa première impression défavorable, elle aussi se sentait curieusement à l'abri dans les locaux d'Espoir. Pas heureuse, pas encore, mais moins malheureuse. Jusqu'à leur départ du village, la vie avait été chaotique et effrayante, or depuis quelques jours, ils s'étaient installés dans un quotidien sécurisant. Ils étaient bien cachés, séparés du monde.

À cet instant, le bruit commença.

Rachel crut d'abord qu'une abeille tournoyait dans la fraîcheur automnale. Mais elle s'aperçut ensuite que le bourdonnement était à l'intérieur de sa tête, de plus en plus intense et pressant – une onde qu'elle captait.

Elle regarda son frère droit dans les yeux. Il ne recevait pas le signal.

Puis la voix se fit entendre, rien qu'un murmure, presque inaudible au cœur du bourdonnement. Elle l'appelait par son prénom…

– Bien, en route, annonça Laura Sullivan, qui toucha le bras de Rachel et rompit la transmission de pensée, avant de s'éloigner.

Rachel avait le tournis, comme si elle allait tomber ou vomir. Elle ferma les yeux et remua la tête en s'efforçant de se ressaisir. Alors, la voix jaillit, forte et claire, l'appelant d'un ton déconcerté, la cherchant.

*Rachel...*

Et lorsqu'elle rouvrit les yeux, elle le vit. Ou, du moins, elle aurait juré l'avoir vu. Un étrange garçon brun, immobile au fond du cimetière, à moitié caché par un grand monument surmonté d'un ange sculpté.

Rachel battit des paupières. Le garçon s'était volatilisé.

– Ça va, Rachel ? demanda Adam.

Rachel ne répondit pas. Elle continuait à regarder, près de l'ange en pierre, l'endroit où le garçon s'était tenu.

– On dirait que tu as vu un fantôme, insista son frère.

Laura prit Rachel par le bras et l'entraîna en direction du véhicule.

– Oui, c'est le lieu, commenta-t-elle.

Un repas chaud les attendait à leur retour. Ils mangèrent en silence dans la cuisine de M. Cheung, puis furent raccompagnés dans leurs chambres.

Juste avant l'heure du coucher, Laura Sullivan frappa à la porte de Rachel.

– Je voulais juste savoir comment tu allais, dit-elle.

Épuisée, Rachel ne trouva rien à répondre, excepté :

– Merci.

– La journée a été rude, reprit Laura.

– Je ne me souviens plus à quand remonte la dernière journée normale...

Laura hocha la tête d'un air compréhensif.

Rachel s'assit sur le lit, puis s'allongea. Si l'enterrement avait été difficile pour Adam et elle, l'épreuve avait été pire pour leur mère, elle ne l'ignorait pas. Bonne-maman Root et sa fille s'étaient peu vues pendant de nombreuses années, mais Rachel savait ce que son frère et elle ressentaient pour leur propre mère, connaissait la puissance de ce lien.

– Comment maman résiste-t-elle ? demanda l'adolescente.

Laura garda le silence quelques instants.

– C'est ce dont je suis venue te parler, en fait, révéla-t-elle.

Rachel se redressa aussitôt.

– Elle va bien ?

– Oui, oui, assura Laura, pourtant incapable de regarder Rachel avec franchise. Mais elle a besoin de passer du temps seule. Elle rentre à New York. Elle...

Rachel bondit du lit et se précipita vers sa robe de chambre.

– Je veux lui parler, annonça-t-elle.

– Ce n'est pas possible, dit Laura. Elle est déjà en route pour l'aéroport.

Rachel sentit ses poings se crisper. Elle passa d'autorité devant Laura Sullivan et ouvrit brutalement la porte.

– Eh bien je veux parler à Adam.

Elle suivit le couloir d'un pas furieux, fit irruption dans la chambre de son frère et claqua la porte derrière elle. Il était assis sur le lit, le dos voûté, et quand il leva la tête, il fut évident qu'il était déjà informé. Il paraissait faire de gros efforts pour ne pas s'effondrer. C'était une expression que Rachel lui avait souvent vue depuis leur arrivée en Angleterre. Depuis le début du cauchemar.

– Elle nous appellera demain, dit Adam en reniflant. Une fois qu'elle sera rentrée à la maison.

Les pensées se bousculaient dans la tête de Rachel. Pourquoi leur mère ne leur avait-elle pas dit au revoir ? N'aurait-elle pas préféré rester avec eux ? Pourquoi Laura s'était-elle montrée aussi… fuyante à ce sujet ?

– Rachel ?

– J'ai vu Gabriel, chuchota-t-elle.

– Quand ?

– Aujourd'hui, dans le cimetière. Du moins, je crois que je l'ai vu.

– Est-ce qu'il a dit quelque chose ?

– Juste mon prénom.

Rachel considéra par la fenêtre la fausse ligne des toits new-yorkaise : les lumières dans les gratte-ciel, le flou des néons sur fond de nuit artificielle. Elle pensa à leur mère, qui s'apprêtait à retrouver le véritable paysage urbain.

– Il donnait l'impression d'attendre… Il avait cet air sur la figure.

– Quel air ?

Rachel haussa les épaules.

– Tu sais comment il est. C'est difficile de savoir.

– Allez ! insista Adam, qui se pencha en avant. Gai ? Triste ? Quoi ?

Rachel se détourna de la fenêtre et posa un regard implacable sur son frère.

– Ça ressemblait à un avertissement, répliqua-t-elle.

# 10

Durant les jours qui suivirent, Rachel et Adam prirent leurs propres habitudes, bien séparées. Ils avaient des moments en commun – les deux heures de cours tous les matins avec un enseignant de la cellule Espoir, les repas dans la cuisine de M. Cheung – mais peu à peu, sans qu'ils en parlent vraiment, le temps qu'ils passaient ensemble se réduisit.

Quand ils n'étaient pas occupés à manger ou à travailler sous la direction du professeur, les tests continuaient pour eux dans les salles d'expérimentation du docteur Van der Zee : Adam faisait des exercices destinés à évaluer la vitesse de ses réflexes pendant que Rachel devait montrer ses capacités à travers des épreuves de mémoire et d'intuition de plus en plus complexes avec Laura Sullivan. Entre les séances, ils profitaient comme il leur plaisait de ce que Van der Zee appelait des temps « morts ». Adam employait la plupart des siens à écouter de la musique ou à perfectionner sa maîtrise déjà impressionnante de différents jeux électroniques sophistiqués, tandis que Rachel préférait s'installer dans sa chambre. Elle disait à Laura Sullivan qu'elle était mieux de son côté, qu'elle voulait des moments pour réfléchir, rester tranquille et lire. Mais son esprit ne tardait pas à s'abîmer dans des zones sombres et inquiétantes, et il lui était difficile de se concentrer pendant plus d'une phrase sur les livres que Laura lui fournissait.

Impossible de se concentrer sur sa lecture une fois qu'elle recommençait à entendre Gabriel.

Tous les soirs à dix heures (cinq heures de l'après-midi à New York), les jumeaux entraient dans le bureau de Laura Sullivan et attendaient avec impatience l'appel de leur mère. Laura les laissait seuls, car il y avait très souvent des larmes. Puis, une fois la conversation terminée, Adam et Rachel regagnaient chacun leur chambre.

Retournaient à leurs propres pensées, bien distinctes.

Une bonne semaine s'était écoulée depuis l'enterrement à Triskellion ; pourtant, lorsque Rachel se retrouva sur son lit, les souvenirs de cette journée revinrent la troubler. Les pierres tombales grises et humides, la brume qui flottait autour d'eux comme le souffle des défunts. Le visage du commodore Wing, son grand-père, figé et désespéré ; celui du garçon posté au fond du cimetière.

*Rachel, qu'est-ce que tu fais ?*

Depuis des jours maintenant, la voix de Gabriel était claire. Résolue. Elle réveillait Rachel au milieu de la nuit avec cette même question, posée d'un ton dur et exaspéré. Elle la harcelait durant la journée : acharnée… inflexible.

*Rachel, ne les crois pas.*

La voix – qui réclamait, contestait, l'incitait au doute – avait complètement modifié son humeur. Si

Adam semblait désormais se satisfaire, voire se réjouir de leur situation, Rachel s'était, en revanche, repliée sur elle-même. Elle avait presque cessé de manger. Elle était devenue maussade et peu communicative, sujette à la colère. Elle avait à peine réfréné une immense envie de frapper Laura Sullivan et Clay van der Zee, de griffer et de mordre jusqu'à ce que le sang coule, jusqu'à ce qu'elle sente son propre sang circuler dans ses veines comme un courant puissant, formidable.

*Rachel... Rachel !*

Et la voix prenait de la force...

La jeune fille essaya de se concentrer sur autre chose, de repenser à l'appel longue distance de ce soir-là. Sa mère était loin, mais il ne s'agissait plus seulement de kilomètres.

– Maman, ça va ?

Sa mère avait paru faible, exténuée. Même de simples pleurs donnaient l'impression de l'épuiser.

– C'est les histoires avec ton père, voilà.

– Le divorce ? avait demandé Rachel.

– Des horreurs, ma chérie. Tu sais, les lettres des avocats, la personne qu'on aime qui se révèle sous un autre jour...

– Quand est-ce qu'on pourra rentrer à la maison ?

Des parasites avaient grésillé dans le silence.

– Je ne sais pas. Je crois que ton frère et toi êtes plutôt... mieux là où vous êtes en ce moment.

– Pour combien de temps ?

– New York n'a pas changé, je t'assure. Toujours la foule et le bruit. Toujours la course infernale...

– Combien de temps, maman ? avait insisté Rachel.

Elle avait imaginé sa mère fermant les yeux, se couvrant la bouche pour réprimer les sanglots qui montaient.

– Je ne sais pas. Je ne sais rien. Écoute, il faut que je te laisse…

– Maman.

*Rachel, ne les crois pas !*

– Je vais bien, ma chérie. Je te le promets.

Rachel avait perçu le mensonge, comme une tentative maladroite dans une langue étrangère. Elle avait eu la certitude que sa mère souffrait et qu'il ne fallait rien dire qui puisse la peiner encore plus.

Alors, Rachel avait menti à son tour.

– Moi aussi je vais bien, avait-elle prétendu. Pareil pour Adam…

Rachel sursauta lorsqu'on frappa, mais ne trouva pas le courage de quitter son lit et d'aller ouvrir. Elle fixa ses yeux sur la porte, l'image de sa mère seule et malheureuse dans un appartement désert toujours présente à son esprit.

On frappa de nouveau.

– Rachel ? C'est moi.

Adam.

– Je suis fatiguée, Adam. Je veux juste dormir.

La porte pivota et le jeune garçon entra sans se presser, comme s'il n'avait pas entendu la réponse de sa sœur ou choisissait de l'ignorer. Il déambula dans la pièce pendant trente secondes, regarda la collection de disques de Rachel, prit un magazine et tourna les pages avec nonchalance.

– Qu'est-ce que tu veux, Adam ? lança la jeune fille.

Son frère la regarda. Battit des paupières et haussa les épaules.

– Je me tracasse pour toi, c'est tout.

– Pour moi ?

– Mais oui ! Tu ne manges rien, tu ne parles pas vraiment avec les gens…

– C'est toi qui as un comportement saugrenu. À faire comme si la situation était… normale.

Adam baissa les yeux sur le magazine.

– J'essaie juste d'en profiter.

– D'en profiter ? répéta Rachel, soudain bouillonnante de rage. Cet endroit, c'est une prison !

Adam grimaça, l'air de dire « Tu délires ». Rachel haussa le ton.

– On sert de cobayes, on n'a le droit d'aller nulle part…

– Ils essaient de nous protéger.

– On est prisonniers, et toi tu te conduis comme si c'était un hôtel quatre étoiles !

– Exact. Quels prisonniers peuvent déguster leurs plats préférés ? S'amuser autant ?

– S'amuser ? Tu crois que notre sort est acceptable ? Simplement parce que tu as la possibilité de jouer sur l'ordinateur et de manger des cheeseburgers toute la journée ? Et nos vies, Adam ? Et nos amis ? Et maman ?

Adam tourna les pages du magazine à vive allure. Ses traits se durcirent.

– On n'est pas obligés d'aller à l'école. Quelle chance ! Et puis ici, on a… la cote. On est un peu les rois.

– Qu'est-ce qu'ils t'ont raconté, Adam ? Qu'est-ce qu'ils t'ont fait ?

Adam jeta le magazine sur la table de nuit et regarda le plancher. Il avait les poings serrés.

– Personne n'a rien fait. On est différents, c'est tout, tu es d'accord ?

Rachel se rallongea sur le lit, dos à son frère. Elle ferma les yeux.

– Ouais, différents, ironisa-t-elle.

Ils demeurèrent ainsi pendant une minute, le silence troublé uniquement par la rumeur de la fausse nuit new-yorkaise et le vrombissement lointain d'une machinerie quelque part au-dessous d'eux. Enfin, Adam se dirigea vers la porte et l'ouvrit.

Sur le seuil, il se retourna.

– Alors ça va continuer ? Tu vas persister à créer des problèmes ?

Rachel ne prit pas la peine de rouvrir les yeux.

– Il faut bien que l'un de nous s'en charge.

– Ouais, et c'est toujours toi.

– Tu ne l'entends donc pas ? demanda Rachel.

– Entendre qui ou quoi ?

– Gabriel.

Adam rétorqua d'une voix pleine de dérision :

– C'est un autre avantage de cet endroit. Je ne l'entends plus depuis notre arrivée. Autant être coupés de lui, à mon avis.

– Tu n'écoutes pas.

– Ça ne m'intéresse pas !

Les doigts de Rachel se crispèrent au bord de sa couette. Elle eut envie de sauter du lit et de donner une bonne claque à son frère. Mais elle retint son souffle et resta immobile jusqu'à ce que la porte se referme.

Adam écumait toujours lorsqu'il pénétra dans le bureau de Laura quelques minutes plus tard. Elle était à son ordinateur et se tourna vers le jeune garçon, ôtant les lunettes cerclées de métal qu'elle mettait pour lire.

– Alors ?

Adam secoua la tête et se sentit rougir. Il trouvait Laura belle sans ses lunettes.

– J'ai fait de mon mieux.

– Ne t'inquiète pas.

– Elle a une attitude stupide.

Laura s'efforça de sourire.

– Il lui faudra un peu plus de temps que toi pour s'habituer, voilà tout.

– C'est une tête de mule, depuis toujours.

– Elle est très intelligente, dit Laura. Les mômes comme vous le sont, en général. Elle finira bien par comprendre ce qui est préférable.

Adam grogna, peu convaincu. Son regard s'arrêta sur l'ordinateur de Laura. Il vit une liste de données d'un côté, une carte de l'autre. Laura toussa et s'empressa d'appuyer sur un bouton qui fit apparaître l'écran de veille, photo d'un paysage australien aride : la vaste montagne au sommet aplati nommée Uluru.

– Je crois que tu devrais aller dormir.

Adam acquiesça. L'altercation avec Rachel l'avait éreinté, laissé à bout de forces.

– Je réessaierai demain, promit-il. On verra si je réussis à la persuader.

– Il vaudrait mieux attendre un jour ou deux, sans doute, recommanda Laura. Merci quand même. Pour cette tentative…

Lorsque Adam fut parti, Laura alluma un moniteur fixé au mur de son bureau. Elle observa les vues que prenait la nouvelle caméra dissimulée dans la chambre de Rachel : l'image d'une adolescente roulée en boule sur son lit, les jambes repliées. Laura régla le volume et écouta la respiration lente et régulière de la jeune fille.

Peu après, Laura se remit à son ordinateur, au travail qui occupait une large part de sa vie depuis presque dix ans. Elle considéra les cartes et les graphiques, l'analyse de centaines de sites archéologiques sacrés. Les résultats des tests sur Rachel et Adam, sur Morag et Duncan, sur d'autres encore. Elle tâcha de se concentrer, mais elle ne ferait plus de bon travail ce soir-là.

Pourvu que les propos qu'elle avait tenus à Adam se réalisent ! Elle espérait de tout cœur que Rachel se montrerait… plus docile.

Elle préférait ne pas songer à ce qui se passerait dans le cas contraire.

Couchée dans sa chambre, Rachel réfléchissait à la dispute avec Adam. Ils s'étaient toujours disputés, comme n'importe quels frère et sœur, mais pas de cette façon. Pas sur un sujet aussi important. Elle aurait tant voulu que sa mère soit là pour régler le problème, mais elle savait qu'elle devrait le résoudre seule.

Elle ouvrit son esprit et guetta la voix de Gabriel. Elle avait plus que jamais besoin de ses conseils, de son réconfort.

Lorsque la voix lui parvint, ce ne fut qu'un murmure, sorti d'entre des lèvres qu'elle sentait presque contre son oreille.

Une voix qui lui souffla de dormir.

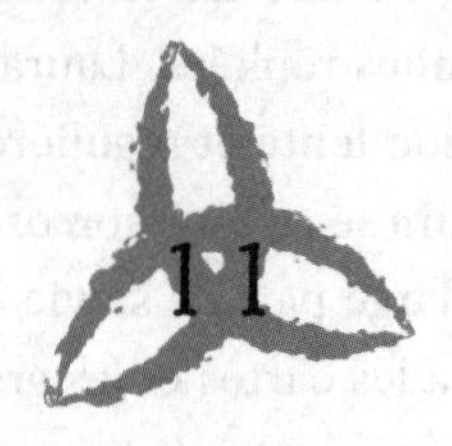

# 11

*Rachel tombe, tombe, tombe à travers le ciel nocturne, fend l'air et s'enfonce sans bruit dans l'eau noire, ni chaude ni froide, mais proche de sa température corporelle. Elle n'a pas mal lorsque le liquide lui envahit les oreilles et les narines, pénètre dans sa gorge, devient une part d'elle-même. Elle est heureuse de constater que cette noyade ne l'affole pas, qu'elle est presque soulagée par cette eau tourbeuse qui la suffoque. Pourtant, elle ne meurt pas, elle s'unit à l'eau caressante et, telle une sirène rendue à son élément, se laisse entraîner vers deux globes de lumière pâle qui miroitent dans les profondeurs du lac.*

*Rachel s'élance et nage, descend de plus en plus sans aucun effort, s'approche des lumières jumelles et de la forme argentée d'où elles proviennent. Une voiture, en équilibre sur un relief, vacille au-dessus d'un gouffre immense qui disparaît dans de froides ténèbres insondables.*

*Plus près maintenant, des rubans verts d'algues découpées dansent avec lenteur devant ses yeux et cachent en partie la silhouette caoutchouteuse du plongeur, dont les jambes font des mouvements de brasse tandis qu'il s'évertue à extraire quelque chose par la vitre ouverte du véhicule. Alors, main dans la main, deux petits corps se libèrent, pareils à des poissons s'échappant d'un filet, et flottent vers la surface, amadoués et guidés par le faisceau de la torche du plongeur.*

*Encore plus près, et la torche continue sa recherche…*

*Le visage d'une femme, ses cheveux qui tourbillonnent autour de ses joues; l'eau à l'intérieur de l'habitacle, rosie par le sang de son mari; ses paumes blanches qui cognent désespérément contre la vitre de la portière verrouillée.*

*Ne vous inquiétez pas, pense Rachel, nageant vers la vitre, y appuyant ses mains, faisant signe à la femme. Me voici. Le secours arrive.*

*Puis l'horreur: la terrible secousse lorsque la voiture pique du nez sous l'impulsion de deux hommes-grenouilles au visage masqué, qui la poussent dans le gouffre. Rachel s'agrippe à la poignée de la portière quand le véhicule bascule soudain. Elle est emportée avec lui, incapable de rien faire sinon regarder le visage de la femme qui heurte le verre. L'inconnue écarquille des yeux terrorisés, puis retombe en arrière, comme résignée à sa mort sous les eaux.*

*Et Rachel lâche la poignée. Le flanc lisse et argenté du véhicule la frôle au passage. Elle voit, en remontant, les lumières des phares pâlir davantage tandis qu'ils coulent, coulent, coulent…*

Le lit était trempé.

Rachel repoussa du pied la couverture mouillée avant de tâter son pantalon et son T-shirt de pyjama. Ils étaient trempés de la même manière, comme si elle avait réellement nagé. Elle ne pouvait ni se rendormir dans cet état, ni rester dans son lit. Elle devait prendre un bain chaud, changer de tenue et aller se coucher ailleurs.

Rachel sortit du lit et se mit aussitôt à grelotter. Elle couvait quelque chose, c'était l'explication. Voilà pourquoi elle faisait ces rêves horribles et avait des sueurs nocturnes. Pourquoi elle n'arrivait pas à se concentrer. Elle avait de la fièvre.

Elle essaya d'allumer une lampe, mais rien ne semblait fonctionner. Peut-être qu'à une certaine heure, l'électricité était coupée. Elle entoura ses épaules humides d'un peignoir en tissu éponge et s'assit dans le fauteuil. Que faire ? Elle replia ses jambes contre elle sans réussir à trouver une position confortable, elle se releva donc et commença à déambuler dans la chambre, heurtant des objets.

La jeune fille se planta devant la fenêtre et repoussa le rideau. Elle contempla le ciel nocturne. De l'air frais serait bienvenu. Enfant de la ville, elle n'aimait pas tellement les fenêtres ouvertes. D'après son expérience, l'air du dehors était plus souillé que celui du dedans ; néanmoins, alors qu'elle considérait le ciel étoilé bleu sombre, elle eut très envie d'une bonne bouffée tonifiante, pour dissiper la confusion dans son esprit. Pour chasser les images terrifiantes de son rêve. Elle manipula le loqueteau et fit coulisser la fenêtre, mais ne constata aucun changement de température, ne sentit pas la moindre brise.

Oh, qu'elle était bête !

Elle savait bien que ce n'était qu'une illusion. Que la ville, la ligne des toits, le ciel nocturne étaient une simple projection en boucle, qui évoluait au fil des heures. Il ne faisait peut-être même pas nuit. En proie au délire, Rachel échafauda des suppositions. Peut-être qu'on leur racontait que c'était la nuit, afin de les désorienter davantage, de les contrôler et de les observer plus facilement, comme des spécimens de laboratoire.

Rachel éprouva une fureur soudaine devant cette supercherie. Elle avait besoin de sortir. Elle allait franchir l'écran et voir exactement ce qu'il y avait de l'autre côté de la fenêtre, à l'extérieur.

Elle allait respirer l'air frais.

Elle monta sur une chaise et extirpa la webcam dissimulée. Le voyant rouge de l'appareil s'éteignit aussitôt. Une fois redescendue, Rachel attrapa une chaussure et, avec le talon dur, frappa le centre de l'écran plasma, qui clignota et devint noir. Elle suivit de la main le bord du panneau et s'efforça de l'arracher du mur. Elle trouva un cintre en bois, le coinça dans l'angle supérieur et s'en servit comme d'un levier. Il y eut un craquement brusque lorsque les vis cédèrent, et l'écran resta à se balancer, des fils tordus pointant à l'arrière. Rachel le tira jusqu'au sol… et révéla un mur de parpaings compacts.

Elle asséna au mur un coup de poing qui lui fit mal. Elle piétina l'écran déjà hors d'usage, maudissant sa stupidité : pourquoi avait-elle cru qu'il pourrait y avoir une fenêtre derrière l'écran ? Pour ce qu'elle en savait, elle était peut-être à un mètre cinquante sous terre.

Elle suffoquait. Il fallait qu'elle sorte. Immédiatement.

Rachel se précipita dans le couloir jalonné par les ronds de lumière jaunâtre que répandaient les veilleuses. Elle s'arrêta devant la chambre de son frère. Leur dispute menaçait depuis des jours. Depuis qu'elle avait parlé de Gabriel, chaque fois qu'elle essayait de lui transmettre une pensée, elle le sentait résister ; il lui tournait mentalement le dos, dressait une barrière.

Elle fit un geste vers la poignée, puis se ravisa. Il devait dormir. Et même si elle le réveillait, il voudrait la dissuader d'agir.

Rachel continua donc seule dans le couloir, à pas feutrés, prenant à gauche puis à droite, en direction du bureau de Laura Sullivan. Arrivée à proximité, elle se serra contre le mur en apercevant l'éclat de l'ordinateur qui projetait des ombres sur la porte ouverte. Laura travaillait tard, sans doute. Rachel avança de biais jusqu'à la porte aussi discrètement que possible, sans vraiment savoir si elle souhaitait éviter Laura ou au contraire lui parler. Elle risqua un coup d'œil à l'intérieur et constata que Laura n'y était pas, de toute façon. L'image familière d'Uluru, que l'archéologue avait choisie comme écran de veille, rougeoyait tel un fanal dans la pièce sombre.

Rachel entra et referma spontanément la porte derrière elle. Elle leva les yeux vers le moniteur de la webcam : il n'y avait que des parasites sur l'écran. Rien d'étonnant, vu les dégâts qu'elle avait causés à l'appareil. Peut-être que Laura était allée enquêter, se dit Rachel. Elle pouvait revenir d'un instant à l'autre…

La jeune fille se dirigea vers la table de travail et toucha le clavier. Uluru disparut, révélant un document ouvert. Rachel examina la carte, les images de corps momifiés.

Un titre : les sites de triskèles.

Il fallait absolument qu'elle lise ça !

*Prends le badge*, ordonna une voix. *Prends le badge*.

Rachel sursauta, fit volte-face et, ne voyant personne, comprit que la voix était dans sa tête.

*Prends le badge*, répéta Gabriel. Rachel parcourut la pièce des yeux et son regard se fixa sur la blouse de laboratoire de Laura, au dos de la porte.

À côté était suspendu un badge en plastique.

Rachel enfila couloir après couloir, les portes coulissant alors qu'elle glissait le badge dans les fentes latérales. Le temps pour trouver la sortie lui était compté, car quelqu'un ne tarderait pas à remarquer son absence, c'était inévitable. Elle atteignit l'extrémité d'un nouveau couloir et prit à gauche.

Un homme. Qui tenait une lampe de poche.

Rachel s'arrêta net, silencieuse grâce à ses pieds nus, fit demi-tour et s'élança dans un autre couloir, éclairé au bout par une unique veilleuse. Elle courut vers la lumière et, de plus près, vit qu'elle arrivait dans une impasse. Un coup d'œil sur sa droite : les portes métalliques d'un ascenseur.

La seule issue.

Elle présenta le badge au lecteur électronique. Une minuscule ampoule rouge vira au vert et les portes s'ouvrirent. Rachel bondit et les portes se refermèrent derrière elle.

L'ascenseur vibra et se mit à descendre. Rachel aperçut son reflet dans le miroir sale qui constituait le fond de la cabine. Elle ressemblait à une clocharde : son peignoir en tissu éponge était maculé de poussière de brique, ses cheveux humides emmêlés autour de son visage blanc, maladif. Soudain, il y eut une secousse, l'ascenseur s'immobilisa et les portes se rouvrirent.

Un couloir différent apparut. Rachel avait l'impression d'être parvenue dans les entrailles du bâtiment. Alors que les étages supérieurs étaient brillants, revêtus de verre et de stratifié, ce niveau-ci était en béton brut, d'aspect industriel, son sol mouillé. D'énormes canalisations passaient en hauteur ; des plaques rouges et des triangles jaunes signalant un danger étaient vissés partout.

Rachel avança à pas lents. Elle distinguait un sifflement de vapeur et le cliquetis d'une pompe au loin. D'épais rideaux en plastique lui barrèrent la route, et elle les écarta. Elle se trouva sur le seuil d'une autre pièce, devant une nouvelle paire de rideaux à travers lesquels filtrait une lumière laiteuse.

La jeune fille entra et l'odeur forte du désinfectant lui assaillit les narines. D'un regard circulaire, elle vit qu'il s'agissait d'un laboratoire. Des instruments de chirurgie étaient disposés sur les plans de travail en acier inoxydable et, au centre de la pièce, un robuste lit d'hôpital trônait. La bouche de Rachel s'ouvrit mais le hurlement s'étrangla dans sa gorge. Un tremblement irrépressible gagna ses genoux tandis que son estomac se contractait.

Sur le lit gisait le corps nu de sa grand-mère.

Rachel saisit d'un coup d'œil les jambes blanches et desséchées, le visage encore maquillé mais ratatiné et osseux, évoquant une reine d'Égypte momifiée. La chevelure jadis impeccable était à présent tirée en arrière et aplatie contre la tête minuscule. La jeune fille étouffa un cri devant l'entaille irrégulière en forme de Y qui allait de la poitrine jusque sous le nombril et vers les côtes, retournées contre l'acier froid.

Rachel fit un pas en avant. Elle mit sa main à sa bouche pour réprimer le flot de bile qui lui montait dans la gorge. Celia Root, comme ses ancêtres de l'âge du bronze trois mille ans plus tôt, avait été éviscérée.

# 12

M. Cheung s'était surpassé. Il avait préparé un festin de spécialités chinoises incluant tous les plats préférés des jumeaux : soupe aigre-piquante, canard sauté nappé de sauce à la prune et accompagné de crêpes, nouilles de Singapour, porc mijoté avec des châtaignes d'eau.

– Vous avez dû cuisiner pendant des jours ! dit Adam.

M. Cheung s'inclina, acceptant le compliment, puis rougit un peu, redressa sa toque et rabaissa son mérite :

– Oh, juste un repas improvisé, affirma-t-il.

Ils étaient réunis autour de la grande table en bois dans la cuisine de M. Cheung. Van der Zee et Laura Sullivan occupaient chacun une extrémité, Adam et Rachel étaient installés d'un côté, Morag et Duncan de l'autre – les jeunes enfants haussés par de petits coussins à larges carreaux.

– Délicieux, comme toujours, dit Van der Zee en entamant une crêpe fourrée.

Il leva un verre de vin et avala en hâte.

– Puis-je porter un toast ?

Il attendit que ses compagnons lèvent leurs propres verres. Les jumeaux goûtaient le fameux cocktail au gingembre de M. Cheung.

– À monsieur Cheung, bien sûr, et à la cellule Espoir ! À nous !

– À nous ! glapit Morag.

Duncan hocha la tête et but une gorgée.

Laura reprit la formule, mais Rachel trouva son enthousiasme un peu forcé. La jeune fille, pour sa part, trinqua avec son frère, et ils adressèrent un sourire rayonnant à Van der Zee, qui le leur rendit au centuple.

– À nous !

Avant que quelqu'un d'autre n'enchaîne, Rachel s'éclaircit la voix puis lança :

– Et je voudrais simplement dire… merci.

– Je t'en prie, protesta Laura. Il n'y a pas de quoi.

– Oh, si ! insista Rachel. J'ai été odieuse et je vous ai mené une vie d'enfer.

Elle regarda Laura, puis Van der Zee.

– Je suis désolée. Aucune excuse, j'ai été la reine des enquiquineuses, alors merci de votre… attachement.

À côté d'elle, Adam sourit et secoua la tête.

– Je crois que je mériterais une médaille. Ça fait quatorze ans que je suis obligé de te supporter !

– Pourquoi la reine ? demanda innocemment Morag. Tu es d'une famille noble ? Tu es une princesse ?

Les rires fusèrent autour de la table et Rachel devint écarlate. Laura se pencha et lui pressa la main, et Adam feignit d'être écœuré lorsque sa sœur lui déposa un baiser sur la joue. Une fois les rires calmés, chacun se remit à manger tandis que M. Cheung apportait de nouvelles assiettes d'algues croustillantes et d'autres soupières fumantes. La pièce était emplie par le cliquetis des cuillers et des baguettes qui s'agitaient sur la vaisselle – bols et assiettes tous décorés d'un seul mot en bleu vernissé :

ESPOIR

– Je suis si content que vous ayez passé le cap, Rachel, déclara Van der Zee. J'ai toujours su que ce moment arriverait.

– Même quand je me conduisais comme une sale gamine et que je saccageais ma chambre ?

– Eh bien, disons que je l'espérais.

Il sourit.

– Naturellement, je vous enverrai la facture pour la caméra.

Rachel éclata de rire et se tourna vers Laura.

– Je vais bien à présent, oui, très bien, assura la jeune fille. Il m'a fallu un peu de temps pour m'habituer, mais je crois que je vais être heureuse.

– Bien sûr ! dit Morag. C'est formidable ici. Un château de princesse !

– Princesse Enquiquineuse, la taquina Adam.

Alors que la conversation s'animait davantage, Laura se rapprocha de Rachel.

– Je suis ravie, lui confia-t-elle. Je ne supportais pas de te voir aussi chagrine.

Rachel exprima de nouveau ses regrets. Laura était sincère, de toute évidence. Elle semblait réellement contente, mais plus encore soulagée, comme s'ils avaient évité la catastrophe.

En dessert, M. Cheung apporta des lychees frais et des beignets à la banane, que les jumeaux empilèrent sur leurs assiettes. Van der Zee se cala contre son dossier et les regarda manger. Arrivant à Rachel, il lui fit un clin d'œil. Un chef de famille, pensa-t-elle, qui se réjouissait du bonheur d'une progéniture comblée.

– Je ne peux plus rien avaler, annonça-t-il. Et vous, Laura ?

L'archéologue secoua la tête.

– Je suis repue.

– Pas même un petit beignet ? demanda M. Cheung. Bon…

– Désolée, dit Laura. Je crois que je vais jeûner pour le reste de la semaine.

Van der Zee repoussa sa chaise.

– Alors nous devrions peut-être laisser les petits s'en occuper, dit-il. Nous avons à parler, de toute façon.

Il se leva et quitta la table, se courbant au passage pour ébouriffer Duncan et embrasser Morag sur la tête.

– Profitez bien de votre soirée, tous, et ne vous rendez pas malades…

Rachel aperçut la nervosité dans les yeux de Laura Sullivan lorsque la jeune femme s'apprêta à suivre Van der Zee, qui était sorti sans se retourner comme s'il avait la certitude qu'elle lui emboîterait le pas.

– Je n'ai jamais été malade, déclara Morag avec fierté.

Elle jeta un beignet à l'autre bout de la table pour capter l'attention d'Adam.

– Et toi, ça t'est déjà arrivé ? voulut-elle savoir.

Une fois les adultes partis et les bonnes manières abandonnées, Rachel et Adam passèrent une demi-heure à dire des idioties avec Morag, tandis que, près d'elle,

Duncan toujours silencieux hochait la tête et souriait parfois légèrement.

Rachel attira l'œil d'Adam, qui la félicita en esprit : *Bravo ! Je ne m'étais jamais douté que tu avais un tel talent d'actrice.*

*Tu étais plutôt convaincant toi aussi*, lui répondit-elle, et elle le regarda sourire. En fait, elle s'amusait presque. Elle était enchantée que son frère communique à nouveau avec elle, même si la comédie se révélait encore plus délicate à jouer qu'elle l'avait imaginé.

Ce n'était pas une simulation complète, bien sûr. Elle était bel et bien heureuse…

Heureuse d'avoir un plan. Heureuse de connaître la vérité, heureuse à la perspective de revoir sa mère dans quelques heures. De la serrer contre elle et de tout lui dévoiler, en dépit des difficultés.

Heureuse à l'idée qu'Adam et elle seraient bientôt libres.

– Un biscuit enveloppé ?

Rachel leva la tête et vit devant elle M. Cheung, qui tenait une petite corbeille. Elle se pencha et prit un biscuit, le déballa et sortit le message.

– Alors ? Bonne ou mauvaise fortune ? demanda M. Cheung en souriant.

Rachel déplia le papier et lut : *L'espoir ne sert à rien sans la chance.* Elle consulta M. Cheung du regard, cherchant une réponse dans ses yeux.

Mais ils étaient aussi éteints que des perles. Aussi inexpressifs que les yeux noirs du singe mécanique.

– Écoutez, je suis ravi que notre jeune fille semble redevenue aimable, commença Van der Zee. Mais nous ne sommes pas près d'obtenir des résultats pour autant. De vrais résultats.

Laura Sullivan était debout, un peu nerveuse, devant le bureau de Van der Zee. Il l'avait appelée dans son antre, ce qui, malgré l'atmosphère douillette, annonçait d'ordinaire une discussion sérieuse. Il avait un ton assez chaleureux, mais hausser la voix n'était pas dans ses habitudes. L'archéologue savait que, plus Clay van der Zee paraissait détendu, plus il fallait s'attendre à des ennuis.

Très souvent, son large et accueillant sourire ne présageait rien de bon.

– Les recherches prennent le temps qu'il faut, répliqua Laura. On ne peut pas les bousculer. Si l'on veut des résultats qui aient un sens.

– Il existe des moyens pour… accélérer le processus.

Laura fit un pas vers le bureau en secouant la tête. Elle essaya de s'exprimer avec assurance, comme si elle maîtrisait la situation. De garder un détachement scientifique.

– Nous ne pouvons pas agir ainsi. Nous avons tant à apprendre de ces jumeaux.

– Suivre l'autre voie sera très riche d'enseignements.

– C'est une vision à court terme, objecta Laura. C'est… stupide.

Son détachement s'effaçait vite.

– Simple proposition de ma part, se défendit Van der Zee.

– La chirurgie ne devrait jamais être employée qu'au profit des patients concernés ! cria Laura.

– Elle pourrait être extrêmement bénéfique à des millions d'autres personnes. Bien sûr, il s'agit d'un dernier recours.

– Plutôt d'une solution finale, rétorqua Laura, qui sentait le rouge lui monter aux joues et ses poings se crisper dans ses poches. C'est ce qu'ont fait les nazis !

Van der Zee leva une main et hocha la tête avec lenteur, pour signifier à Laura de se calmer.

– Tout doux, docteur Sullivan. J'essaie seulement de vous rappeler qu'il existe une autre méthode, aussi déplaisante que nous puissions la trouver, vous et moi. Vous n'êtes pas sans savoir que j'ai des comptes à rendre à certains, or beaucoup d'entre eux désirent une résolution plus rapide de ces recherches. La cellule Espoir est loin de manquer d'argent, mais les fonds versés ne dureront pas éternellement. Comprenez-vous ce que je dis ?

Laura ne put que répondre par l'affirmative. Elle comprenait très bien. Elle avait vu ce qu'avait subi le corps de Celia Root en salle d'autopsie quelques jours plus tôt.

– Il va de soi que nous nous concentrons sur les enfants et sur ce qu'ils savent, enchaîna Van der Zee. Sur ce dont ils sont capables, mais…

– Ils sont capables de choses extraordinaires, dit Laura. Et il faudra du temps, parce qu'ils n'en ont pas encore conscience. Nous apprendrons au rythme où ils apprendront, eux.

La main se leva de nouveau, resta immobile pendant quelques secondes avant de s'approcher du coffret en bois dans le coin du bureau, de tourner la clé et de soulever le couvercle verni.

– Mais nous ne connaissons toujours pas les pouvoirs de cet objet, déclara Van der Zee, plongeant les doigts dans le coffret. La véritable nature du triskèle.

Il sortit délicatement l'amulette trilobée de l'intérieur en velours rouge.

Laura retint sa respiration. Elle scruta le visage de Van der Zee tandis qu'il plaçait le triskèle au creux de sa main. Il le contempla, inerte dans sa paume, et ses yeux prirent une expression désespérée. Comme s'il implorait l'amulette d'entrer en action.

Laura se souvint de l'enthousiasme qui l'avait envahie lorsqu'elle avait découvert l'une des lames en or, serrée par les doigts squelettiques entrelacés des deux corps exhumés dans le village de Triskellion. La lame avait paru luire, dégager quelque chose… plus que de la lumière. Cet éclat s'était vite éteint, et le triskèle complet, recomposé, avait semblé se réduire à une breloque quand elle l'avait retiré à Rachel après avoir drogué l'adolescente. Quand elle l'avait confié à Van der Zee pour analyse.

Ces tests (étude métallurgique, spectrométrie de fluorescence X) n'avaient presque rien révélé des propriétés ou des origines de l'objet. Depuis lors, il était conservé sous clé dans l'antre de Van der Zee, dans l'espoir que les jumeaux eux-mêmes suggéreraient une manière de révéler ses secrets.

– Je veux savoir pourquoi cet objet est si important, docteur Sullivan, insista Van der Zee. Je veux qu'il soit au cœur de votre travail avec les enfants Newman.

– Je ferai de mon mieux, garantit Laura.

– Je le sais, répondit Van der Zee.

Avec précaution, il remit le triskèle dans son coffret. Lorsqu'il tourna la clé, la serrure cliqueta comme un petit os qui se brise.

– Je sais que vous souhaitez le meilleur pour ces jeunes gens, continua-t-il.

– Vous aussi, n'est-ce pas ?

– Bien sûr.

Il glissait la clé dans la poche supérieure de son gilet lorsqu'une sonnerie retentit sur son bureau. Il décrocha aussitôt et écouta, puis posa une main sur le micro.

– Je vous laisse y aller, dit-il. J'ai un appel qui arrive des États-Unis. Je ne doute pas que vous devinerez d'où il provient.

Laura ne connaissait pas le nom du correspondant, mais au visage de Van der Zee, elle eut la certitude que c'était l'une des personnes à qui il rendait des comptes. L'une de ces personnes favorables à l'autre méthode.

Clay van der Zee attendit le départ de Laura pour prendre une profonde inspiration, appuyer sur un bouton et saluer son correspondant. L'homme au bout du fil lui dit que c'était une journée torride au Nouveau-Mexique – la région était torride, de toute façon. Van der Zee tâcha de décrire le temps qu'il faisait en Angleterre, mais il n'en eut pas le loisir. Son interlocuteur ne pouvait s'attarder à de tels bavardages.

– Nous avons vu les données… il n'y a guère de quoi s'extasier, semble-t-il.

– En vérité, ce sont les propos que je viens de tenir, l'informa Van der Zee.

Il mit le haut-parleur en marche, se leva et contourna son bureau.

– Le message même que je faisais passer au docteur Sullivan.

– C'est très bien.

– Nous avons eu quelques problèmes avec la fille Newman. Ce qui nous a un peu ralentis.

– Des problèmes ?

– Juste une fougue excessive. Je suis sûr que vous savez comment peut se conduire une adolescente de quatorze ans. Avez-vous des enfants ?

La question fut ignorée, considérée comme incongrue.

– Vous avez eu des problèmes… c'est donc du passé ?

– Je crois que le pire est derrière nous.

– Espérons. A-t-elle reçu le message ?

Van der Zee se trouva un instant déconcerté.

– Pardon ? demanda-t-il.

– Je parle du docteur Sullivan. Elle a reçu le message cinq sur cinq, j'espère.

– Assurément.

Van der Zee se mit à faire les cent pas devant la cheminée.

– Elle est brillante. La meilleure dans son domaine. Nous avons de la chance qu'elle soit parmi nous, affirma-t-il.

Il y eut un silence, quelques secondes qui s'ajoutèrent au décalage dans la liaison téléphonique.

– De mon point de vue, c'est elle qui a de la chance, rétorqua son correspondant. Que nous lui offrions cette occasion.

– Oh, elle le comprend.

– Et comprend-elle que nous n'attendrons pas éternellement ?

– Je le lui ai dit sans détour. J'ai aussi hâte que vous...

– Nous sommes heureux de suivre la voie... éclairée, pourvu que les résultats soient significatifs. Dans le cas contraire, nous apprendrons ce que nous pourrons par un examen plus direct de ces enfants. Nous avons les jumeaux écossais...

– Morag et Duncan, précisa Van der Zee.

– C'est ça. Ils ne semblent pas vous causer les problèmes que vous rencontrez avec les nouveaux venus et nous pouvons continuer les tests sur eux. Les deux Newman sont plus âgés, de jeunes adolescents. Peut-être qu'il faudrait limiter les dégâts et exploiter des... spécimens plus mûrs. Vous saisissez ?

– Oui. Et le docteur Sullivan aussi.

– Bon, parfait ! Nous avons le même discours.

Van der Zee plongea son regard dans le feu et sursauta lorsqu'une étincelle bondit sur le tapis. Il la piétina.

– Nous ne sommes pas des monstres, déclara son interlocuteur. Il faut qu'elle le comprenne.

– Bien sûr que non.

– Pour répondre à votre question de tout à l'heure... Oui, j'ai des enfants.

Van der Zee quitta sa veste et s'installa dans le fauteuil près du feu.

– Combien ? Garçons ou filles ?

Mais son correspondant avait déjà raccroché.

# 14

La porte de la chambre d'Adam s'ouvrit, et un simple coup d'œil sur sa figure livide indiqua à sa sœur que la communication entre eux était de nouveau parfaite : il gardait terriblement présentes à l'esprit les images qu'elle lui avait décrites. Et il ne voulait pas rester une minute de plus.

Adam mit son sac à dos et s'arc-bouta tout en ajustant les lanières, tel un soldat qui s'apprête à marcher au combat. Rachel tendit la main et, rassurante, lui serra l'épaule. Elle l'entendit avaler bruyamment sa salive et l'attira contre elle pour l'embrasser.

– Allons-y, chuchota-t-elle d'une voix rauque.

– Attends, dit Adam.

Rachel desserra son étreinte.

– Comment on va faire pour sortir d'ici ? demanda le jeune garçon.

Rachel tira d'une poche de son pull le badge qu'elle avait volé la veille dans le bureau de Laura.

– Impeccable, dit Adam.

Il éteignit la lumière et referma le battant derrière lui.

Ils franchirent les trois premières portes sans problème, et sans voir personne, mais cette aile-ci (réservée au logement) était toujours tranquille la nuit. Ils s'engagèrent dans le couloir moquetté qui menait vers l'antre de Clay van der Zee.

– Pourquoi passes-tu par ici, Rachel ? Si quelqu'un est encore debout, il y a toutes les chances pour que ce soit Clay.

– Parce qu'on a besoin du triskèle, d'accord ?

C'était plus une affirmation qu'une question.

Adam s'arrêta net et parut découragé.

– Oh, l'horreur ! Tous nos ennuis viennent de ce morceau de métal. On ne peut pas le laisser ici, à l'abri ?

– Il n'est pas à l'abri, Adam. Cet endroit est dangereux. De toute manière, il nous le faut pour assurer notre sécurité, expliqua Rachel. Il nous a déjà sauvé la vie une fois. C'est le seul objet dont on est sûrs qu'il nous protégera.

– Mais Clay en prend soin. Il le préserve.

– Il le range dans ce sinistre coffret en bois, Adam. Rien d'une stricte surveillance scientifique, hein ? Je crois que cette amulette est devenue une obsession chez lui. Tu te souviens de l'effet qu'elle peut avoir sur les gens, de son action sur Dalton ? Il vaut mieux qu'elle soit dans nos mains que dans les leurs.

Adam poussa un soupir résigné.

– Bon, en route, dit-il.

La porte de l'antre était fermée par une grosse serrure encastrée, vieillotte, reflet de la fascination de Van der Zee pour les mécanismes, les engrenages et les rouages anciens. Adam se baissa et colla son œil contre le trou, mais l'obscurité l'empêcha de distinguer quelque chose.

– C'est raté, dit-il.

– Et avec ton couteau ? suggéra sa sœur.

Elle se baissa près de lui et approcha une lampe de poche. Adam extirpa un canif de son sac à dos et entreprit de manipuler la serrure, dans l'espoir d'actionner un ressort.

– Qu'est-ce que vous fabriquez ? demanda une voix flûtée derrière eux.

– La vache ! s'exclama Rachel. Tu nous as fichu une de ces trouilles !

Elle regarda le visage souriant de Morag. Duncan, qui l'accompagnait comme toujours, considéra tour à tour Rachel et Adam avec son expression habituelle de gravité perplexe.

– On essaie juste d'entrer chez l'oncle Clay, chuchota Adam, tâchant de faire croire à un petit jeu sans conséquence. On a oublié un truc à l'intérieur et on voudrait le récupérer.

– L'oncle Clay est allé au lit, continua Rachel, s'efforçant de soutenir le mauvais prétexte d'Adam.

– Non, il ne dort pas. Il est en réunion, dit Morag avec assurance.

Les adolescents échangèrent un regard. C'était une bonne nouvelle.

Rachel se doutait que les chances étaient minces, mais demanda pourtant :

– Sais-tu où il met la clé, Morag ?

– On n'a pas besoin de clé, répondit la fillette. Duncan peut vous ouvrir. Pas vrai, Duncan ?

Morag désigna son frère, comme s'il y avait eu une incertitude sur l'identité du garçonnet. Celui-ci réfléchit quelques secondes avant de hocher la tête.

– Tu veux bien, Duncan ? le pria Adam.

Le petit garçon s'avança et posa sa main sur la serrure. Il ferma les yeux un instant et prit une profonde inspiration, puis, écartant un peu sa main, il l'inclina vers la gauche, jusqu'à quatre-vingt-dix degrés, et la retira. Rachel et Adam faillirent éclater de rire devant sa mine concentrée, le bout de sa langue rose qui dépassait au coin de ses lèvres. Mais ils entendirent un cliquetis suivi d'un bruit métallique sourd, et le sourire amusé d'Adam fut remplacé par un air émerveillé lorsque la porte s'entrebâilla.

– Bravo ! dit-il.

Adam se glissa dans la pièce, Rachel sur ses talons. Le tic-tac des nombreuses pendules résonnait très fort dans les ténèbres silencieuses. Les yeux en boutons de bottine des différents automates fixaient les intrus qui s'approchaient en catimini du bureau de Van der Zee. Soudain, à un vrombissement mécanique, Rachel se figea et saisit le bras de son frère. Au vrombissement succéda vite le bruit d'une roue dentée : haut contre le mur, un coucou surgissait d'un cadran et sonnait l'heure. Ici et là sur les étagères, d'autres pendules carillonnèrent à tour de rôle, toutes un peu désynchronisées. Onze heures du soir.

Rachel libéra sa respiration et Adam éclaira la lampe de bureau. Il se pencha et tira vers lui le coffret en bois.

– Fermé à clé, constata-t-il.

Il s'empara d'un coupe-papier et tenta d'ouvrir la boîte de force.

– Allez ! gronda-t-il.

Après plusieurs essais infructueux, il gémit lorsque la mince lame ploya contre le bois dur du coffret.

Rachel se retourna vers les jumeaux écossais, entrés derrière elle en toute discrétion, leurs visages bizarrement éclairés par la lampe de bureau.

– Tu vas tout casser ! glapit Morag. Duncan ?

Elle montra le coffret.

Un instant plus tard, le garçonnet appuya sa main contre la serrure, la même concentration intense peinte sur ses traits. Au bout d'une poignée de secondes, la serrure cliqueta et il souleva calmement le couvercle. Adam le considéra, stupéfait.

– Merci, Duncan. Fantastique. Tu rends de sacrés services !

Duncan sourit presque. Adam plongea la main dans le coffret, sortit le triskèle et le posa délicatement sur le bureau. L'amulette se mit aussitôt à resplendir, dorée sur le cuir vert et brillant.

– Il sent votre présence, dit Morag.

Bouche bée, la fillette regarda le triskèle commencer à osciller, à vibrer et à tourner, à prendre de la vitesse et de la hauteur. Il voltigea au-dessus de leurs têtes et déploya des rayons dorés à travers la pièce.

– Il sent aussi la nôtre, ajouta-t-elle, souriante, ses grands yeux bleus et ses cheveux roux captant la lumière dansante.

Les jumeaux contemplèrent, muets d'admiration, le triskèle qui tournoyait dans la pièce, faisait carillonner les pendules, vrombir et remuer chacun des automates de Van der Zee. Le minuscule chef cuisinier retournait sans cesse ses œufs au plat. Le singe mécanique grimaçait et entrechoquait ses cymbales comme pour célébrer la magie se déroulant devant ses yeux de verre. Enfin, le triskèle s'arrêta : il décrivit une lente spirale et, tel un immense papillon doré, vint se poser dans la main de Rachel.

– Sortons d'ici, déclara Adam.

La jeune fille l'approuva, rangeant le triskèle dans son sac à dos, et tous quatre se précipitèrent en file indienne dans le couloir alors que les carillons s'apaisaient et que la pièce redevenait silencieuse.

# 15

Rachel et Adam suivirent les couloirs étroits et sombres qui sillonnaient la partie ancienne du bâtiment. Au bout de quelques minutes, ils pénétrèrent dans la zone récente, affectée à la recherche de pointe, et se dirigèrent vers l'endroit où se trouvait l'entrée principale. Pendant tout ce temps, à pas de loup, Morag et Duncan trottinaient derrière eux dans l'ombre.

– Hé, vous devriez retourner au lit, leur dit Rachel. C'est vraiment tard.

Adam et elle ne seraient jamais allés aussi loin sans l'aide des jeunes jumeaux, reconnaissait-elle dans son for intérieur; néanmoins, il était temps de se débarrasser d'eux.

– Oh non, refusa Morag. On vient avec vous.

Elle pointa le menton vers son frère et, d'un même geste, ils brandirent chacun une petite valise à carreaux.

– Pourquoi ? Vous ne pouvez pas…

– S'il vous plaît ! implora Morag. On ne veut pas disparaître comme les autres.

– Les autres ?

– Il y avait… d'autres jumeaux avant votre arrivée.

Rachel ne put en apprendre davantage. Elle aperçut de la lumière dans un bureau exigu sur leur droite et, comme ils s'approchaient, un garde chargé de la sécurité en sortit, ses lunettes protectrices perchées sur le front et ses écouteurs ballottant autour de son cou à l'extrémité de leurs fils. En un clin d'œil, les deux adolescents se collèrent contre le mur, invisibles dans l'ombre, et laissèrent Morag et Duncan plantés au beau milieu du couloir, valise à la main. À l'instant précis où Rachel se rendait compte qu'il était trop tard pour les tirer à l'abri, le garde se tourna et s'immobilisa, pris dans l'intensité de leurs regards jumeaux bleu vif.

Pendant qu'elle observait la scène, Rachel entendit tout à coup un bourdonnement lointain, qui semblait progresser de leur côté. Elle espéra que ce bruit annonçait du secours.

– Bonjour Martin, dit Morag.

Le gardien voulut aussitôt mettre ses lunettes et placer ses inhibiteurs, mais il fut obligé d'agiter les mains pour tenter d'écarter l'abeille, surgie de nulle part, qui bourdonnait furieusement autour de sa tête. Soudain, ses yeux perdirent leur lueur affolée et ses mains retombèrent, inutiles, le long de ses flancs, tandis que l'abeille se posait sur son épaule et s'y promenait avec nonchalance. L'homme ne put que rester là, tel un personnage en cire, pétrifié par Morag et Duncan.

– Alors. Vous allez nous emmener, nous et nos amis, jusqu'à l'entrée principale, continua Morag.

Le gardien la dévisageait. Il ouvrait et refermait lentement la bouche.

– C'est le docteur Van der Zee qui l'ordonne.

– Très bien, dit le garde.

Même s'il était évidemment trop tard, il enfonça ses écouteurs et baissa ses lunettes noires avant de descendre le couloir avec lenteur.

Morag saisit la main de son frère et sourit aux adolescents qui émergeaient de la pénombre.

– Ne traînez pas, leur recommanda-t-elle.

Rachel se mit en route, entraînant Adam, tout en regardant l'abeille quitter l'épaule du garde et voleter devant eux.

– On n'a pas beaucoup de temps, insista la fillette.

Le garde que Morag appelait Martin les guida consciencieusement au long des couloirs, par-delà des portes coulissantes et devant des collègues à lui, se servant de badges, composant des codes et indiquant des mots de passe au fur et à mesure du trajet.

– Martin est gentil, expliqua Morag à Rachel pendant qu'ils trottaient derrière lui. On a déjà réussi à le piéger, Duncan et moi. On l'a persuadé qu'il était un chat. C'était très drôle, il n'arrêtait pas de ronronner et de laper du lait par terre. On a eu des ennuis quand le docteur Van der Zee nous a surpris et que Martin s'est frotté contre sa jambe.

Rachel eut un sourire amusé, et Morag ajouta :

– Martin a eu de plus gros ennuis que nous, remarque !

Il en aurait de plus graves encore cette fois-ci, pensa Rachel.

Près de l'entrée principale, il y avait un autre bureau de la sécurité, et Martin s'entretint avec le vigile qui était de permanence. Il inscrivit son nom et son numéro dans le registre, affirma qu'il escortait les quatre jumeaux sur l'ordre exprès du docteur Van der Zee.

– Alors, c'est bon, déclara le vigile avant de se replonger dans ses mots croisés.

Lorsque le garde claqua les portes d'acier dans leur dos et que l'air frais de la nuit leur emplit les poumons, Rachel et Adam eurent peine à croire qu'ils avaient pu sortir aussi facilement.

Devant eux, la vaste allée gravillonnée serpentait le long du parking presque vide, en direction de la baraque de sécurité. Rachel regarda l'étendue de hautes herbes mouillées sur la droite et devina la cime des arbres sombres dans le bois au-delà. Elle ne voulait pas rester une seconde de plus près du bâtiment.

– Prenons par là, dit-elle, le doigt pointé vers les arbres.

Tous quatre s'élancèrent dans l'herbe, gardant le front baissé. Les arbres devaient se dresser à une trentaine de mètres. Adam courait en tête, Duncan venait ensuite et Rachel fermait la marche, tenant Morag par la main. La cime des arbres (des pins, voyaient-ils désormais) se rapprochait de plus en plus, et Rachel se laissa gagner par une sensation de délivrance, à présent que le bâtiment était derrière eux.

C'est alors qu'Adam trébucha et tomba.

Non loin de ses compagnons et à quelques foulées des arbres, Adam s'était pris les pieds dans un fil bas, dissimulé par les longues tiges d'herbe. Immédiatement, de puissants projecteurs à halogène illuminèrent toute la zone et les deux paires de jumeaux en furent réduits à échanger des regards horrifiés, leurs visages blanchis et stupéfaits dans la lumière crue.

Le son d'une alarme s'échappa du complexe et Adam se releva péniblement. Des sonneries retentirent et des lumières clignotèrent pendant qu'il rejoignait les autres qui, pétrifiés de terreur, observaient le bâtiment principal. Du côté des bois désormais éclairés, ils voyaient distinctement la clôture ceinturant le terrain. Une clôture haute, surmontée de barbelés, parsemée de panneaux de danger où figuraient des éclairs et des têtes de mort. Une clôture crépitante, traversée par un courant électrique de plusieurs milliers de volts.

Une clôture vers laquelle Duncan, dans son affolement, se dirigeait tout droit…

Adam se lança à la poursuite du garçonnet, ses semelles glissant sur l'herbe mouillée.

– Duncan ! Duncan !…

Mais l'enfant avait pris trop d'avance. Rachel, Adam et Morag ne purent que regarder, muets d'horreur, sa petite silhouette qui bondissait et s'agrippait au grillage, l'éclair bleu zigzagant qui dessina le contour de son corps ; puis hurler lorsque sa forme flasque fut projetée plusieurs mètres en arrière et s'affala, inerte, à leurs pieds.

Un cri lugubre, terrifiant, sortit de la gorge de Morag alors qu'elle s'écroulait sur le sol devant son frère. Un glapissement qui donnait l'impression que des mains invisibles lui déchiraient les poumons ; une note stridente qui résonnait par-dessus l'alarme. Rachel tomba à genoux et attira contre elle la fillette frissonnante. Un cruel sentiment de culpabilité l'envahit à l'idée qu'elle était responsable de cette tragédie.

Adam effleura le visage blafard de Duncan, plaça un doigt sous son nez pour sentir sa respiration, mais en vain.

Il posa une main sur sa poitrine mince, dans l'espoir de la sentir osciller sous les habits toujours fumants. Rien. Il saisit le poignet flasque et chercha le pouls. Pas un frémissement. Adam regarda Rachel et sa lèvre se mit à trembler pendant que des larmes brûlantes jaillissaient de ses yeux et s'écrasaient sur le corps sans vie du garçonnet.

Les trois survivants se regroupèrent dans l'herbe mouillée et pleurèrent. Leur tentative d'évasion avait échoué, c'était manifeste à présent que les gardes surgissaient du bâtiment et se répandaient sur le terrain. Dans leur angoisse, Rachel et Adam appuyèrent leurs fronts l'un contre l'autre.

Soudain, les sanglots de Morag s'apaisèrent et elle s'écarta des adolescents, comme pour examiner à nouveau Duncan, pour vérifier que le pire était bel et bien arrivé.

– Michael ? dit-elle, calme tout à coup. Qu'est-ce que tu fais ici ?

Rachel et Adam levèrent les yeux, s'attendant à découvrir un nouveau vigile, mais ils virent quelqu'un qu'ils connaissaient déjà.

Gabriel.

Sans voix, ils le regardèrent s'accroupir, mettre une main sur la poitrine du garçon mort, l'autre sur son front lisse. Rachel demeura bouche bée quand Gabriel cessa de toucher la tête de Duncan mais laissa sa main gauche sur la poitrine du garçonnet, et elle pleura encore plus fort lorsque les paupières de l'enfant remuèrent, puis s'ouvrirent.

– C'était incroyable, dit Duncan.

Les quatre jumeaux contemplèrent Gabriel, émerveillés.

– Duncan a parlé ! s'exclama Morag.

– Tu n'aurais rien dit, toi ? rétorqua Gabriel en aidant Duncan à se hisser sur ses jambes tremblantes. Allez, venez, sinon ils vont nous rattraper.

Gabriel montra le bâtiment principal : des gardes avec des torches commençaient d'affluer dans leur direction.

Il parcourut les dix mètres qui le séparaient de la clôture et souleva tranquillement le grillage, afin de créer une brèche sous laquelle ses compagnons pourraient ramper. Ceux-ci parurent abasourdis de voir les étincelles siffler et crépiter autour de Gabriel, mais il ne souffrait pas de l'électricité qui lui traversait visiblement le corps.

– Dépêchez-vous ! les pressa-t-il. Je ne peux pas rester ici la nuit entière.

Les quatre jumeaux se glissèrent en hâte sous la clôture et s'élancèrent dans les bois. Gabriel les suivit, le grillage intact derrière lui, et disparut au cœur des ténèbres.

L'alarme réveilla Kate Newman.

La sirène s'était introduite dans son cauchemar, l'en avait tirée, moite et fébrile, et lorsqu'elle se dressa dans son lit, elle n'avait qu'une pensée en tête.

Les enfants.

Elle rejeta les couvertures et se précipita vers la porte, tira la sonnette et attendit qu'un garde arrive. Elle essaya de crier, mais les mots refusaient de sortir distinctement : la drogue qu'on lui administrait la nuit était trop forte.

Pendant qu'elle attendait le garde, son rêve lui revint par bribes. New York. Une promenade dans le parc.

Tous trois protégés, dans un endroit radieux et familier. Elle tambourina contre la porte, puis plaqua ses mains sur ses oreilles, la sirène assourdissante lui donnant l'impression que son cerveau saignait.

Enfin, la porte s'ouvrit et une infirmière entra. Elle cria par-dessus le hurlement ininterrompu de l'alarme, ordonnant à Kate de reculer contre le mur une seconde avant de lever sa seringue.

Kate savait qu'il était inutile de résister – si elle voulait que ses enfants demeurent indemnes. Elle ne décidait plus de rien, surtout pas des faux appels d'Amérique tous les soirs.

La sirène continua de hurler, et soudain les lumières vacillèrent, juste une fois. Kate se demanda ce qui se passait. Il devait y avoir un rapport avec les enfants.

Ainsi confinée dans les profondeurs de l'infirmerie, elle pouvait seulement espérer que Rachel et Adam allaient bien. Et s'interroger sur le moment où ils se reverraient.

# deuxième partie : la fuite

Ils demeurèrent cachés dans les bois jusqu'à l'abandon des recherches.

Rassemblés sous un énorme pin, ils regardèrent les torches des troupes ratissant la forêt se déplacer comme de gigantesques lucioles. De temps en temps, les vigiles passaient à quelques mètres d'eux, et plusieurs fois, ils entendirent, très proche, la voix de Clay van der Zee qui guidait ses hommes puis, plus tard, leur disait qu'ils reprendraient les recherches à l'aube.

Rachel savait que Gabriel les dissimulait, qu'il pouvait, à sa guise, rendre presque invisibles sa propre personne et ceux qui l'accompagnaient. À un certain moment, alors que les cris des hommes résonnaient dans l'obscurité alentour, il s'était penché vers elle et lui avait chuchoté :

– Les arbres cachent la forêt.

Une fois les torches éteintes, ils quittèrent leur abri et se mirent à marcher avec précaution. Les ténèbres étaient presque impénétrables. Comme ils suivaient Gabriel sur un sentier qui serpentait entre les troncs des grands arbres, les petits jumeaux se serrèrent l'un contre l'autre aux cris de bêtes tapies. Rachel sentait qu'elle aurait été aussi effrayée qu'eux si elle n'avait pas eu l'esprit occupé par des centaines de questions. Elle lisait clairement la peur sur le visage d'Adam.

– Il faut accélérer, dit Gabriel.

Au bout d'une demi-heure environ, il y eut une éclaircie dans l'obscurité devant eux, l'éclat fugace de phares qui passaient, et ils atteignirent finalement une étroite route de campagne.

– On prend par où ? se renseigna Adam.

Gabriel réfléchit quelques instants, examinant la route de chaque côté.

– On s'éloigne, annonça-t-il.

Adam hocha la tête.

– Ça me paraît bien.

Rachel allait poser l'une des nombreuses questions qui l'agitaient, mais fut distraite par des pleurs derrière elle. Elle se retourna et vit Morag et Duncan assis au bord de la chaussée : le petit garçon réconfortait sa sœur. Rachel lui demanda ce qui n'allait pas.

– J'ai froid, répondit Morag.

Rachel se rendit compte que l'adrénaline seule l'empêchait de grelotter elle-même et que la température allait continuer à baisser ; aucun d'eux ne pourrait supporter une nuit dehors.

– Une voiture arrive ! annonça soudain Adam.

Morag et Duncan se redressèrent, enthousiastes, et tous quatre formèrent un petit groupe. Adam leva le pouce.

– Elle ne va pas s'arrêter ! cria Morag.

Les phares grossirent et le grondement de ce qui devait être un énorme camion augmenta.

– Bien sûr que si ! répliqua Adam. Qui refuserait de prendre en stop une poignée d'enfants au beau milieu de la nuit ?

Il tendit le bras, la bouche marquée par une expression d'espoir alors que les lumières se déplaçaient sur son visage.

– Allez, allez, marmonna Rachel, comme le camion s'approchait.

Mais elle ne put que regarder, effarée, Gabriel lui passer devant à la toute dernière seconde et s'avancer avec calme au milieu de la chaussée. Les cris des jumeaux écossais furent couverts par le rugissement du moteur de l'énorme véhicule qui fonçait sur le jeune garçon.

– Michael ! hurla Morag.

Rachel la dévisagea. Pourquoi s'obstinaient-ils à l'appeler ainsi ?

« Michael » leva la main et la lumière sembla rebondir sur ses doigts écartés, renvoyée à la figure du chauffeur dans un faisceau de rayons minces.

Le chauffeur savait qu'il était en mauvaise posture.

Il savait aussi qu'il n'aurait pas dû conduire alors qu'il était fatigué, qu'il n'aurait pas dû rouler si vite et qu'il n'aurait certainement pas dû boire une pinte de bière avec son repas. Néanmoins, ce contrôle de police inopiné sur une route qu'il avait prise des centaines de fois, ce n'était pas de chance. Lorsqu'il vit le policier s'avancer sur la chaussée et se mettre à lui faire des signes, il ne put que maudire sa déveine et se demander ce qu'il avait fait pour mériter ça.

Le policier paraissait extrêmement sévère. La plaque sur son calot et les boutons sur son uniforme bleu luisaient dans l'éclat des phares. En très, très mauvaise posture…

Le chauffeur écrasa la pédale de frein en s'apercevant que le policier était plus près qu'il l'avait cru d'abord. Pourquoi cet idiot ne se poussait-il pas ? Le chauffeur ferma les yeux, espérant qu'il pourrait s'arrêter à temps et que, s'il y parvenait, il réussirait à sauver son permis de conduire.

En définitive, il s'en tirait à bon compte.

Assis là dans sa cabine, il retint son souffle, et lorsqu'il redémarra enfin, il ne put s'empêcher de s'interroger : pourquoi donc ce contrôle ? Le policier (celui-ci avait l'air vraiment très jeune, d'ailleurs) n'avait rien fait sinon lui adresser de vigoureux reproches et lancer quelques coups de pied dans les pneus avant de l'autoriser à repartir. À quoi rimait cette comédie ? La question le tracassa tandis qu'il continuait sa route, tournant son gros camion vers l'est, vers la côte, très bien réveillé désormais et surveillant sa vitesse.

La police n'avait-elle pas mieux à faire ?

Le camion ne roulait pas depuis cinq minutes que Morag et Duncan dormaient déjà du sommeil du juste à l'arrière. Dans la faible lumière en provenance de la cabine, Rachel les regarda, couchés en boule parmi les sacs de navets et de pommes de terre comme si c'était la situation la plus normale du monde, et elle envia leur innocence.

Elle était adossée contre la paroi latérale du camion, Adam à côté d'elle et Gabriel en face d'eux. Ce dernier souriait, content de lui, mais Rachel résista à la tentation de lui demander comment il avait réussi à convaincre le chauffeur de les emmener. Une telle question n'était guère utile. Gabriel pouvait obtenir presque n'importe quoi des gens, la jeune fille le savait ; en outre, elle voulait des réponses sur d'autres points beaucoup plus importants.

– Pourquoi n'es-tu pas venu nous chercher quand on était là-bas ? l'interrogea-t-elle, mais Gabriel resta silencieux. Je sais que tu en avais la possibilité. Tu aurais pu entrer dans le bâtiment et nous délivrer. Alors pourquoi ?

– Il était exclu que je mette les pieds dans cet endroit. C'est ce qu'ils souhaitaient, j'en suis convaincu, et puis… je vous attendais.

– Quoi ?

– J'attendais le moment où vous agiriez. Où vous prendriez l'initiative. Je ne peux pas accomplir le travail tout seul, vous savez. J'ai besoin de votre aide. J'ai eu besoin de vous pour trouver le triskèle. Il est plus puissant dans vos mains.

Rachel réfléchit. Elle se rappela le visage de Gabriel lorsqu'elle l'avait vu (ou avait cru le voir) au cimetière, son air absent. L'impression qu'il donnait d'attendre.

– Alors c'est une espèce de batterie qui a besoin de nous pour se charger ? demanda Adam.

– C'est toutes sortes de choses, déclara Gabriel. Toutes sortes.

Il eut de nouveau un air absent, ferma les yeux et baissa le front. Lorsqu'il redressa la tête, il souriait.

– Vous l'avez pris, hein ?

Rachel tendit le bras et posa la main sur son sac à dos.

– Il est là-dedans, annonça-t-elle. Impossible de le laisser. Je sentais qu'il fallait l'emporter.

Gabriel approuva, satisfait.

– Très bien. Maintenant, nous pouvons partir d'ici. Aller chercher les autres.

Il avait murmuré cette dernière phrase et Rachel n'était pas certaine de l'avoir bien distinguée.

– Quels autres ?

Adam se pencha.

– D'autres triskèles ? suggéra-t-il.

Gabriel referma les yeux et se cala en arrière, comme s'il s'apprêtait à dormir. Au bout d'une bonne minute, il lança :

– Vous ne pensiez pas qu'il n'y en avait qu'un, tout de même ?

Le camion continua son trajet dans la nuit. Des lumières passèrent sur les visages des adolescents lorsque le véhicule emprunta des routes plus larges, mieux éclairées. Quand la température baissa, Rachel s'enveloppa dans un sac vide, mais s'il la réchauffa un peu, elle ne réussit pourtant pas à trouver le sommeil.

– Tu m'expliques pourquoi ils t'appellent Michael ? demanda Rachel en désignant Morag et Duncan.

Le garçonnet gémit dans son sommeil et étira un bras. Gabriel, les paupières closes, haussa les épaules.

– J'ai plusieurs noms, répondit-il.

– Comment ça, des pseudos ? voulut savoir Adam.

– Oui, j'imagine. C'est plutôt utile, ça laisse les gens dans le doute.

– Alors tu caches ta véritable identité ?

– Nous la cachons tous, affirma Gabriel.

Son visage était dans l'ombre. Sa voix semblait réduite à un chuchotement, alors même qu'ils criaient par-dessus le vacarme du moteur. Les sacs empilés tout autour d'eux formaient de grosses masses sombres, et des légumes éparpillés roulaient et résonnaient sur le sol métallique chaque fois que la route bosselée provoquait un cahot.

– Et on va où ? se renseigna Adam.

– Je croyais que « on s'éloigne » te suffisait, répondit Gabriel.

Rachel pivota vers son frère et le regarda comme s'il était devenu fou.

– On rentre chez nous, bien entendu ! On va voir maman.

Elle se retourna et dévisagea Gabriel, maintenant assis, les yeux grands ouverts.

– Je me trompe ?

Gabriel prit une expression qui lui fit l'effet d'un glaçon sur la peau.

– Votre mère n'est pas chez vous, déclara-t-il.

– On lui a parlé ! rétorqua Adam. Elle nous téléphonait tous les soirs de New York.

– Elle n'est pas à New York, persista Gabriel.

Il jeta un coup d'œil vers la route.

– Elle est restée là-bas.

Adam s'approcha de lui.

– Tu racontes n'importe quoi ! cria-t-il. Elle est à la maison. On lui a parlé, je te dis !

– Elle n'est jamais partie, dit simplement Gabriel. C'était une ruse, voilà tout.

Rachel se leva et faillit perdre l'équilibre à une embardée du camion. Elle empoigna la barre métallique fixée à l'intérieur de la remorque.

– Fais faire demi-tour au camion !

– Ce n'est pas moi qui conduis, répliqua Gabriel.

Soudain, Rachel se mit à crier aussi.

– Interviens comme tout à l'heure ! Arrange-toi pour que le chauffeur s'arrête et reparte dans l'autre sens. Il faut qu'on rebrousse chemin !

Gabriel refusa d'un signe de la tête.

– Tu ne comprends pas. On ne peut pas la laisser, insista Rachel. C'est notre mère... elle est en danger. Il faut absolument qu'on rebrousse chemin !

Adam s'était planté à côté d'elle. Les yeux baissés vers Gabriel, ils le suppliaient d'agir, de s'activer, mais le jeune garçon les considérait, placide, l'air incapable de saisir les raisons de leur trouble.

Rachel vérifia d'un coup d'œil que Morag et Duncan dormaient toujours, puis souffla :

– Leurs parents ont été tués. J'ai vu le drame en rêve. J'ai dû avoir accès à leurs pensées ou à leurs souvenirs.

Elle sentait le regard de son frère. Elle ne lui en avait pas parlé, n'avait pas voulu lui faire peur.

– Leur voiture a plongé dans un lac après une poursuite, et des hommes-grenouilles attendaient sous l'eau. Ils ont secouru les petits et laissé le père et la mère se noyer.

Elle guetta une réaction de Gabriel, mais n'obtint rien.

– Je l'ai vu ! Ces gens sont des assassins.

Elle regarda de nouveau Morag et Duncan.

– Ils ont fait de ces enfants des orphelins...

– Ramène-nous, ordonna Adam. Immédiatement !

Il avait les poings serrés, comme s'il était à deux doigts de se jeter sur Gabriel et de le soumettre par la force.

– Je sais parfaitement de quoi ils sont capables, assura Gabriel, et ils ne maltraiteront pas votre mère.

Je vous le promets. Elle ne craint rien tant qu'ils s'obstinent à vous chercher.

C'était lui, à présent, qui semblait désespéré, et il y avait une note implorante dans sa voix.

– Il faut continuer notre route, garder notre avance sur eux.

Il tendit une main à chacun des jumeaux, mais laissa retomber ses bras devant leur refus.

– Je sais ce que vous éprouvez, sincèrement. Il faudra néanmoins m'accorder votre confiance.

Rachel et Adam se consultèrent des yeux puis, après de longs instants, regagnèrent leur côté du camion et s'affalèrent au milieu des gros sacs de légumes.

Ils n'avaient pas le choix.

Rachel repensa à sa dispute avec Adam le soir où elle avait découvert le corps de leur grand-mère. Elle se rappela ce qu'il avait déclaré à propos de Gabriel : leur existence était bien plus facile là où ils étaient, ils se portaient mieux sans lui. Sur le moment, Rachel avait été furieuse, mais elle voyait à présent ce qu'avait voulu dire son frère.

Elle s'enveloppa de nouveau dans le sac, s'allongea et pleura sans bruit.

Elle avait tellement désiré s'enfuir, eu la certitude que c'était la solution, convaincu Adam de tenter l'évasion. Maintenant, quelques heures après les retrouvailles avec Gabriel, elle avait l'impression que leur vie ne leur appartenait plus.

Elle se sentait hésitante, terrifiée, désarmée. Comme si tout pouvait arriver.

Tout… et rien de bon.

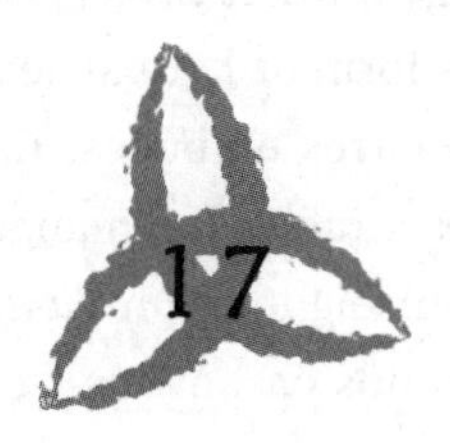

# 17

Rachel ne sut pas combien de temps elle avait dormi lorsque Gabriel la réveilla, ni depuis combien de temps le camion ne roulait plus. Cette fois-ci, elle prit la main du jeune garçon et accepta qu'il l'aide à se mettre debout. Adam était déjà réveillé. Morag et Duncan se tenaient côte à côte au fond de la remorque, valise à la main, prêts à partir.

Le chauffeur n'était plus dans sa cabine quand ils sautèrent de l'arrière du camion et regardèrent autour d'eux.

– Qu'est-ce que ça sent ? demanda Morag.

– L'essence, répondit Adam.

Rachel percevait une autre odeur. Ils se trouvaient dans un vaste parking pour poids lourds où s'alignaient de gigantesques semi-remorques. Au loin, la jeune fille discerna une rangée de lumières irrégulières qui se déplaçait lentement sur une étendue noire. Elle la scruta jusqu'au moment où elle vit la masse noire remuer, onduler, et comprit que la rangée de lumières était en fait un immense bateau.

– Ça sent la mer, dit-elle à Morag.

Un haut grillage bordait trois côtés du parking, et un long bâtiment bas formait le quatrième. Un café-restaurant. Derrière les vitres embuées, Rachel distingua des groupes d'hommes attablés qui mangeaient ou lisaient le journal. Elle lut l'enseigne : *Mon Vieux Hollandais*.

– Je ne comprends pas, avoua-t-elle.

Adam montra un panneau beaucoup plus grand au-dessus d'eux : *Port ferry de Harwich. Traversées pour Hoek van Holland.*

– C'est le pays où les gens portent des sabots, dit Morag. Où ils cultivent les tulipes.

Adam confirma et Morag parut contente d'elle.

Rachel regarda Gabriel.

– Pourquoi la Hollande ?

– C'est la façon la plus rapide de sortir du territoire.

– Qu'est-ce qui nous oblige à quitter l'Angleterre ? demanda-t-elle, sans obtenir de réponse. Et puis pourquoi cette destination ? Pourquoi ne pas prendre un avion pour l'Afrique, l'Australie ou ailleurs ? continua-t-elle.

Gabriel se dirigea vers la sortie et lança par-dessus son épaule :

– Venez ! Vous avez entendu ce qu'a dit Morag ? Vous n'avez pas envie d'essayer des sabots ?

Rachel et Adam soulevèrent leurs sacs à dos et le suivirent. Au bout de quelques mètres, Adam se retourna et constata que les jumeaux écossais n'avaient pas bougé. Il revint péniblement sur ses pas.

– Allez, je sais que vous êtes fatigués, mais…

– On a faim, dit Morag.

Adam hocha la tête et entendit aussitôt son estomac gargouiller. Le dîner de la veille à la cellule Espoir semblait très loin. Il appela Gabriel et Rachel, qui revinrent jusqu'à lui.

– Les petits ont le ventre creux, annonça-t-il. Moi aussi.

Il pointa le menton vers le café.

– On n'a pas le temps, dit Gabriel.

Rachel s'avançait déjà vers les fenêtres embuées, attirée par l'odeur appétissante qui flottait depuis quelques instants sur le parking.

– Il faut qu'on mange, déclara-t-elle.

Le café-restaurant était beaucoup plus exigu qu'il le paraissait de l'extérieur : il n'y avait qu'une douzaine de minuscules tables en Formica disposées autour d'un passe-plat. Pendant que deux gros hommes s'activaient devant une immense plaque de cuisson grésillante, une femme tout aussi corpulente, les cheveux gris tirés en arrière et le tablier couvert de taches, circulait entre les clients, tenant plusieurs tasses fumantes dans chaque main ou transportant trois assiettes à la fois.

– Ce n'est pas la cuisine de M. Cheung ! observa Morag.

Adam examina une assiette garnie de bacon, d'œufs et de haricots à la sauce tomate qui passait à quelques centimètres de son visage.

– Ça fera l'affaire, dit-il.

Ils se tassèrent à une table près de la fenêtre et Rachel appela la serveuse. Sur son tablier figurait son prénom, Dawn. Si elle trouva étrange que cinq enfants non accompagnés prennent leur repas à deux heures du matin, elle ne le montra pas.

Gabriel déclara qu'il n'avait pas faim. Morag et Duncan commandèrent tous deux des haricots blancs avec du pain grillé tandis que Rachel et Adam optaient pour le « petit déjeuner spécial du camionneur affamé », selon l'intitulé sur la carte. Dawn eut l'air ébahie lorsque Adam souhaita des crêpes et plus ébahie encore quand il voulut savoir s'il y avait du sirop d'érable. Elle lui indiqua le récipient en plastique sur la table, où s'entassaient sachets de ketchup, de vinaigre et de mayonnaise.

– Pouah ! s'exclama Adam après le départ de la serveuse. Remplacer le sirop d'érable par du vinaigre ou de la mayonnaise !

Les portions étaient énormes, mais chacun d'eux nettoya son assiette sans grande difficulté. Personne ne parlait, et Gabriel regardait par la fenêtre en attendant qu'ils aient fini.

– Terminé ? demanda-t-il lorsque les derniers couteau et fourchette cliquetèrent sur l'assiette vide.

– Duncan voudrait faire pipi, chuchota Morag.

Gabriel hocha la tête et suivit la fillette des yeux alors qu'elle emmenait son frère. Il avait répandu un sachet de sucre sur la table et traçait distraitement un motif avec le doigt. Rachel jeta un coup d'œil et reconnut aussitôt la fameuse forme aux trois lames entrelacées.

– Tu as dit qu'il y en avait d'autres ? demanda-t-elle.

Gabriel leva la tête.

– Quand on discutait dans le camion, précisa Rachel.

Gabriel se remit à son dessin. Un geste vif, régulier, le bout de son doigt crissant sur la surface en résine.

– Tu n'as pas vraiment répondu à la question d'Adam, s'obstina la jeune fille.

Gabriel lança un regard sur sa droite et vit la serveuse qui revenait débarrasser leur table. Il braqua ses yeux sur Rachel et, avec nonchalance, fit tomber les grains de sucre par terre.

– Il y en a trois, murmura-t-il. Trois triskèles.

Lorsque Morag réapparut avec Duncan, Dawn leur apporta l'addition. Gabriel prit le morceau de papier et dévisagea la serveuse comme s'il ne comprenait pas.

– Nous avons déjà payé cette note, affirma-t-il.

– Quoi ?

Gabriel maintint son regard et répéta, un peu plus lentement :

– Nous avons déjà payé, Dawn.

La serveuse secoua la tête quelques secondes. Elle essayait, semblait-il, d'éclaircir ses idées. Puis elle roula des yeux.

– Excusez-moi, je crois que je deviens folle. Bien sûr que vous l'avez payée. Bien sûr...

Elle regagna le comptoir en marmonnant, et ils commencèrent à rassembler leurs bagages.

– J'aimerais tellement savoir faire ça ! dit Adam.

– Tu en es capable, lui assura Morag. On en est tous capables. Il faut juste que tu apprennes.

– Venez, dit Gabriel. Un ferry part dans cinq minutes.

Il s'était mis à bruiner. Les jumeaux se réfugièrent sous un auvent mais Gabriel leur ordonna de se dépêcher. De l'autre côté du grillage, la mer roulait et s'agitait, les vagues se brisaient contre le quai.

Gabriel s'avança, impatient de descendre vers le ferry. Rachel tendit le bras pour l'arrêter.

– C'est la façon la plus rapide de sortir du territoire, disais-tu ?

– Oui. Alors en route !

– La plus rapide... et la plus évidente, continua Rachel.

Gabriel la regarda.

– Quel est le fond de ta pensée ?

L'idée l'avait frappée dans le café-restaurant : une simple supposition d'abord, mais à présent une certitude.

– Ils doivent s'attendre à ce qu'on choisisse cet itinéraire, expliqua-t-elle. Je parie qu'ils surveillent déjà le port.

Gabriel hocha la tête, considéra la mer du Nord durant quelques instants, puis se retourna, résigné.

– Une proposition lumineuse ?

À son expression, Rachel voyait qu'il la mettait à l'épreuve.

– Où projetais-tu de nous emmener ? se renseigna-t-elle.

– Je comptais aller à Rotterdam, traverser toute la Belgique et passer en France.

– Pourquoi la France ?

– Nous devons y faire étape. Peut-être un peu de tourisme, ajouta-t-il en lançant un demi-sourire à Rachel.

Adam, retenu par Morag et Duncan, n'avait saisi que des bribes de la conversation. Il s'approcha.

– Qu'est-ce qui arrive ?

– Demande à ta sœur, répliqua Gabriel.

Adam consulta Rachel.

– Il doit y avoir d'autres moyens de se rendre en France, affirma-t-elle.

Ils débattirent des diverses possibilités. Une fois qu'ils eurent tranché, ils attendirent encore une poignée de minutes, jusqu'à ce qu'un homme susceptible de convenir sorte du café-restaurant.

Le chauffeur portait un jean et un gilet matelassé par-dessus son épaisse chemise rouge à carreaux. Il se tourna pour saluer Dawn, sa blondeur soulignée par l'éclat de l'enseigne au-dessus de lui.

– Hollandais, chuchota Gabriel. Un petit arrêt sur son trajet pour Londres, j'imagine.

– Il est parfait, dit Rachel.

Elle regarda Gabriel suivre le Hollandais sur le parking en direction d'un énorme camion avec une plaque étrangère.

– Qu'est-ce qui se passe ? demanda Morag.

Adam et Rachel observèrent la scène. Gabriel s'entretenait avec le chauffeur du poids lourd. Il désigna les jumeaux toujours à l'abri sous l'auvent, l'homme tendit le cou et hocha la tête avec enthousiasme, agitant les bras et souriant.

– Je ne sais pas ce qu'il lui raconte, mais apparemment, ça marche, dit Adam.

Lorsque Gabriel leur indiqua de venir, ils coururent sous la bruine et se serrèrent contre le flanc du camion hollandais. Rachel lança une interrogation muette au jeune garçon, qui répondit par un petit signe affirmatif : l'affaire était conclue.

Le chauffeur ouvrit grand les bras et leur adressa un sourire radieux.

– Salut, la compagnie ! Moi, c'est Ronald. Bienvenue à bord !

– Merci, dit Rachel.

– Non, non. Tout le plaisir est pour moi, assura Ronald. Grimpez dans la cabine, vous ferez le trajet devant, à côté de moi.

Les jumeaux obéirent. Ils contournèrent le véhicule pendant que Ronald s'installait au volant. Il tapota le siège près de lui et fit signe à Adam.

– Venez, asseyez-vous ici.

– D'accord…

Rachel hissa Morag et Duncan, puis grimpa elle-même et attendit que Gabriel les rejoigne et ferme la portière. Comme ils manquaient de place, Rachel percha Duncan sur ses genoux.

– Bien, dit le chauffeur. La compagnie est prête ?

Il alluma le moteur et le camion s'ébranla.

– Cramponnez-vous…

Ils quittèrent le parking par une longue route inondée de pluie ceinturant le port, se mêlèrent aux véhicules qui prenaient un grand axe et, enfin, s'engagèrent sur une voie express. Rachel regardait droit devant elle, écoutait le grincement des essuie-glaces ainsi que le bavardage ininterrompu et mélodieux du chauffeur, occupé à leur décrire en détail son trajet depuis les Pays-Bas.

Il avait été ravi de les accueillir dans son camion et paraissait plutôt sympathique.

Mais les gens pouvaient avoir de multiples apparences… Rachel apprenait beaucoup, et vite.

Règle numéro un : ne faire confiance à personne.

# 18

Le panneau bleu au bord de la voie express indiqua que Londres n'était plus qu'à vingt kilomètres. Ils en avaient parcouru à peu près cent quarante depuis Harwich, avait constaté Rachel, et maintenant la ville se dessinait, lueur orange sur l'horizon.

Duncan et Morag dormaient toujours, comme durant l'heure qui venait de s'écouler, dans l'étroite couchette en haut de la cabine. Rachel était serrée entre Adam et Gabriel sur la banquette derrière le chauffeur. De temps en temps, Ronald se retournait et, avec un clin d'œil, leur proposait un chewing-gum, puis se remettait à fredonner un air qui ressemblait au thème musical d'une émission de télé pour enfants.

Vingt minutes plus tard, alors que le ciel s'éclaircissait, un vaste ensemble argenté de gratte-ciel et d'imposantes tours de verre parut grandir devant leurs yeux. Des lumières étincelaient aux milliers de fenêtres et d'immenses néons multicolores composaient des noms d'entreprises sur les toits-terrasses : Citibank, HSBC, Barclays.

– Bienvenue à Londres, dit joyeusement Ronald.

Le chauffeur hollandais avait un fort accent, malgré son excellent anglais. Il bâilla à s'en décrocher la mâchoire et Rachel sentit à quel point elle était fatiguée aussi. Elle bâilla par solidarité et vit Adam faire de même.

Ce n'était pas la ville qu'ils s'attendaient à découvrir. Où se trouvait la cathédrale Saint-Paul ? Où se trouvaient Big Ben et la tour de Londres ? Ces constructions étaient beaucoup plus modernes, plus récentes que New York.

– Je ne reconnais rien, dit Rachel. Où sommes-nous exactement ?

– Sur les Docklands, répondit Ronald. La partie nouvelle, qui correspond au vieux quartier est et aux anciens docks. C'est fantastique.

Ronald engagea l'énorme poids lourd frigorifique dans une courbe, puis le long d'une bretelle menant à une zone industrielle en contrebas. Une multitude d'autres camions blancs étaient garés là, sous des rangées de projecteurs. Rachel ne se sentait pas bien, après avoir passé la moitié de la nuit à rouler dans le froid, éblouie par les phares. Elle souffrait de nausées, sa langue avait un goût amer dans sa bouche. Au cœur de la pénombre, Adam lui prit la main et, quelques secondes plus tard, Gabriel lui prit l'autre, pour la rassurer.

– On s'arrête ici, annonça Ronald.

Le camion franchit une barrière et pénétra sous un immense auvent jaune portant l'inscription : *Marché de Billingsgate.*

Aidés par Adam et Gabriel, les petits jumeaux épuisés descendirent de la couchette et sortirent à l'air libre. Ils frissonnèrent et cillèrent dans la lumière blanche.

L'odeur du poisson les frappa tous, comme une puissante bouffée venue de la mer. Ronald leur fit passer leurs sacs, puis sauta de la cabine.

– Merci pour le transport, Ronald, dit Rachel, tendant le bras et donnant une poignée de main vigoureuse au Hollandais.

– Pas de quoi, répondit Ronald.

Il tira un stylo à bille mordillé de la poche de sa chemise et griffonna un numéro sur un bout de papier qu'il trouva sur le tableau de bord.

– Si vous venez un jour à Rotterdam, mesdemoiselles, contactez-moi. Je vous ferai visiter, on s'amusera bien !

– Et comment ! s'écria Rachel, agitant la main tout en entraînant les jumeaux.

Adam et Gabriel saluèrent eux aussi Ronald alors qu'il commençait à ouvrir le hayon de son camion.

– Mesdemoiselles ? répéta Adam, offensé.

– Laissons-le voir ce qu'il veut voir ! répliqua Gabriel. Je l'ai convaincu qu'on était des hôtesses de l'air américaines en route pour l'aéroport.

Gabriel lança un clin d'œil à Adam, comme Ronald n'avait cessé de le faire avec eux tous, puis éclata de rire.

La source de l'odeur devint évidente lorsque les cinq compagnons traversèrent le parking pour poids lourds et s'approchèrent d'un édifice en acier aussi vaste qu'un hangar d'aviation. Ils virent des centaines d'hommes, vêtus de blouses blanches trempées, qui empilaient des caisses en polystyrène où s'entrechoquaient des monceaux de glace. Sur les flancs des camions frigorifiques figuraient les noms de leurs pays d'origine : France,

Espagne, Pays-Bas. Des fourgons, avec des dauphins lippus, des sirènes et des coquillages peints sur leurs portières, affichaient des adresses dans le Devon, en Cornouailles, à Lowestoft et à Hull. Tous chargeaient ou déchargeaient des animaux marins. Il y avait de gros poissons argentés aux yeux morts et exorbités, de plus petits aux écailles rouges et aux nageoires épineuses ; certains longs et visqueux, d'autres plats et noirs ; des crabes et des homards, leurs pinces immobilisées par du ruban adhésif ; et des enchevêtrements de calamars et de poulpes, leurs tentacules à ventouses s'enroulant et s'étirant par-dessus le bord des caisses, comme dans une tentative d'évasion avortée.

Rachel n'aimait pas beaucoup les poissons – pas dans son assiette, en tout cas. Elle les jugeait bizarres, mystérieux et effrayants, et préférait largement qu'ils restent en paix au fond de l'eau. Maintenant, après son petit déjeuner gras et copieux, la puanteur de ces milliers de poissons morts la prenait à la gorge et lui donnait des haut-le-cœur. Plus près du hangar, elle aperçut des hommes vêtus de tabliers plastifiés, armés de longs couteaux, vidant d'énormes cabillauds de la tête à la queue, et les entrailles rouges, ruisselantes, qui se répandaient dans de grands bacs en plastique à leurs pieds.

Elle fut soudain prise de vomissements violents.

Adam lui frictionna le dos pendant qu'elle s'essuyait la bouche avec un mouchoir et crachait sur l'asphalte mouillé. Gabriel la regardait, compatissant et intrigué à la fois.

– Ça va, Rachel ? demanda Morag.

Elle aussi lui caressa le dos. Rachel répondit par un signe de tête affirmatif.

– Il faut qu'on se remette en route, dit Adam.

Gabriel montra une voie ferrée plusieurs mètres en contre-haut. Sur le ciel rose de l'aube se découpait un train rouge aux fenêtres bien éclairées, qui pénétrait lentement dans une gare invisible au-dessus de leurs têtes.

C'était un train sans conducteur, visiblement. Une voix robotique leur conseilla de prendre garde à la fermeture des portes alors qu'ils s'asseyaient tout devant, à l'endroit où la cabine du conducteur aurait dû se trouver. Les quelques autres passagers, qui rédigeaient des textos ou lisaient des journaux, la mine lasse, ne leur prêtèrent aucune attention, pas plus qu'au paysage urbain en pleine évolution autour d'eux. Le train suivit une étroite voie électrifiée. Il s'enfonça entre les gratte-ciel, révélant un monde caché de supermarchés et de cafétérias, tout de verre et d'acier inoxydable, se préparant à lever leurs rideaux.

– On dirait *Matrix* ! s'exclama Adam.

– Quoi donc ? demanda Gabriel.

– C'est un film, lui expliqua le jeune garçon.

– De science-fiction, ajouta Rachel.

Elle écarta son visage blafard de la vitre et adressa un faible sourire à Gabriel.

Celui-ci se tourna vers la fenêtre tandis que le train s'arrêtait dans une gare nommée Canary Wharf. Il observa deux hommes occupés à balayer le quai, le front baissé, se croisant sans se saluer. Il promena un regard sur les voyageurs fatigués puis désigna le labyrinthe de bureaux qui se dressait loin au-dessus d'eux.

– Si c'est votre avenir, je crois qu'il ne me plaît pas. Descendons, annonça-t-il. On change ici…

# 19

Les freins crissèrent lorsque le taxi noir londonien s'arrêta sur la zone pavée bordant la gare de St. Pancras.

– Profitez bien de vos vacances ! dit cordialement le chauffeur.

Il mit dans sa poche le tas de papiers froissés que Gabriel venait de lui tendre, persuadé que c'était le prix de la course depuis la station Bank, où ils étaient montés, assorti d'un généreux pourboire.

– Ravis de vous avoir rencontrés !

Il sourit à ce qu'il croyait être un charmant jeune couple avec deux bambins et une grand-mère, en partance pour la France. Heureux de cet excellent début de journée, il alluma son voyant lumineux et s'éloigna en quête de nouveaux clients.

– On cherche l'Eurostar, déclara Gabriel. À destination de Paris.

Il les conduisit dans un vaste hall aéré, où se bousculait la foule des voyageurs matinaux.

– Paris ? répéta Adam, impressionné.

– J'ai des… amis là-bas. Je vais consulter la liste des trains au départ, pour connaître l'horaire.

– Le prochain part dans vingt minutes, dit Duncan d'un ton monocorde. 7 h 28. Durée approximative du trajet, deux heures trente-cinq minutes. Quai 14 A.

Ses compagnons s'immobilisèrent et le dévisagèrent, stupéfaits. C'était seulement la deuxième fois que Rachel et Adam entendaient le garçonnet parler, et la précédente, il avait fallu plusieurs milliers de volts pour l'y décider.

– Duncan emmagasine les informations de ce genre, dit Morag. Il les retient à la première lecture.

Ils prirent la direction des guichets. Ils se faufilèrent parmi une cohue de gens habillés pour le travail ou traînant des valises à roulettes, tous manifestement résolus à leur écraser les orteils dès que l'occasion se présentait. Ils frôlèrent la statue d'un petit homme ventru qui paraissait contempler la voûte vitrée au-dessus de leurs têtes. La file d'attente pour le train à destination de Paris s'étirait depuis l'entrée du quai, franchissant avec lenteur un tourniquet et le portique d'un détecteur de métaux.

– On n'y arrivera jamais, dit Rachel en s'approchant de la file. On n'a même pas encore nos billets.

Un joggeur portant de larges lunettes de soleil, l'air indifférent au monde extérieur – écouteurs dans les oreilles et trajectoire décidée –, heurta l'épaule de Rachel au passage. La jeune fille fit volte-face en se tenant l'épaule, plus sous l'effet de la stupeur que de la douleur.

– Hé ! cria Adam au joggeur, volant d'instinct au secours de sa sœur.

Mais l'homme était déjà loin. Rachel regarda la silhouette vêtue de Lycra disparaître et allait repartir lorsqu'un autre homme, en veste de motard noire, attira son attention. Il était occupé à enfoncer ses propres écouteurs quand le joggeur passa. Il jeta un coup d'œil à Rachel puis, détournant aussitôt les yeux, fouilla dans sa poche et mit des lunettes. Rachel fut soulagée de le voir sortir un lecteur MP3 et en régler le volume.

Elle poussa un long soupir libérateur. Elle était fatiguée, elle avait vomi, et à présent elle devenait paranoïaque.

– Voici nos billets, dit Gabriel.

Il déchira ce qui avait dû être le dos d'un paquet de céréales et tendit un fragment à chacun.

– Montons dans le train.

À hauteur du tourniquet, le contrôleur, s'étant entretenu avec Gabriel, leur donna volontiers la priorité. Les personnes en tête de la file d'attente sourirent, bienveillantes, aux jeunes gens qui semblaient accompagner leur aïeule dans son voyage pour Paris, où elle fêterait son quatre-vingt-dixième anniversaire.

– Je ne sais toujours pas comment tu fais, avoua Rachel à Gabriel pendant qu'ils grimpaient dans le train. On dirait qu'ils nous regardent mais qu'ils voient autre chose.

– C'est juste un procédé, répondit-il. Tu ne tarderas pas à le maîtriser.

Le train était presque complet lorsqu'il quitta la gare de St. Pancras. Filant à travers Londres, il plongea dans des trémies, des tunnels et, cinq minutes après, émergea au cœur de la banlieue immense. Comme il prenait de la vitesse, les rangées de maisons édouardiennes identiques devinrent floues à la fenêtre. Après une nouvelle poignée de minutes, il pénétra dans la campagne et des arbres remplacèrent les maisons.

Rachel respira profondément, s'accorda le luxe de fermer les yeux et de se détendre dans le fauteuil en velours.

– Je voudrais faire pipi, annonça une petite voix flûtée sur le siège à côté d'elle.

L'adolescente rouvrit un œil et aperçut le visage effronté de Morag, reposé par quelques heures de sommeil, qui lui souriait. Voilà ce que devait connaître une mère, pensa Rachel. Elle tressaillit alors que le souvenir de sa propre mère s'imposait à son esprit. Pourvu que Gabriel ait raison, que Kate ne craigne rien !

– J'ai dit que je v...

Rachel se leva et entraîna la fillette.

Remontant le couloir en direction des toilettes, elle jeta un coup d'œil sur la gauche et eut un sursaut de terreur. Deux rangs plus loin était assis l'homme à la veste de motard. Il avait les yeux clos derrière ses lunettes et gardait ses écouteurs sur les oreilles. Rachel s'efforça de rester calme. C'était un simple voyageur parmi les autres. Il ne bougea pas lorsqu'elles passèrent près de lui et que Rachel appuya sur le bouton de la porte automatique incurvée. Celle-ci coulissa.

– Tu te débrouilles toute seule ? demanda Rachel.

Morag hocha la tête et la porte se referma derrière elle.

– Ne la verrouille pas ! cria Rachel.

La jeune fille attendit et, considérant les alentours, entrevit au-dessus du siège face au sien les cheveux ébouriffés d'Adam, qui suivaient les oscillations du train comme s'il dormait. Rachel eut l'impression d'attirer les regards, immobile devant les toilettes ; elle franchit donc la porte coulissante au bout de la voiture et se tourna vers la fenêtre. Les champs défilaient et le train s'engouffra sans s'arrêter dans une vieille gare en brique rouge, qui lui rappela celle de Triskellion.

Comme cet épisode semblait lointain !

Hypnotisée par le paysage, Rachel remarqua à peine le sifflement de la porte des toilettes, mais la réalité resurgit en un instant lorsqu'un cri strident retentit :

– Au secours ! glapit Morag.

Rachel pivota sur ses talons et découvrit le joggeur qui l'avait heurtée près du quai. L'homme enserrait Morag par la taille et lui plaquait une main gantée sur la bouche. Il tira de force l'enfant du côté de Rachel pendant que des passagers tendaient le cou pour essayer d'identifier la source de la perturbation. N'y réussissant pas, ils revinrent vite à leurs journaux et à leurs ordinateurs, préférant ne pas s'en mêler, convaincus qu'un tiers allait s'occuper des individus ou des appareils qui provoquaient le bruit.

Rachel barra la route à l'homme. D'un coup d'épaule, il l'écarta de son chemin pour la deuxième fois de la journée, et cette fois-ci son geste fut intentionnel.

Rachel tomba en arrière contre la fenêtre et se cogna la tête. La porte d'accès à la voiture suivante se referma, les laissant dans un sas assourdi et donnant une seconde à la jeune fille pour détendre sa jambe et lancer un bon coup de pied dans le tibia de l'homme. Il grogna de douleur et se jeta sur Rachel alors que Morag continuait à se débattre.

Rachel savait que s'ils faisaient trop de vacarme, il y aurait arrêt du train. La police arriverait et les ramènerait malgré eux à leur point de départ. Rachel appelait Gabriel de tout son être, mais la terreur de Morag alerta d'abord son propre frère. Les portes coulissèrent à nouveau et, tel un petit chien, Duncan se précipita par l'ouverture et planta ses dents dans le mollet du joggeur.

L'homme hurla et lâcha Morag.

Puis, comme surgi de nulle part, Gabriel l'attaqua. Il glissa les longs index et majeur de sa main gauche sous les lunettes du joggeur et lui écrasa les orbites tandis que son pouce enfoncé dans la chair tendre sous la mâchoire de l'homme lui maintenait la bouche fermée. Du plat de son autre main, il lui asséna un coup brutal sous les côtes. La porte des toilettes se rouvrit et Gabriel lui libéra la figure pour le pousser à l'intérieur. Le joggeur au supplice garda les yeux clos et sa bouche palpita, cherchant de l'air à la façon d'un poisson moribond. Pendant qu'il se tordait sur le siège des toilettes, la porte se referma. Duncan leva le bras vers la serrure électrique et la bloqua définitivement.

Des gens s'étaient rassemblés à l'extrémité de la voiture et, pendant qu'Adam aidait Morag en larmes à regagner son fauteuil, Rachel rassura les curieux en leur disant que la fillette était restée coincée dans les toilettes et qu'elle était bouleversée. Le contrôleur donna à la petite qui se rasseyait un paquet de bonbons au chocolat.

– Je t'avais bien dit que tu en étais capable, déclara Gabriel, s'essuyant les doigts dans une serviette.

– Capable de quoi ? demanda Rachel, dont les mains demeuraient tremblantes sur la tablette.

– De convaincre les gens, répondit-il. De leur faire croire ce que tu veux qu'ils croient. De leur faire voir ce que tu veux qu'ils voient, en le leur suggérant.

– Comme dans l'hypnose ? intervint Adam.

– Utilise le mot qui te plaira : suggestion, hypnose, conditionnement. C'est sans doute l'outil le plus utile que nous possédions. Entraînez-vous, leur recommanda Gabriel. Servez-vous-en…

Il fut interrompu par une voix robotique s'échappant du haut-parleur, qui annonça d'abord en anglais, puis en français :

– Prochain arrêt, Ashford International…

Gabriel se leva.

– Changement de programme, les informa-t-il. On descend ici.

Ils furent les seuls passagers à quitter l'Eurostar en gare d'Ashford et, lorsque le train repartit, l'homme à la veste de motard ouvrit les yeux. Il regarda les cinq compagnons traverser le quai et emprunter la passerelle.

Il ôta ses écouteurs, sortit son téléphone de sa poche et composa un numéro.

# 20

Le ferry avait la taille d'une petite ville, avec ses boutiques de cadeaux, ses restaurants, ses bars et même un cinéma. Rachel jetait des regards de tous côtés. Elle passait ses voisins en revue, dévisageait tous ceux qui portaient des écouteurs, et ils étaient nombreux. Son frère et elle étaient devenus hypersensibles au moindre mouvement, au moindre coup d'œil vague lancé dans leur direction.

Gabriel, au contraire, semblait détendu. Il s'installa dans un gros fauteuil luxueux, sifflota et contempla, par une fenêtre panoramique, les falaises blanches de la côte anglaise qui s'éloignaient puis se confondaient avec la mer gris-brun.

Le train à petite vitesse avait mis une bonne heure pour atteindre Douvres. Arrivés sur les docks, les cinq compagnons s'étaient aussitôt mêlés à un groupe de collégiens français qui rentraient chez eux. Ils s'étaient intégrés sans difficulté à leur cohue pleine d'entrain, la professeur stressée ne les remarquant jamais chaque fois qu'elle essayait de compter ses élèves. Les adolescents les avaient traités comme des camarades de classe dans le car qui les avait emmenés jusqu'à l'immense pont du ferry réservé aux véhicules.

Au début, le flot de paroles des collégiens français avait paru inintelligible à Rachel, mais elle avait repéré peu à peu des mots d'anglais isolés: « week-end... super... rock... »

À mesure qu'elle se concentrait, elle avait saisi de plus en plus d'éléments de leur conversation.

– Tu comprends ce qu'ils disent ? avait-elle demandé à son frère.

– Oui, un peu, avait répondu Adam, et il avait écarquillé les yeux de surprise en entendant les mots sortir de sa bouche directement en français. Je... je veux dire, oui... un peu, avait-il repris en anglais.

Rachel insista pour qu'ils ne se dispersent pas sur le ferry. Morag et Duncan se montraient remuants, mais la jeune fille savait qu'ils étaient plus en sécurité au milieu des collégiens français. Elle les surveilla pendant qu'ils entreprenaient un jeu de cartes élaboré.

C'était la première fois qu'une véritable occasion de parler à Gabriel se présentait, Adam et elle s'assirent donc chacun d'un côté pour tenter de le coincer.

– Comment ont-ils su qu'on était dans ce train ? demanda Adam.

Gabriel haussa les épaules.

– Écoute, dit Rachel. On a rebroussé chemin à Harwich. Personne ne pouvait savoir qu'on était montés dans ce camion frigorifique. Personne ne nous a vus, je suis prête à le jurer.

– À moins que, pour une raison mystérieuse, tu le leur aies révélé, toi ? osa Adam, essayant de provoquer une réaction.

– Tu penses que j'aurais pu le leur révéler ? demanda Gabriel.

Il pivota vers Adam et le regarda si intensément que le jeune garçon dut détourner les yeux.

– Avec tout ce que tu connais de moi, tout ce que tu connais de nous, insista Gabriel.

– Je dis juste que...

– Franchement, Adam, il y a une partie de toi qui est très... humaine. Une partie de toi qui ne voit toujours pas l'ensemble du tableau. Tu n'appréhendes la situation qu'en fonction de ta petite personne.

– Tu penses que j'ai un problème d'ego ?

– Appelle ça comme tu veux. C'est une chose que je ne comprends pas vraiment. Il faut que tu distingues ta place dans l'ordre des choses, comme les abeilles dans une ruche de Jacob Honeyman. Nous appartenons tous à cet ensemble. Les abeilles d'une ruche sont solidaires ; nous sommes solidaires. Tu saisis ?

Adam n'était pas certain de bien saisir, mais il sentait la dureté des reproches et il hocha la tête.

– On ignore toujours comment ils ont su qu'on était dans ce train, s'obstina Rachel.

– Le comment n'a guère d'importance, répondit Gabriel. Ces gens sont puissants et nombreux. Nous sommes capables de leur échapper dans une certaine mesure, mais à long terme, il n'existe aucune cachette. Seule solution, nous déplacer en permanence, garder une longueur d'avance sur eux.

Douze heures environ s'étaient écoulées depuis leur évasion, or il semblait à Rachel qu'ils n'avaient pas cessé un instant de se déplacer.

– On peut aller voir les boutiques, Duncan et moi ? demanda Morag de sa voix flûtée. On s'ennuie.

– Non, refusa Rachel sur un ton d'adulte. On sera bientôt arrivés. Vous restez là.

Il était possible de perdre quelqu'un sur un ferry de cette taille, pensa-t-elle, et la Manche qui ondulait dans leur sillage paraissait très froide et profonde…

Clay van der Zee quitta des yeux l'immense carte d'Europe affichée au-dessus de la cheminée et regarda une nouvelle fois le message sur son organiseur. Le rapport de leur agent sur le terrain. Il grogna et secoua la tête.

– Bizarre.

Laura Sullivan observa l'expression de Van der Zee. Elle lut de l'irritation, bien sûr, mais aussi un certain amusement, comme s'il savourait le défi que lui avaient lancé Rachel et Adam Newman. Elle avait déjà vu cet air la nuit précédente, lorsque les sirènes s'étaient mises à hurler dans tout le bâtiment et que les vigiles avaient été chargés de fouiller la campagne environnante.

Des recherches qui n'avaient jamais été censées aboutir.

– Ces gamins sont doués, avait déclaré Van der Zee à Laura.

Il rentrait de la forêt, que les vigiles continuaient à ratisser, ôtant son épais manteau et frottant ses mains l'une contre l'autre, heureux de retrouver la chaleur de l'intérieur.

Par la fenêtre du bureau, Laura avait scruté les ténèbres de la pinède où dansaient les faisceaux des torches, et répondu :

– Je vous avais garanti qu'ils étaient extraordinaires.

– Malgré tout, c'est impressionnant, et ils ne cessent de m'étonner.

Van der Zee avait paru presque content.

– Je n'imaginais pas qu'ils s'enfuiraient aussi vite. Ils ont failli me prendre au dépourvu...

Depuis l'évasion des jumeaux, Laura en avait beaucoup appris sur Clay van der Zee et sur les gens pour lesquels il travaillait. Elle savait que la tentative de fuite était attendue, qu'ils avaient laissé les jumeaux partir. L'archéologue avait soutenu qu'ils pourraient en découvrir plus en libérant les adolescents, en voyant où ils allaient, quelle conduite ils adoptaient. L'organisation, qui avait les moyens, pourrait suivre leur trace. Laura s'était farouchement opposée à « l'intervention » chirurgicale que Van der Zee et ses supérieurs souhaitaient pour bientôt.

Il y avait d'autres... intérêts à servir d'abord.

Elle savait désormais que Van der Zee avait laissé les jumeaux emporter le triskèle. Il avait supposé, avec raison (grâce aux recherches que Laura elle-même avait aidé à mener), que Rachel et Adam ne partiraient jamais sans l'amulette. À présent, Laura commençait à comprendre que Van der Zee jugeait cette perte comme un petit sacrifice. Il était persuadé de récupérer le précieux objet par la suite. Et d'acquérir bien davantage du même coup...

– Alors, que se passe-t-il ? demanda Laura.

Van der Zee quitta son organiseur des yeux.

– C'est… intéressant. Ils se dirigent vers la France, mais ils sont descendus de l'Eurostar avant que le train s'engage dans le tunnel.

Laura éprouva un soulagement qu'elle s'efforça de dissimuler. Les jumeaux se montraient rusés ; ils brouillaient les pistes.

– Et puis, continua Van der Zee, il y a d'autres surprises.

– Ah oui ?

Van der Zee souriait presque, de nouveau. Laura sentit la température baisser de quelques degrés dans son antre.

– Notre agent affirme qu'ils sont cinq.

– Cinq ?

– Les jumeaux Newman, Morag et Duncan, plus un garçon. À peu près du même âge que Rachel et Adam. D'allure étrangère, selon le rapport.

Quelque chose fit tilt dans l'esprit de Laura, un souvenir qu'elle ne put pas vraiment retrouver. Insaisissable et quasi oublié. Rachel et Adam avaient-ils mentionné un garçon qu'ils avaient connu là-bas dans le village ? L'idée s'envola lorsque Laura essaya de la préciser.

– D'autres surprises, avez-vous dit ? s'informa-t-elle.

Van der Zee la regarda et déclara :

– Quand le train est arrivé à Paris, on a trouvé un homme enfermé dans les toilettes. Il était à moitié mort, d'après tous les témoignages ; un œil crevé, trois côtes cassées.

Le docteur se cala dans son fauteuil et leva les yeux vers la carte.

– Or cet homme n'était pas l'un des nôtres…

# 21

Lorsque le ferry eut accosté à Calais, ils déambulèrent pendant plusieurs heures dans les rues grises, se faufilant parmi les clients de l'après-midi qui vaquaient à leurs achats malgré la bruine.

– Il vaut mieux circuler un peu, après ce qui est arrivé dans le train, affirma Gabriel. C'est plus facile de disparaître dans une ville.

Ils passèrent devant des boulangeries et des boucheries, des vitrines où pendaient des chapelets de saucisses, des cafés à l'extérieur desquels de petits groupes d'hommes âgés fumaient. Il y avait beaucoup à regarder, et sur la place du marché, où les vendeurs repliaient leurs étals, l'odeur alléchante venant d'une caravane qui distribuait des cornets de frites fumantes retint Adam. Mais Gabriel ne voulait pas que l'un d'eux s'attarde. Il leur rappela que leur avenir immédiat serait ainsi fait. Qu'ils menaient désormais une existence de fuyards ; ils devaient réfléchir vite, rester vigilants et être prêts à partir en un clin d'œil, où qu'ils se trouvent.

– Une cible mouvante est plus difficile à atteindre, dit Rachel.

Morag se rapprocha d'Adam.

– Une cible ? demanda-t-elle.

Adam lança un regard noir à sa sœur, puis il posa la main sur l'épaule de la fillette.

– C'est juste une expression, la tranquillisa-t-il.

– Bien, dit Gabriel, il nous faut des provisions.

Ils s'éloignèrent du centre et se dirigèrent vers un immense clocher pointu avec un cadran jaune, qui dominait l'horizon monotone tel un rebut de Disneyland. Ils continuèrent le long d'une rocade très passante et trouvèrent un hypermarché aussi vaste que trois terrains de football, où l'on vendait absolument de tout, de la guimauve aux motos.

– Ce magasin regorge de marchandises, dit Gabriel. Mais faisons aussi vite que possible.

Il observa Morag qui lorgnait les vêtements pour enfants et Duncan qui avançait discrètement vers les rayons de jeux et de jouets.

– Et tâchez de ne pas vous perdre ! conclut-il.

Rachel poussa le chariot dans les larges allées pendant que les autres y empilaient les provisions d'urgence qu'ils pourraient transporter avec eux : eau minérale, fruits, barres chocolatées, chips et cacahuètes. Adam maugréa quand Rachel lui dit qu'il n'y aurait pas de place pour les boissons gazeuses, puis la dévisagea lorsqu'elle ajouta des gants, des bonnets de laine et, enfin, des rouleaux de papier toilette.

– Il faut bien que quelqu'un ait le sens pratique, dit-elle. On sera peut-être obligés de passer la nuit dehors.

Adam fit la grimace.

– Je croyais qu'on était des fuyards, pas des scouts, répliqua-t-il.

Comme ils se rapprochaient de la sortie, le jeune garçon remarqua que la plupart des autres chariots débordaient d'alcools : caisses de vin, canettes de bière, quantité de bouteilles de spiritueux à l'air redoutable.

– Est-ce qu'en France, les gens auraient, euh... un problème ?

– C'est des touristes anglais, à mon avis, répondit Rachel. Je suppose que les prix sont plus avantageux de ce côté-ci de la Manche.

– Il y a plus avantageux encore, assura Gabriel.

Il sourit alors qu'il empoignait le chariot et le poussa tout droit entre les caisses, au nez et à la barbe des agents de surveillance qui regardèrent mais ne virent rien, puis il sortit sur le parking.

Ils s'empressèrent de ranger les affaires dans leurs valises et leurs sacs à dos. Rachel vit Morag chuchoter à l'oreille de Duncan et lui demanda quel était le problème.

– C'est mal, déclara Morag, de ne pas payer ses courses.

Adam s'approcha et l'aida à boucler sa valise plus vite.

– On n'a pas tellement le choix, lui dit-il. Et on n'a pas vraiment payé quoi que ce soit depuis qu'on s'est évadés.

– Je sais, mais là, j'ai l'impression que c'est... du vol.

Adam regarda Rachel et haussa les épaules. La jeune fille jeta un coup d'œil à Gabriel et devina aussitôt ce qu'il pensait. Ils n'avaient pas parlé de ce qu'il avait infligé à l'homme du train. Ç'avait juste été accepté. Car nécessaire. Rachel le savait, mais n'était pas complètement à l'aise pour autant.

Gabriel scruta l'horizon pour la énième fois depuis qu'ils étaient à nouveau réunis, comme s'il savait que quelque chose allait arriver.

– On risque d'avoir à faire bien pire que voler avant que notre aventure se termine, annonça-t-il.

La nuit tombait vite et, même s'il ne pleuvait plus, l'atmosphère devenait très froide. Papier toilette ou pas, Rachel décida qu'il fallait trouver un toit pour les deux jeunes enfants. Après quelques minutes de marche en direction du centre, ils tournèrent dans une rue transversale paisible et s'arrêtèrent devant un petit hôtel.

Morag lut le nom tout haut.

– L'Étoile...

Adam regarda l'enseigne au néon défraîchie au-dessus de l'entrée, une étoile bleue qui émettait des rayons blancs.

– L'Étoile, comme le pub du village, dit-il.

En espérant que ce n'était pas de mauvais augure, mais bon signe, Rachel franchit le seuil.

L'homme à la réception leva la tête de son journal lorsqu'ils déposèrent leurs sacs devant le comptoir.

– Parlez-vous anglais ? demanda Rachel dans sa langue maternelle.

L'homme resta silencieux.

– Je suppose que c'est non, alors, marmonna la jeune fille.

Elle avait un peu étudié le français à l'école, mais avait presque tout oublié hormis quelques phrases inutiles du genre « j'ai perdu mon cahier d'exercices » ou « y a-t-il un bureau de poste dans le quartier ? » D'un regard, elle appela Gabriel à l'aide.

– Demande-lui s'il a une chambre, conseilla Gabriel. Je suis sûr que tu peux te faire comprendre.

Rachel s'éclaircit la voix et l'homme lui jeta un coup d'œil. Il était très maigre et dégarni, même s'il essayait de le dissimuler en ramenant sur son crâne le peu de cheveux qu'il lui restait.

– Pardon, monsieur, auriez-vous une chambre libre pour nous ?

Dès que les mots furent sortis de sa bouche, Rachel perdit contenance. La question s'était formée en anglais dans son esprit, pourtant elle s'était exprimée dans un français impeccable, sans accent.

– Je savais que tu en étais capable ! lui lança Gabriel avec un grand sourire.

L'homme derrière le comptoir secoua la tête puis il prit la parole. Rachel savait très bien qu'il s'exprimait en français, mais elle entendit sa réponse en anglais.

– Désolé, l'hôtel est absolument complet.

Rachel demeurait trop abasourdie pour réagir. Adam s'avança donc et la relaya.

– Excusez-moi, dit-il.

De nouveau, quelque part entre le cerveau et la bouche, l'opération de traduction avait eu lieu.

– J'ai la certitude que vous pouvez nous trouver de la place.

L'homme le considéra. Adam riva son regard sur le sien.

– Si vous cherchez bien…, insista-t-il.

Le Français écarquilla les yeux, puis il s'agita comme s'il tentait de se réveiller. Il consulta son registre, leva les bras, et lorsqu'il redressa la tête, il souriait.

– Je suis désolé. Quel idiot je fais ! Évidemment que j'ai de la place pour vous. Beaucoup de place.

Adam se pencha vers sa sœur et chuchota :

– C'est dingue !

L'homme quitta son comptoir et s'efforça de prendre tous leurs bagages.

– Oui, beaucoup de place, aucun problème. Voudrez-vous dîner tous les quatre ?

– Pardon ? Tous les quatre ?

Adam et Rachel se retournèrent, mais seuls Morag et Duncan fixaient sur eux leurs visages radieux et pleins d'espoir.

Gabriel avait disparu.

L'Anglais but une petite gorgée de vin rouge sombre et releva la tête. Il ne pouvait s'empêcher de savourer l'expression apeurée de l'homme assis en face de lui. Cette peur serait tellement plus grande s'il découvrait sa figure !...

Il y avait peu de clients mais l'Anglais avait choisi une table dans un coin tranquille, d'où l'on voyait la porte et la rue parisienne animée. Il s'était installé et avait regardé les gens passer pendant qu'il attendait, roulant des cigarettes de tabac brun et âcre, examinant les visages des hommes et des femmes qui se hâtaient sur le trottoir. Ils étaient très occupés, avaient des existences très remplies, mais chacun d'eux restait dans l'ignorance du monde réel alentour – du pouvoir de ce monde. En général, l'Anglais s'en amusait, mais quand une humeur chagrine le gagnait, quand il pensait à tout ce dont il avait été privé, il n'avait plus qu'un souhait : les anéantir tous.

Il ne lui fallait que l'instrument.

– Vous êtes sûr de ne pas vouloir de vin ? demanda-t-il.

L'homme face à lui secoua la tête en grimaçant.

– Je... je ne peux pas, bégaya-t-il. Les... médicaments.

– Bien sûr ! dit l'Anglais. Vous devez encore souffrir beaucoup. Je ne suis pas sans souffrir moi-même, ajouta-t-il souriant.

L'homme, déguisé en joggeur quelques heures plus tôt, était en effet au supplice. Il portait un bandeau ensanglanté sur son œil crevé et il arrivait tout juste à respirer. À la grande horreur des médecins, il avait exigé de sortir de l'hôpital, car il craignait plus l'homme à qui il devait des comptes que les dégâts pour sa propre santé. Sa gorge se noua. Il sentait toujours les mains du garçon sur lui, la puissance de ses doigts pourtant si fins.

– Ce n'est pas ma faute, se défendit-il. Le garçon avait une telle force.

– Le garçon, répéta l'Anglais avec un rictus, comme si le mot avait un goût infect dans sa bouche.

– La prochaine fois, je me tiendrai prêt. Je...

L'Anglais sourit. Au mépris des panneaux d'interdiction de fumer, il envoya une volute bleue au-dessus de la table.

– Ne vous inquiétez pas de la prochaine fois. Vous n'êtes plus vraiment en état de continuer.

L'homme scruta désespérément l'ombre sous la capuche de l'Anglais, où son visage aurait dû être. La voix du joggeur se brisa dans les aigus :

– Je vous en supplie. Je ne voulais pas vous décevoir.

– Vous nous avez tous déçus. Maintenant, disparaissez de ma vue.

Une fois dehors, l'Anglais rabattit davantage sa capuche. Il avala une poignée de calmants et repartit en direction de la chambrette qu'il louait. Il aurait beaucoup à faire en rentrant. Informer le réseau, rédiger un nouveau plan d'action. C'était agaçant, mais il ne s'agissait au fond que d'un échec mineur.

Il avait une foule d'autres adeptes vers qui se tourner. Une foule de disciples. Il ne doutait pas un instant qu'il finirait par retrouver Rachel et Adam Newman et que le triskèle lui appartiendrait.

Ils n'étaient que deux jeunes adolescents, loin de chez eux.

Lui, en revanche, avait une armée à sa disposition.

C'était juste un filet d'eau, tantôt glacé, tantôt brûlant, mais Rachel ne se souvenait pas d'une douche aussi délectable.

En fin de compte, le propriétaire de l'hôtel (convaincu, semblait-il, qu'ils étaient des personnalités) leur avait donné deux grandes chambres contiguës dont les portes-fenêtres surplombaient la rue. Les deux paires de jumeaux avaient décidé de se séparer. Morag avait eu très envie de s'installer avec Rachel, qu'elle tenait de plus en plus pour une sœur aînée ; Adam et Duncan n'avaient pas vu d'inconvénient à partager la chambre voisine.

L'une comme l'autre pourraient accueillir Gabriel, si jamais il décidait de revenir.

Rachel frotta son corps à l'aide de la brosse dure qu'elle avait trouvée dans le porte-savon ; elle frotta jusqu'à ce que sa peau soit rougie et douloureuse. Elle voulait à tout prix effacer la crasse et la fatigue, mais elle essayait aussi d'effacer ce qui, pour toute autre personne, aurait été une existence entière de mauvais souvenirs.

La cellule Espoir.

Le village.

Le cadavre de sa grand-mère…

Elle se redressa et laissa l'eau ruisseler sur elle, ferma les yeux et pensa à sa mère, restée là-bas. Était-elle vraiment aussi en sûreté que Gabriel l'avait promis ? Son frère et elle avaient placé tant d'espoir en lui, mis leurs vies entre ses mains… à tort, peut-être. Elle commençait à soupçonner que leur sécurité ne constituait pas une priorité pour lui.

Elle sortit de la douche et s'essuya les cheveux avec une serviette.

Où était-il donc ?

Gabriel (quel que soit son vrai prénom) disparaissait parfois des jours durant depuis la toute première nuit où elle avait posé les yeux sur lui, quand il arpentait le cercle de craie sous la pluie. Elle avait vite appris qu'il n'était guère utile de réclamer des explications. Il ne fournissait que des réponses fâcheusement vagues ou dénuées de sens. Une partie de lui, savait Rachel, resterait à jamais cachée, mais elle aurait tout donné pour en connaître la raison.

– Rachel ! Viens voir.

Elle s'enveloppa dans la serviette et quitta la salle de bains. En arborant un sourire de fierté, Morag indiquait du doigt les vêtements qu'elle avait sortis du sac de Rachel et empilés avec soin au bout du lit, comme si elle avait rangé ses poupées.

– Je voulais juste qu'on soit plus à l'aise, expliqua la fillette.

– Merci. C'est impeccable. Mais…

Rachel embrassa la pièce d'un coup d'œil et se mit à fouiller les poches de son sac vide. Impossible de trouver le triskèle.

Elle s'assit sur le lit.

– Je peux te coiffer ? demanda Morag en s'agenouillant derrière elle, brossant déjà ses boucles mouillées.

– Bien sûr, répondit Rachel d'un ton distrait, car elle s'angoissait à l'idée d'avoir perdu le triskèle.

La brosse de Morag lui tira les cheveux puis glissa, et Rachel sentit une douleur vive entre ses omoplates.

– Aïe !

– Pardon… Oh, c'est quoi ? glapit Morag en tapotant le dos de Rachel. Tu t'es fait mal ! Je vais te chercher un miroir.

Rachel tendit le cou pendant que la fillette lui tenait le miroir. Elle étira le bras en arrière pour essayer de toucher ce qui avait alarmé Morag.

– Entre tes épaules. Tu as une cicatrice ou une brûlure, peut-être…

Rachel déplaça le miroir jusqu'à pouvoir distinguer son dos. Elle aperçut une vilaine petite bosse sous la peau, de la taille d'un haricot sec, rouge et enflée. Rachel se figea. Elle repensa au début de son séjour dans les locaux d'Espoir, à la manière dont le temps s'était écoulé, tantôt dans un lent brouillard, tantôt à une allure folle. Elle avait eu la certitude qu'ils la droguaient, qu'ils brouillaient ses repères.

Elle commença à se demander ce qu'ils avaient pu lui faire d'autre.

Rachel ouvrit brutalement la porte et se précipita dans le couloir, suivie de près par Morag. Lorsqu'elle fit irruption dans la chambre d'Adam, lui et Duncan, allongés sur le lit, riaient devant une émission. Adam leva les yeux.

– Tu as oublié de t'habiller, il me semble.

– Quitte ton T-shirt, lui ordonna Rachel.

Il s'était déjà remis à rire avec Duncan. Il montra le petit poste de télévision.

– C'est génial. Les Simpson, en français.

– Tais-toi et quitte ton T-shirt, Adam.

Voyant l'expression sur le visage de sa sœur, Adam descendit du lit et s'exécuta.

– Il en a une aussi, annonça Morag. C'est quoi ?

– Qu'est-ce que j'ai ? demanda Adam, qui étira le bras en arrière, comme Rachel un peu plus tôt.

– Voilà comment ils savent où on est, affirma la jeune fille. Ils nous suivent à la trace.

# 22

Gabriel marchait avec lenteur entre les rangées de pierres levées.

Il se trouvait un peu à l'ouest de Calais et, même si l'atmosphère était moins nuageuse, un vent violent le ballottait et lui rabattait les cheveux sur le visage. Le fracas des vagues qui se brisaient sur le rivage tout proche s'ajoutait au rugissement à l'intérieur de sa tête tandis qu'il essayait de se concentrer et de se diriger vers un signal qui ne pouvait manquer de se manifester.

Il savait qu'il était au bon endroit. Le symbole inscrit dans la roche devant lui en témoignait. Les deux séries de pierres figuraient dans cette campagne française reculée depuis aussi longtemps que le cercle sur la lande de Triskellion. Plantées par des gens semblables. Pour rappeler un événement semblable. Aujourd'hui, Gabriel devait trouver les descendants des villageois qui avaient marqué ce lieu et vécu là, isolés pendant plusieurs siècles. Des gens qui étaient restés dans leur région d'origine, afin de préserver leur lignée.

Qui, à un moment ou à un autre, avaient enfanté des jumeaux.

À mesure que le crépuscule s'épaississait, les pierres paraissaient plus noires et déchiquetées. Elles évoquaient deux rangées de dents prêtes à claquer et à dévorer quiconque s'approchait trop. Prêtes à engloutir le jeune garçon qui les longeait en tenant devant lui, telle une boussole, un objet trilobé en or.

Gabriel s'assit sur une pierre dans l'obscurité. Arrondie mais plate au sommet, elle avait l'aspect d'un tabouret, polie par des siècles d'usage. Il prit aussitôt conscience des milliers et des milliers de gens qui s'étaient assis sur cette même pierre au fil des années ; il commença de sentir l'empreinte microscopique que chacun d'eux avait laissée. Il eut des picotements dans les doigts, comme si un faible courant les traversait, comme s'il entrait en rapport avec chacune de ces âmes. Les vibrations palpitant dans la moindre molécule de la roche envahirent peu à peu ses membres. Puis il perçut les pulsations respectives et uniques des autres pierres. Les vibrations s'accumulèrent jusqu'au moment où il fut en correspondance avec toutes sans exception : les fréquences augmentaient, formaient des strates, pareilles à un colossal orchestre dirigé par ses propres mains, et créaient une harmonie qui se répandait dans son corps.

Alors le triskèle resplendit, oscilla dans sa main, puis tournoya lentement, flotta dans l'air et renvoya les rayons bleu pâle de la lune.

Quelque part de l'autre côté du champ, dans le village à moitié dépeuplé, des chiens se mirent à aboyer et la fenêtre d'une petite maison s'éclaira. Puis une autre, une autre, et une autre encore, si bien que la dizaine de maisons formant la communauté entière fut éclairée. Gabriel sourit, comme s'il avait donné à la bourgade le signal du réveil qu'elle attendait depuis longtemps.

*Ohé...* La voix dans la tête de Gabriel ne fut d'abord qu'un chuchotement, mais elle ne tarda pas à s'amplifier. *Ohé... Ariel ?*

– Je suis là, répondit tout haut Gabriel.

Tandis qu'il prononçait ces paroles, il sentit un puissant élan le parcourir, venu des profondeurs du sol, et son esprit pétilla de l'énergie qu'il avait puisée dans les pierres.

– Je vous rejoindrai très bientôt. Je vous le promets.

Rachel était couchée à plat ventre sur le matelas mince, le visage au creux des bras. Assis ensemble sur l'autre lit, silencieux, impassibles, Morag et Duncan redoutaient ce qui allait arriver.

– Vas-y, ordonna Rachel.

Adam examinait, hésitant, la petite bosse sur le dos de sa sœur. Sa nervosité n'était que trop perceptible dans sa voix lorsqu'il répondit :

– D'accord, d'accord. Je... j'y vais.

Rachel sentit le mouvement sous sa peau alors qu'Adam poussait l'objet qui avait été implanté dans le dos de chacun d'eux. La peau était inflammée là où il avait essayé de l'amener à la surface, et une minuscule cicatrice, trace de l'incision d'origine, présentait maintenant de vilaines rides.

Adam régla la lampe de chevet avec soin, comme si mieux éclairer la bosse allait soudain la faire disparaître. Sa main tremblait. Il devrait bientôt endurer ce qu'allait subir sa sœur...

– Je ne peux pas, Rachel, finit-il par avouer. C'est trop profond. La douleur te tuerait.

– Je me moque de la douleur, répondit la jeune fille avec un courage qu'elle n'éprouvait pas réellement. Ils nous suivront en permanence si on n'extirpe pas ces trucs. Vas-y, qu'on n'en parle plus !

Adam secoua la tête.

– Je n'arrive pas à croire que Laura ait accepté ça : des puces électroniques comme pour les animaux !

Il lâcha un énorme soupir et sortit le rasoir jetable.

À l'autre bout de la pièce, Morag chercha la main de son frère.

Adam ouvrit le boîtier du rasoir en plastique quelconque et retira la lame. Il la plongea dans la flamme d'une bougie pour la stériliser, puis la posa sur la taie d'oreiller à côté d'une petite cuiller, d'une pince à épiler prise dans la trousse de toilette de Rachel et d'un nécessaire à couture offert par l'hôtel. Il avait vu assez de séries médicales pour connaître la procédure, mais ne savait pas du tout s'il pourrait réaliser les gestes lui-même. Il hésita.

– Allez, au travail ! lui lança Rachel.

Adam se pencha sur le dos de sa sœur. Il essuya la zone rougie avec un mouchoir en papier humide.

– Prépare-toi...

Le corps de Rachel se tendit et, dès que la lame de rasoir l'effleura, elle arqua le dos d'instinct.

– C'est bon ? demanda Adam en retirant son bras.

Rachel fit oui de la tête et empoigna l'oreiller.

Adam reprit la mince lame entre ses doigts et la passa en travers de la bosse sur le dos de sa sœur. Une fine ligne de sang rouge vif se forma.

Rachel hurla puis serra les dents et s'efforça de ravaler le flot de salive au goût de métal qui lui envahissait la bouche. Elle plaqua son visage contre l'oreiller pour assourdir ses pleurs.

– J'ai mal, j'ai mal...

Adam examina la blessure. La coupure était très superficielle, il savait qu'il devrait entailler bien plus profondément. La ligne ensanglantée s'élargit le long de l'incision et un filet rouge foncé se mit à couler vers les côtes de Rachel. Sentant la douleur de sa sœur, Adam fondit en larmes.

– Je ne peux pas, souffla-t-il.

– Il le faut, dit Rachel, la voix étouffée par l'oreiller. Allez !

Elle saisit le coin du drap et l'enfonça dans sa bouche. Elle mordit fort dedans pour réprimer ses cris, puis elle fit signe à Adam de continuer la torture.

La main tremblante, les yeux brouillés de larmes, il enfonça de nouveau la mince lame dans la plaie sanglante sur le dos de Rachel. La jeune fille se crispa et grogna de douleur tandis qu'un nouvel afflux de sang se produisait.

– Arrête ! glapit Morag en sautant du lit, les joues ruisselantes. Je veux essayer quelque chose...

Du revers de la main, Adam s'essuya les yeux, laissant une trace ensanglantée sur sa figure. Il regarda la petite Écossaise. Il était prêt à faire n'importe quoi, à écouter n'importe qui pour sortir de ce cauchemar.

– Je crois que je peux vous aider, proposa Morag. Parfois, quand Duncan est fatigué ou qu'il a mal au genou, je lui parle et il se sent mieux.

Rachel écarta de l'oreiller son visage baigné de larmes et se tourna vers la frimousse ronde de la fillette. Elle tenta de sourire.

– Parle-moi, lui dit-elle.

Morag s'agenouilla à la tête du lit et prit le visage mouillé de Rachel entre ses mains potelées. L'adolescente fut magnétisée par les immenses yeux bleu clair et le halo de boucles qui flamboyait à la lumière de la lampe de chevet.

– Je vais te raconter une histoire, commença Morag d'une voix douce et mélodieuse. Nous partons loin d'ici, dans un endroit merveilleux où le soleil est toujours brillant, le ciel toujours bleu, la mer aussi verte que l'herbe. Nous volons vers lui au milieu de l'air turquoise, lumineux…

Bercée par la voix chantante, Rachel éprouva un calme soudain, et un ciel d'un bleu intense lui emplit l'esprit.

– Nous volons de plus en plus haut, la terre est à des kilomètres de nous, une balle de ping-pong… et nous nous rapprochons de l'endroit merveilleux où le sable est chaud, la mer tiède comme un bain… nous voilà maintenant étendues sur la plage, nous sentons le soleil nous envelopper, chaque vague qui nous lèche le corps efface la douleur, et nous nous enfonçons… nous enfonçons.

Rachel soupira et sentit la chaleur gagner ses os, ferma les yeux alors que la mer tiède effaçait tout.

Alors qu'elle s'enfonçait, s'enfonçait…

Adam retira la lame de la blessure.

Il maintint la fine épaisseur de chair et de graisse avec la petite cuiller et introduisit la pince. La voix chantante de Morag continuait son récit, le corps de Rachel se détendait, et Adam lui-même entra dans un état second : il sentit une force guider sa main et se concentra pendant que l'extrémité de la pince pénétrait en profondeur dans le dos de sa sœur.

– Je l'ai ! s'écria-t-il.

Et il sortit un petit cylindre métallique, de la taille d'une gélule contre la migraine, qu'il laissa tomber avec un cliquetis dans le verre que lui présenta Duncan.

– C'est minuscule…

Tout à coup, Duncan se détourna et sourit :

– Michael ! s'exclama-t-il.

Adam fit volte-face et vit Gabriel immobile, silencieux, sur le seuil. Morag leva la tête aussi, quittant des yeux le visage de Rachel et détachant ses pensées de son histoire.

De l'endroit où, à des millions de kilomètres, elle flottait sur une mer paisible, Rachel revint à la réalité avec la rapidité de l'éclair. La vision de la plage et de l'océan tiède fut arrachée de son subconscient, s'évanouit tandis qu'elle retombait à toute vitesse sur Terre, redescendait vers la planète, que les continents se rapprochaient, devenaient des pays, puis des villes, puis des rues…

Rachel percuta le lit.

Elle ouvrit les yeux et hurla de douleur, car elle perçut instantanément la plaie béante dans son dos, l'air qui frôlait la chair nue, exposée. Comme elle essayait de soulever son visage de l'oreiller, un élancement la transperça tel un couteau brûlant. Elle tourna la tête sur le côté et vomit.

Puis elle perdit connaissance.

# 23

– Où étais-tu passé ? demanda Rachel.

Gabriel ne répondit pas. Il continuait de regarder dans le vague, songeur, comme il l'était depuis son retour, depuis qu'il avait été informé des appareils implantés sous la peau des jumeaux.

Morag finit de panser Adam et considéra son œuvre d'un air satisfait.

– Voilà, conclut-elle. Impeccable. Rachel a fait du beau travail. Digne d'un vrai chirurgien.

Adam haussa les épaules et grimaça un peu lorsque le morceau de tissu se raidit contre sa peau.

– Oui, bon, c'était plus difficile pour moi. Il a fallu que je commence.

Rachel avait retiré la puce électronique du dos de son frère dès qu'elle avait tenu debout. Grâce au pouvoir apaisant de sa voix, Morag avait de nouveau apporté le soulagement nécessaire. Les deux microtransmetteurs étaient désormais posés sur la table de chevet, petites capsules éclaboussées de rouge, à côté de la lame de rasoir ensanglantée.

Rachel s'était vite remise de son opération et la douleur avait diminué presque dès l'instant où Gabriel était revenu. Dès l'instant où il lui avait rendu le triskèle. Elle l'avait rangé dans son sac à dos, surprise et préoccupée par l'immense soulagement qu'elle éprouvait. Sans l'amulette, elle s'était sentie nerveuse, vulnérable, et se découvrir si liée à ce très ancien objet de métal, si dépendante de lui, l'effrayait.

Elle avait vu les effets qu'il produisait sur d'autres.

– Gabriel ?

Elle attendit qu'il la regarde pour insister :

– Je t'ai demandé où tu étais.

– J'avais quelque chose à faire, dit-il. Je suis désolé si j'ai… agi sans permission.

– Oui, honnêtement, on aurait bien eu besoin de toi ici.

– C'était important.

– Pourquoi avais-tu pris le triskèle ?

Les yeux de Gabriel se réduisirent à deux fentes vertes étincelantes.

– Il ne t'appartient pas ! Tu le sais, non ?

– Je posais juste la question…

– Il fallait que je capte un signal.

– À la manière d'un téléphone portable ? suggéra Adam.

Gabriel sourit. La colère semblait l'avoir quitté aussi vite qu'elle l'avait envahi.

– Tu devrais peut-être en avoir un, justement, qui nous permettrait de te joindre quand tu t'absentes, dit Morag.

Le sourire de Gabriel s'élargit et il répliqua :

– Je n'en ai jamais vraiment vu la nécessité.

– C’est une bonne idée, estima Adam. On devrait tous s’équiper, pour le cas où on serait séparés.

Son propre téléphone et celui de Rachel leur avaient été confisqués à leur arrivée dans les locaux d’Espoir. Lorsque Adam s’en était inquiété, Laura avait parlé de problèmes d’interférences avec les équipements délicats des laboratoires. Il l’avait crue, bien sûr. Lui et Rachel avaient cru à toutes sortes de choses pendant leur séjour là-bas.

Adam jeta un coup d’œil à sa sœur, et elle lut ses pensées.

– L’un des plus petits mensonges, dit-elle.

– Pas de téléphones, déclara Gabriel.

Il désigna les deux transmetteurs :

– Puisque ces individus sont en mesure d’utiliser ça, vous ne croyez pas qu’ils réussiraient à nous localiser grâce à nos appels ?

Morag et Duncan hochèrent la tête, pensifs.

– Tu dois avoir raison, dit Adam.

– Et puis, ajouta Gabriel, nous avons notre manière à nous de rester en relation.

– J’ai essayé, affirma Rachel. Je t’ai… appelé, j’ai voulu établir le contact, mais tu n’étais pas là.

Gabriel sembla embarrassé, comme s’il cherchait les mots pour se faire comprendre de Rachel.

– C’est parce que tu te servais du triskèle ? continua la jeune fille.

– J’étais… ailleurs.

– La ligne était occupée, c’est ça ? demanda Adam.

– Oui, en quelque sorte, confirma Gabriel.

Rachel se laissa tomber sur le lit, exaspérée. Elle n’en obtiendrait sans doute pas davantage. Elle montra la table de chevet.

– Qu'est-ce qu'on va faire de ces engins ?

– Je suppose qu'ils continuent à transmettre, dit Adam.

– Oh oui, répondit Gabriel.

Il s'approcha des appareils de pistage et les observa. Il avait le sourire du vilain écolier qui vient d'imaginer une mauvaise blague.

– J'en suis certain.

Il leva la tête lorsqu'une corne de brume sonna quelque part sur la Manche, puis il se retourna, l'air soudain grave.

– Bien, il est temps de plier bagage, annonça-t-il.

– Quoi ? lança Rachel en se redressant. C'est le milieu de la nuit !

– On n'a pas dormi, ajouta Morag.

Gabriel prit les deux petites capsules, les présenta à Rachel.

– Ils savent qu'on est là. Il faut partir immédiatement !

Morag et Duncan se mirent aussitôt à fourrer leurs affaires dans leurs valises. Adam obéit de mauvaise grâce, mais Rachel ne bougea pas. Elle resta assise sur le lit, à examiner les transmetteurs entre les doigts de Gabriel.

– Peut-être qu'ils ne nous pourchassent pas vraiment, dit-elle.

Gabriel demeura silencieux ; il attendait la suite.

– Peut-être qu'ils veulent juste voir où on va, continua-t-elle.

Gabriel la dévisagea un moment. Ses propos l'avaient ébranlé, c'était manifeste.

– Je crois que tu pourrais avoir raison, lui dit-il.

– À y repenser… tu ne trouves pas que notre évasion a été un peu trop facile ? Et s'ils nous avaient laissés nous enfuir ?

Pendant une demi-minute, Gabriel ne dit rien, mais Rachel le sentait réfléchir à toute allure, comme s'il reconsidérait les diverses possibilités. Et arrivait à une conclusion qu'il n'avait pas réellement prévue.

Adam cessa son activité un instant.

– Où est-ce qu'on va, d'ailleurs ?

– Aucune importance, dit Gabriel. De toute façon, il faut qu'on parte.

Rachel se mit à remplir son sac, mais elle lorgnait Gabriel du coin de l'œil, alarmée plus que tout par l'incertitude où elle le voyait. Quels qu'aient été ses doutes à elle, il avait toujours paru si… sûr de tout. À présent, il semblait troublé. Elle éprouvait aussi une tristesse qu'elle avait du mal à accepter, qui la rongeait néanmoins quand elle pensait à l'endroit où il s'était rendu seul. À ce mystérieux endroit si important.

Elle regarda son frère et devina qu'il partageait son sentiment : tous deux comprenaient enfin que Gabriel ne leur appartenait pas.

La cuisine de M. Cheung était comble, et pourtant très calme. Dans l'ensemble du complexe, l'atmosphère avait changé depuis l'évasion des jumeaux. Bien sûr, le travail ne manquait pas, mais chacun semblait attendre qu'un événement se produise. Que la phase suivante de l'opération commence.

Laura Sullivan emporta son assiette jusqu'à une table dans l'angle et s'assit face à Kate Newman. Pendant cinq minutes, elles gardèrent un quasi-silence, tandis qu'alentour les techniciens de laboratoire, les vigiles, les assistants archéologues prenaient leur petit déjeuner et parlaient à voix basse. Les conversations étaient un peu plus faciles sans les lunettes noires et les inhibiteurs désormais superflus.

M. Cheung s'approcha en hâte et se planta près de Kate. Il montra l'assiette d'œufs brouillés intacte devant elle.

– J'ai mis quelque chose que vous n'aimez pas ?

Kate Newman ne répondit rien. Il lui tardait que M. Cheung s'en aille.

– Vous devriez manger quelque chose, dit Laura. Vous vous sentiriez mieux.

– Ah oui ?

– Les drogues étaient pour votre bien, Kate. Pour vous soutenir dans la dépression, pour vous apaiser.

Le regard de Kate évitait Laura, bougeait sans cesse. Tout sauf apaisé.

Laura remua les céréales dans son bol.

– Pourquoi refusez-vous de me parler ?

Elle attendit une réaction, en vain.

– Je comprends ce que vous éprouvez, figurez-vous, reprit-elle.

Kate la dévisagea.

– Vraiment ? Vous avez perdu un enfant ?

– Vos enfants ne sont pas perdus.

– Alors où sont-ils ?

Laura s'accorda une ou deux secondes. Personne ne lui avait défendu de le révéler.

– Ils sont en France, répondit-elle donc.

– En France ? ! Mais que peuvent-ils bien faire en…

Kate renonça avant la fin de la question ; sa tête retomba comme si le tragique de sa situation était au-delà de ses forces.

Vu les terribles vérités que Laura lui avait communiquées sur ses propres enfants depuis son arrivée en Angleterre, l'annonce qu'ils se trouvaient en France ne constituait qu'une surprise mineure, et signifiait seulement qu'ils étaient très loin d'elle. À nouveau.

– Nous n'en savons rien, reconnut Laura. Je vous assure. Nous supposons qu'ils se dirigent vers un autre site. Analogue au cercle de Triskellion. Mais nous ne connaissons pas la raison… Comme je vous l'ai dit, reprit-elle après un gros soupir, nous en sommes réduits à des suppositions.

Une nouvelle minute s'écoula, interminable. Laura tressaillit au bruit des couverts sur une assiette à la table voisine. Lorsque enfin Kate prit la parole, sa voix n'était qu'un chuchotement, mais elle avait une dureté implacable.

– Je vous faisais confiance.

– Je sais.

– Je vois bien pourquoi vous vous intéressez à eux, mais vous aviez juré qu'il ne leur arriverait rien.

– Je le pensais. Je le pense toujours. Ils courent peut-être même moins de risques là-bas.

Laura s'emplit les poumons.

– Alors vous ignorez vraiment pourquoi ils sont allés en France ? Quelle direction ils pourraient suivre ? demanda Kate, et elle afficha un sourire assez menaçant pour que Laura recule un petit peu sa chaise. Vous êtes ici, tranquille, à me dire que vous savez ce que j'éprouve, comme si vous étiez de notre côté. À prétendre que vous vous souciez de Rachel et d'Adam…

– Mais je me soucie d'eux !

– Alors que, depuis le début, seule votre recherche d'informations vous importe.

– J'essaie d'aider, Kate.

Kate Newman leva un regard dur, qui ne cillait pas. Ses yeux ne quittèrent pas un instant ceux de la femme face à elle, même pendant que sa main s'approchait du couteau et se refermait sur lui.

– Je ne peux pas faire grand-chose, coincée ici, je le sais. Mais je peux être sincère avec vous, déclara-t-elle. Vous le souhaitez ?

Laura répondit par l'affirmative.

– Bien. Parce que s'il arrive malheur à mes enfants, s'il leur arrive quoi que ce soit, je promets que je vous tuerai. Vous comprenez ce que je vous dis ?

Laura murmura un « oui », son regard rivé sur la lame. Kate sourit à nouveau et lâcha le couteau tandis qu'elle repoussait sa chaise et se levait. Elle aperçut le soulagement dans les yeux de Laura et profita de cette courte baisse de vigilance pour saisir la tasse de café et envoyer le liquide au visage de l'archéologue.

Laura hurla.

M. Cheung se précipita à son secours, mais Laura leva une main pour lui indiquer que tout allait bien. Qu'elle allait bien. Immobile, elle regarda Kate Newman sortir de la pièce et sentit les larmes monter.

Avec la satisfaction pathétique qu'elles soient plus brûlantes que le café ne l'avait été.

# 24

Ils finissaient tout juste de se réchauffer lorsque le train traversa la banlieue parisienne et entra en gare du Nord.

Ils avaient passé les heures précédant l'aube sur une plage de Calais glaciale, sans relief, blottis les uns contre les autres devant une petite rangée de cabines de bain qui les protégeaient des plus violentes bourrasques. Gabriel et Adam avaient allumé un feu et Rachel avait enveloppé les petits jumeaux dans les couvertures prises à l'hôtel. Ils avaient tous puisé un peu d'énergie dans une tablette de chocolat noir et le restant d'une bouteille de lait. Tandis que les jumeaux s'engourdissaient peu à peu, Gabriel, apparemment imperméable au froid, avait arpenté la plage sombre et observé la mer, comme s'il cherchait quelque chose.

Ou quelqu'un.

Dès que le jour avait point, ils avaient parcouru le demi-kilomètre qui les séparait de la gare ferroviaire. Ils s'étaient réjouis de cette activité physique. Ils étaient heureux de sentir à nouveau leurs pieds et leurs mains, et plus heureux encore de voir les éclairages orange du quai briller là-bas, promesse du départ.

– Le train est à quelle heure ? avait demandé Adam, sans vraiment penser obtenir de réponse.

– Le premier est à 5 h 48, avait annoncé Duncan. Il arrive à Paris à 9 h 23.

Malgré le froid et le manque de sommeil, Rachel et Adam avaient éclaté de rire, et l'adolescent avait ébouriffé les cheveux de l'enfant.

– Ce garçon est un génie ! avait-il dit.

– Il a une très bonne mémoire, avait confirmé Morag.

– Mais celui de 6 h 29 est mieux, avait poursuivi Duncan sur sa lancée. Ce n'est pas un omnibus, il met quarante-quatre minutes de moins et arrive trois minutes plus tôt, à 9 h 20.

Puis il était redevenu silencieux.

– Cet horaire-là convient à merveille, avait déclaré Gabriel.

Ils avaient continué péniblement leur chemin, plutôt contents, même si Rachel ne savait pas bien à quel égard l'horaire convenait.

Maintenant, après un voyage de trois heures, ils franchissaient la colonnade de la gare du Nord et s'avançaient dans la fraîcheur matinale parisienne. C'était la France telle que Rachel l'avait imaginée : assez éloignée de la grisaille industrielle de Calais, plus conforme aux photos vues à l'école. Elle sourit lorsqu'un homme passa, une longue baguette de pain sous le bras. De petites motos et des scooters dévalèrent la rue, frôlant les taxis et les autres voitures en sens inverse. Il y eut des coups de Klaxon et les scooters vrombissants s'éloignèrent comme des abeilles furieuses. En face, au-delà de la file des taxis, un café recevait déjà les clients à de petites tables rondes. Rachel, Adam, Morag et Duncan se faufilèrent entre les voitures, suivant Gabriel qui ne semblait pas remarquer l'embouteillage autour de lui.

Ils s'assirent pendant qu'un serveur, élégant dans son gilet noir et son tablier blanc, notait leur commande : café, chocolat chaud, croissants.

Rachel prit la large tasse de café au lait dans ses mains et se délecta autant de la chaleur que du parfum réconfortant qui s'en dégageait.

De l'autre côté de la rue, les rangées de statues ornant la façade classique de la gare considéraient la ville d'un œil impassible. Quelques mètres plus bas, sous la marquise, plusieurs amuseurs de rue se préparaient pour la journée. L'un d'eux était peint en or de la tête aux pieds : cheveux, mains, visage, vêtements, chaussures, chapeau et parapluie. Avec des gestes lents et résolus, il installa un socle en bois, également doré. Il posa son chapeau retourné sur le trottoir puis monta sur le socle.

Il prit une pose, la garda comme une statue et se mit à observer le café d'en face.

À une douzaine de stations de métro, l'Anglais entrait à pas douloureux dans le café Météor pour son petit déjeuner habituel. Il posa sa canne sur la banquette à côté de lui et sortit de son sac un ordinateur portable. Il s'assit et l'alluma.

– Un café, monsieur… et un calvados, demanda-t-il en français.

Le serveur apporta le café noir et le petit verre d'eau-de-vie de cidre que l'homme commandait toujours.

L'Anglais émit un grognement approbateur puis, d'une main tremblante, repoussa un peu sa capuche avant de boire le calvados d'une traite.

La page d'accueil de sa messagerie apparut sur l'écran et, une fois que l'appareil eut reconnu la connexion Wi-Fi du café, l'homme regarda le courrier arriver dans sa boîte de réception. De quelques clics indolents, il effaça les inévitables spams puis entreprit de lire les messages qui l'intéressaient vraiment.

Les messages de ceux qui s'engageaient à l'aider.

Croissants et boissons étaient finis depuis peu lorsque Gabriel commença à manifester de l'agitation. Il retraversa la rue encombrée, fit des allées et venues sous la marquise, regarda d'un côté et de l'autre.

Rachel l'observa pendant que les autres bavardaient autour d'elle.

Lorsque Gabriel revint à la table, le serveur débarrassait les tasses et les assiettes. Il parut satisfait de la poignée de galets calaisiens qu'Adam lui donna en guise de paiement.

– Qui cherchais-tu ? demanda Rachel.

– Il y a un problème, répondit Gabriel. Ils sont en retard.

– Qui est en retard ? s'obstina Rachel.

– Des amis. Des gens avec qui on doit se mettre en liaison.

Gabriel tendit le cou pour jeter un nouveau coup d'œil en face.

– Je ne les… entends pas, avoua-t-il.

– Mais qui ? persista Rachel.

Gabriel secoua la tête avec impatience.

– Il va falloir qu'on parte, on les retrouvera plus tard.

– Qu'on parte ? demanda Adam. Pour aller où ?

Gabriel se leva et montra les environs.

– On est à Paris. C'est une grande ville. Allons voir les monuments. Au moins, on sait que personne ne nous piste.

Il les reconduisit vers la gare.

– On peut prendre le métro ici pour se rendre dans le centre.

Rachel continuait à poser des questions lorsqu'il orienta le groupe vers une volée de marches qui s'enfonçaient dans le sol, au-dessous d'un panneau annonçant *Métro*.

Alors qu'ils se dirigeaient vers l'entrée, Morag fut clouée sur place par la « statue vivante ». Le personnage doré hocha soudain la tête, faisant sursauter la fillette, puis lui adressa un signe robotique de la main. Morag resta bouche bée, et Rachel l'attendit sans irritation : pensant aux conditions et à l'endroit dans lesquels la petite fille avait grandi, l'adolescente devinait qu'elle n'avait jamais vu pareil spectacle de sa vie.

– Je n'aime pas ce bonhomme, dit Morag en désignant la statue.

Rachel éclata de rire et l'entraîna à la suite des autres dans le métro.

Pendant que les cinq compagnons descendaient sous terre, la statue les surveillait avec des mouvements de tête saccadés. Puis, dès qu'ils eurent disparu, le personnage sortit de son manteau un téléphone peint en or et se mit à taper un texto.

# 25

Ils sortirent du métro à la station Saint-Michel et marchèrent jusqu'à Notre-Dame. La cathédrale se dressa devant eux, impressionnante et sombre sur le ciel gris. Une longue file de touristes et de fidèles franchissait ses portes tandis qu'une cloche émettait une note plaintive, là-haut dans une tour.

Gabriel semblait tenir à ce qu'ils découvrent l'intérieur. Le seul édifice religieux d'Europe où avaient déjà pénétré Rachel et Adam était l'église du village de Triskellion. Cette cathédrale était presque aussi ancienne que la minuscule église paroissiale, mais au-delà du seuil, elles étaient si différentes ! L'odeur inhabituelle de l'encens les frappa dès qu'ils entrèrent et les immenses voûtes fines qui s'élançaient vers le ciel, très loin au-dessus d'eux, leur donnèrent le vertige. L'énorme rosace scintillait dans leur dos comme une gigantesque roue archaïque.

Adam connaissait le nom de Notre-Dame par le dessin animé de Disney et la légende du sonneur bossu.

– Comment s'appelait-il, déjà ? demanda Rachel.

– Quasimodo, lui répondit Adam.

Il fit un rictus et entreprit une piètre imitation d'un bossu, jusqu'au moment où une élégante dame française posa un doigt sur ses lèvres et lui adressa un « chut ! » impérieux.

– Hou ! La dame est d'humeur à nous sonner les cloches ! chuchota Adam à sa sœur, qui lui poussa le bras en réaction à sa mauvaise plaisanterie.

Adam était encouragé par cette bourrade espiègle et par son propre soulagement – leur sentiment de sécurité à être anonymes dans une grande ville, presque comme s'ils étaient revenus chez eux à New York.

Il essaya une autre blague :

– Hé, que dit Quasimodo quand il part en voyage ? demanda-t-il à Morag avec un petit sourire narquois.

– Je vais rouler ma bosse ! murmura Rachel.

Morag parut déconcertée, mais Duncan se mit soudain à glousser de rire. Gabriel les dévisagea d'un air perplexe. Cette fois-ci, plusieurs Français sévères, d'un certain âge, les enjoignirent de se calmer, et tous cinq sortirent sous les regards de pierre et les grimaces fixes des gargouilles qui ornaient les moindres piliers et arcs-boutants.

Ils prirent l'un des ponts et s'arrêtèrent pour manger des crêpes à emporter au bord de la Seine.

Rachel soupira d'aise en contemplant le fleuve marron, paresseux. Depuis quelques heures, il leur était possible de se sentir presque normaux, et l'eau qui coulait lentement au cœur de la cité avait commencé à la détendre.

Elle mastiqua le restant de sa crêpe au citron et lécha les grains de sucre aux coins de sa bouche. Elle chiffonna l'assiette en carton.

– Où est-ce qu'on va maintenant ? demanda-t-elle à Gabriel. Quand est-ce que tes… amis arrivent ?

– Je n'ai toujours pas de nouvelles, répondit-il. Continuons à nous promener. Ils me contacteront.

Ils laissèrent les quais pour s'enfoncer dans un quartier de plus en plus animé, passèrent devant des boutiques aux vitrines soignées contenant des mannequins chic et du mobilier moderne. Quelques rues plus loin, les boutiques firent place à une vaste esplanade. Au fond, tel un gigantesque hangar d'aviation couvert d'énormes tuyaux colorés et de passerelles sinueuses, se dressait le centre Georges-Pompidou.

– Pompidou Centre, lut Rachel sur une pancarte en anglais. C'est un espace artistique.

– Sensationnel ! s'exclama Adam.

Il préférait d'instinct les lignes de cette architecture contemporaine à la silhouette de Notre-Dame, et l'allure des jeunes gens branchés qui se pressaient à l'intérieur lui plaisait.

– On peut entrer ?

Ils traversèrent l'esplanade, longeant de petits groupes rassemblés autour des nombreux artistes de rue qui jonglaient, faisaient des acrobaties et du mime devant l'édifice. De plus près, ils virent que les tubes translucides zigzaguant sur la façade transportaient les gens vers les niveaux supérieurs. Rachel levait progressivement la tête lorsque Morag lui tira la manche.

– Rachel, revoilà le vilain bonhomme, dit-elle, signalant à la jeune fille une autre « statue vivante » peinte en or, qui saluait mécaniquement les touristes sur l'étendue pavée.

– Oh, il y en a sans doute plus d'un à Paris ! affirma Rachel d'un ton léger alors qu'ils franchissaient les portes coulissantes automatiques et pénétraient dans le hall spacieux du bâtiment.

L'Anglais secoua le flacon et versa une dizaine de comprimés au creux de sa main rougie. Il les fourra dans sa bouche et les croqua, puis les avala avec la dernière gorgée de sa bière. Il agita son verre pour en demander un autre. La sonnerie de son ordinateur portable l'avertit de l'arrivée d'un message. Il le lut avec attention, s'empressa de répondre, puis, les doigts tremblants, lança un moteur de recherche et tapa quelques mots. En une poignée de secondes, il avait passé la page d'accueil, la liste des futures expositions, et l'image de la webcam placée dans le forum du centre Pompidou apparut sur son écran. Les petites silhouettes se déplaçaient par saccades, actualisées toutes les cinq secondes.

L'Anglais toucha le pavé tactile et fit un zoom avant…

Les deux paires de jumeaux et Gabriel déambulèrent dans une galerie et passèrent devant la reconstitution d'un atelier d'artiste. Les sculptures en bronze de personnages longilignes, squelettiques, rappelèrent à Rachel des corps tordus et momifiés, images enfouies dans les profondeurs de son psychisme. Lorsque les petits Écossais commencèrent à s'ennuyer, ils décidèrent d'emprunter tous ensemble l'escalier roulant à l'intérieur des tubes et d'aller jusqu'au café sur le toit.

L'esplanade rapetissa au-dessous d'eux ; autour du gigantesque pot de fleur doré ornemental qui trônait au centre, les grappes de gens affairés devinrent aussi minuscules que des fourmis.

Aucun des cinq compagnons n'avait remarqué que la « statue vivante » avait quitté son socle pour entrer dans le bâtiment.

Ils arrivèrent au dernier niveau et sortirent sur la terrasse afin de contempler les toits en zinc de Paris, la tour Eiffel d'un côté et le dôme blanc du Sacré-Cœur de l'autre. Ils étaient presque les seuls à braver le froid et le vent, vifs à cette hauteur. Gabriel s'éloigna avec Adam pour aller chercher des boissons.

– Le panorama est immense, dit Rachel, tenant les petits jumeaux par la main.

Une nervosité maternelle l'incitait à les éloigner du bord, malgré la protection qu'offraient les épaisses entretoises blanches de la structure externe de l'édifice.

– Il y a encore le vilain bonhomme, dit Morag, serrant la main de Rachel.

– Tu l'aperçois d'ici ? demanda la jeune fille, qui se pencha pour scruter l'esplanade en contrebas.

– Non, il est là ! répondit Morag, montrant le palier où finissait l'escalier roulant.

Rachel se retourna juste à temps pour voir un chapeau doré avant que l'homme qui en était coiffé apparaisse et se dirige vers eux d'un bon pas. Rachel devina qu'il n'aurait pas dû être là – et que s'il était là, eux ne devraient certainement pas rester.

– Vite ! dit-elle. Venez avec moi.

Elle entraîna Morag et Duncan à l'autre bout de la terrasse, près de deux conduites d'aération qui se terminaient par de grosses trompettes blanches, comme celles du pont d'un navire. Affolée, elle chercha des yeux Adam et Gabriel, entrevoyant l'homme parler dans son téléphone et fouiller la terrasse du regard, à leur recherche.

Rachel dissimula les petits jumeaux derrière les conduites, se réservant une vue sur la toiture par un interstice. Elle distinguait le haut de l'escalier roulant et observa un autre artiste montant de l'esplanade rejoindre l'homme peint en or.

Le nouveau venu, déguisé en robot, portait une tenue noir et argent, et avait les bras couverts de très longues sections de tuyaux ondulés qui s'agitaient quand il bougeait. Un entonnoir pointait au sommet de sa tête, si bien qu'il ressemblait à l'Homme en Fer-blanc du *Magicien d'Oz*. Rachel se déplaça légèrement pour mieux les surveiller. Peut-être qu'elle devenait paranoïaque ; qu'ils faisaient une simple pause-café. Mais ces hypothèses s'écroulèrent dès l'instant où l'homme doré la remarqua.

– Là-bas ! cria-t-il en français, et il se mit à courir vers les conduites d'aération, le robot sur ses talons.

Rachel poussa Morag et Duncan plus loin sur la terrasse.

– Par là, chuchota-t-elle, indiquant une barrière grillagée.

Un portillon conduisait à une zone d'inspection clôturée sous un cube de métal rouge qui abritait le mécanisme d'un ascenseur. La cage entière saillait du bâtiment et reposait sur d'épaisses poutrelles en acier. Rachel s'y précipita à la suite des jumeaux.

Les deux artistes de rue s'étaient séparés pour essayer de les acculer, et au bout de quelques instants un visage doré apparut au portillon par lequel Rachel et les jumeaux venaient de se glisser. L'homme avait juste la place de passer dans l'ouverture.

– Vous voilà ! dit-il. Cette fois, je vous tiens.

– Laissez-nous tranquilles ! cria Rachel, plaquant les jumeaux contre la paroi de la cage.

Elle baissa les yeux vers le sol en grillage. Par les trous, elle voyait l'esplanade à une trentaine de mètres en contrebas.

L'homme sourit alors qu'il s'introduisait à son tour dans la cage, ses lèvres dorées étirées sur ses dents jaunes. Cinq secondes plus tard, le robot arriva. Ses longs bras battaient l'air et cliquetaient contre les câbles d'acier de l'ascenseur. Rachel aperçut des tenailles d'aspect redoutable pointant à l'extrémité du tuyau lui couvrant la main droite et, du côté gauche, un long fil de fer.

Rachel se débattit lorsque l'homme doré lui saisit les bras et les lui tordit en arrière. La blessure dans son dos la fit hurler de douleur, et l'homme la gifla.

Recroquevillés dans un coin de la cage métallique, Morag et Duncan se mirent à glapir, comme des souris prises au piège, mais le sifflement du vent dans l'acier noya leurs voix aiguës.

L'homme était si près que Rachel sentait l'odeur du tabac dans sa respiration forte et précipitée alors qu'ils luttaient au sein de l'espace exigu. Un profond hurlement s'ajouta soudain aux glapissements des jumeaux. Surgissant de nulle part, Gabriel avait pénétré dans la cage et attrapé le long fil de fer, auquel il fit une boucle et qu'il noua au cou du robot. L'homme peint en or virevolta et découvrit le malheureux suspendu, son propre fil de fer autour de la gorge et passé par-dessus l'une des entretoises puis tendu par-derrière.

Comme Gabriel attachait le fil à un énorme rouage en métal, Rachel sauta sur l'occasion et lança un coup de pied dans l'estomac de l'homme doré, lui coupant le souffle.

Le robot se démenait et gesticulait toujours, s'acharnait à desserrer le fil, mais ses efforts ne servaient qu'à l'enfoncer davantage dans sa chair.

– Aidez-moi ! supplia-t-il en français, d'une voix gargouillante.

À un niveau inférieur, quelqu'un appuya sur le bouton de l'ascenseur.

Il y eut un bruit métallique, un vrombissement, les câbles se mirent à bouger, et le robot danseur fut soulevé en direction du mécanisme de l'appareil.

L'homme doré s'agita, voulant s'enfuir de la cage où il avait bloqué Rachel et les jumeaux, mais où il se retrouvait lui-même coincé, car l'étrange garçon aux yeux froids lui barrait le chemin.

– Libère-le, Gabriel !

Celui-ci se retourna : Adam accourait. Une expression horrifiée se peignit sur le visage de l'adolescent alors qu'il regardait les pieds du robot remuer sous le cube rouge. Il appela sa sœur et les petits jumeaux. Rachel poussa Morag et Duncan hors de la cage avant de sortir elle aussi.

– Il pourrait nous révéler comment il nous a trouvés, Gabriel, dit-elle au passage, montrant l'homme doré comme si elle plaidait en sa faveur.

– Oh oui ! Oui, je vous le dirai, certifia le prisonnier, et il rampa vers Rachel et Adam, implorant. Pitié, ne…

Mais ils virent que Gabriel avait déjà pris sa décision.

Le garçon s'agenouilla et empoigna les avant-bras de l'homme, le dévisageant. Les yeux humides peints en or se portèrent en tous sens, éperdus, jusqu'à ce que

Gabriel plante son regard en eux. Soudain, des tremblements incontrôlables parcoururent le corps de l'homme et ses mains commencèrent à fumer alors que le grillage autour de lui devenait brûlant. Exposée au regard fixe de Gabriel, la dorure s'écailla sur son visage. Sa bouche s'ouvrit dans un hurlement muet tandis que le plancher fondait sous lui. Puis, avec nonchalance, Gabriel lui lâcha les bras, l'abandonnant au vide.

Personne ne remarqua les cinq compagnons traversant l'esplanade en hâte quelques minutes plus tard. Une foule s'était rassemblée autour du personnage doré gémissant qui était tombé du sixième étage du centre Pompidou et avait miraculeusement survécu. Il gisait désormais, flasque, telle une statue brisée, sur le rebord du gigantesque pot de fleur.

Certains se demandèrent si cette chute faisait partie d'un étrange numéro d'artiste.

Sur un terrain pour caravanes en bordure d'un joli port de plaisance normand, M. Alfred Brunt, de Stoke-on-Trent, dégustait le premier verre de vin français de ses vacances. Il se félicitait de sa préparation soignée de l'itinéraire, qui lui avait permis d'effectuer le trajet côtier en moins de quatre heures.

Il était heureux d'avoir quitté Calais : sa femme et lui avaient passé la nuit dans leur camping-car sur le parking de la gare et, à l'aube, une bande de jeunes qui allait prendre le train les avait dérangés.

Il était persuadé que l'un d'eux avait essayé de forcer le bouchon du réservoir d'essence.

Mais à présent, M. Brunt était bel et bien en vacances. Il lui tardait d'entamer son déjeuner, une tourte au bœuf et aux rognons que sa femme, Glenda, avait cuisinée chez eux et qu'elle glissait joyeusement dans le four à micro-ondes.

Glenda hurla lorsque la première botte défonça la lucarne au-dessus de sa tête, et son mari cria de peur au moment où la vitre latérale volait en éclats, laissant une matraque entortillée dans le rideau. Tous deux appelèrent au secours à l'instant où la porte du camping-car fut arrachée de ses gonds et levèrent docilement les mains quand deux hommes, équipés de casques à écouteurs et de lunettes noires, firent irruption et braquèrent sur eux leurs armes automatiques.

# 26

Le métro entra dans la station des Halles, assourdissant, et dès que les portes s'ouvrirent, les cinq compagnons se glissèrent à l'intérieur de la rame bondée.

Rachel vacillait toujours sur ses jambes et elle dut s'accrocher désespérément à une barre au plafond pour ne pas s'effondrer. Adam aida Morag et Duncan à monter et se dirigea vers trois places libres, mais une nonne âgée le devança, un sourire affecté sur son visage encadré par une guimpe. Adam inclina la tête et lui fit signe de s'asseoir tandis que les deux petits jumeaux prenaient les deux sièges à côté.

Morag et Duncan s'étaient enfermés dans un mutisme choqué depuis qu'ils avaient quitté la terrasse. Gabriel n'avait pas prononcé un mot. Ni Rachel ni Adam n'avaient osé lui adresser la parole. En vérité, ils avaient soudain une peur folle de lui – et des actes dont il était capable.

Rachel décida de rompre le silence :

– Ces hommes, là-haut sur le toit, comment pouvaient-ils continuer à nous pister ? On a retiré les transmetteurs.

Gabriel s'agrippait à la barre métallique au-dessus de lui. Le mouvement du train bondé le rapprochait de Rachel alors qu'il oscillait et tâchait de ne pas perdre l'équilibre.

– Je ne crois pas qu'ils travaillaient pour la cellule Espoir, répondit-il.

Tassé contre sa sœur, Adam avait un bras tendu pour serrer la main de Morag. La fillette elle-même se cramponnait à Duncan. Adam dévisagea Gabriel, écarquillant les yeux dans sa stupeur.

– Écoute, est-ce qu'ils t'ont donné l'impression de travailler pour la cellule Espoir ? lui demanda Gabriel.

– Ils étaient français, souligna Rachel. On les a entendus parler.

– Peu importe leur nationalité, répliqua Gabriel. Il y a des gens comme eux dans tous les pays. Des… fanatiques. Ils se cachent bien, il faudra donc nous montrer prudents.

– Alors c'était qui, ces types ? reprit Adam.

Il parlait juste assez fort pour couvrir le fracas du métro vrombissant sous les rues parisiennes. Il ne voulait pas effrayer Morag ou Duncan.

– Qui d'autre peut s'acharner contre nous ? insista-t-il.

Gabriel regarda tour à tour les deux adolescents. Il posa une main sur l'épaule d'Adam, fit un geste pour attirer Rachel encore plus près et communiqua par la pensée.

*Êtes-vous prêts à vous battre ?*

Les doigts de Rachel se crispèrent sur la barre. Elle appuya sa tête contre son bras et ferma les yeux, avec le souhait de se retrouver à New York quand elle les rouvrirait, au lieu de fuir à travers des pays étrangers, d'essayer de conserver une longueur d'avance sur des individus résolus à lui nuire pour des raisons incompréhensibles.

Elle rouvrit les paupières et plongea son regard dans l'obscurité du tunnel.

Duncan scrutait les publicités au-dessus des têtes des passagers assis en face de lui. Ses lèvres remuaient alors qu'il déchiffrait les mots en silence et, à côté de lui, Morag savait qu'il mémorisait la moindre ligne, la moindre information, même insignifiante. Tout ce que son frère avait l'occasion de lire, toutes les images qu'il avait l'occasion de voir se gravaient définitivement en lui. Ils n'avaient jamais approfondi le sujet, mais elle savait qu'il avait beaucoup plus de souvenirs qu'elle du drame qui s'était déroulé dans le lac quelques années auparavant. La voiture, les phares et l'eau noire.

Elle l'avait assez souvent entendu crier au milieu de la nuit.

Sentant une main sur son genou, Morag leva les yeux et vit la nonne qui lui souriait. La petite fille lui trouva un air gentil, malgré sa tenue étrange et sa main libre qui tordait avec acharnement le collier de perles en bois enroulé autour de ses doigts.

La nonne murmura quelque chose et Morag se pencha de manière à discerner ses propos.

– N'aie pas peur, mon enfant.

Elle avait chuchoté en français, pourtant la fillette l'entendit dans un anglais parfait et hocha la tête, gagnée par une soudaine sensation de chaleur et de protection, comme si un gros manteau lui enveloppait désormais les épaules.

– Tu es vraiment spéciale, continua la nonne.

Morag hocha de nouveau la tête, puis observa la vieille femme tandis que celle-ci jetait un coup d'œil en l'air et que la pâleur envahissait ses joues creuses. La fillette suivit son regard et aperçut un grand homme dans une longue robe marron, debout juste derrière Gabriel et les jumeaux. La nonne se signa et courba le front, serrant ses perles de toutes ses forces.

– Michael ! cria Morag.

Gabriel, Rachel et Adam firent volte-face et leurs yeux rencontrèrent les ténèbres, l'ombre sous l'épais capuchon, là où aurait dû être la figure du personnage.

Il les dominait de toute sa hauteur, dans sa robe qui lui donnait l'apparence d'un moine. Il n'y avait néanmoins aucune bienveillance chez lui, aucune bonté, et Rachel et Adam se mirent aussitôt à reculer, mais la foule compacte leur barrait le passage.

– Tout va bien, affirma Gabriel, sans conviction.

L'homme ne bougea pas. L'une de ses mains, à la peau livide et boursouflée, entourait l'extrémité d'une canne noire. L'autre monta lentement et s'approcha des adolescents.

– Donnez-le-moi.

L'homme avait parlé tout bas, d'une voix brisée, mais l'insistance de sa requête était manifeste. Il attendit quelques instants. L'ombre sous sa capuche devint plus dense alors que Rachel et les autres la scrutaient. Puis il répéta, d'un ton moins fébrile et chargé de menace :

– Donnez-le-moi.

– Non, refusa Gabriel.

Rachel avait su immédiatement ce que l'homme demandait. Elle poussa davantage les gens derrière elle, allongea le bras pour empoigner son sac à dos et être le plus près possible de l'objet rangé tout au fond, au milieu de ses T-shirts et de ses chaussettes sales.

Même si la figure de l'homme restait cachée, inaccessible, Rachel devina le sourire qui s'élargit dans les ténèbres pendant une ou deux secondes avant qu'il laisse retomber sa main.

– C'est vous qui décidez, dit-il.

Gabriel vint se placer entre ses deux amis et le personnage en robe, puis il leur ordonna par-dessus son épaule :

– Écartez-vous. Allez-vous-en.

Ils ne se le firent pas dire deux fois. Ils pivotèrent et, prenant Morag et Duncan au passage, se frayèrent un chemin à travers la foule de voyageurs qui criaient et juraient, furieux d'être bousculés. Lorsqu'ils atteignirent la porte au bout de la rame, Rachel se retourna. Elle saisit la main de son frère. Ensemble, ils cherchèrent Gabriel et le personnage encapuchonné parmi l'océan des têtes et tendirent l'oreille.

– Je sais ce que vous êtes, déclara Gabriel.

Le capuchon frémit un peu alors que l'homme dressait le front.

– Moi aussi, je sais ce que vous êtes, rétorqua-t-il.

– Vous savez donc que je n'ai pas peur, riposta Gabriel. Que je ferai absolument tout pour protéger ce qui m'appartient.

Le personnage encapuchonné regarda vers la vitre. Sans le tapotement irrité de sa canne contre le plancher de la rame, ç'aurait pu être la conversation la plus légère du monde.

– Je réussirai à l'avoir, affirma-t-il. Il faut que vous le sachiez. Et si vous vous obstinez à le protéger… à protéger ceux qui le transportent, il y aura des morts.

– Il y en a déjà eu, et même si je vous le donnais à l'instant, il ne vous appartiendrait pas, soutint Gabriel, qui prenait de l'assurance et se rapprochait à mesure qu'il parlait. Quoi que vous espériez obtenir de lui, vous vous trompez. Vous et les imbéciles prêts à vous suivre comme des moutons.

L'homme avança la tête avec brusquerie et répliqua :

– Jusqu'à présent, vous n'étiez qu'un obstacle, mais je vais vraiment me délecter de vous… balayer de mon chemin.

Il jeta un coup d'œil du côté où les quatre jumeaux s'étaient réfugiés.

– Vous tous. Je saurai où vous trouver.

Le train ralentissait à l'approche d'une station.

– Je crois que nous allons descendre ici, annonça Gabriel. À la prochaine fois !

L'homme en robe eut un petit haussement d'épaules.

– Comme je l'ai dit, c'est vous qui décidez. Nous aurions pu choisir la manière simple. La manière indolore.

Mais Gabriel s'éloignait déjà, se faufilait entre les voyageurs, rassemblait Rachel, Adam, Morag et Duncan alors que le métro entrait dans la station, et les pressait de sortir à l'instant où les portes s'ouvraient.

– Il n'avait pas de visage, dit Morag.

– Si, si, lui certifia Gabriel. Il a choisi de ne pas nous le montrer encore, voilà tout.

Ils se tinrent immobiles sur le quai pendant que la rame repartait et regardèrent les voitures défiler. L'homme en robe n'était plus visible, mais Rachel entraperçut la nonne, dont l'habit noir et blanc passa dans un éclair, avant que le train disparaisse.

La vieille femme continuait ses signes de croix frénétiques.

# 27

Laura Sullivan n'avait pas l'habitude de regarder les débats télévisés du début de soirée, mais en faisant défiler les chaînes du poste de son bureau, elle était tombée sur un visage qu'elle avait reconnu.

Chris Dalton.

L'homme avec qui elle travaillait encore un mois plus tôt, sur le chantier de fouilles de Triskellion, avait changé. Il semblait avoir vieilli de dix ans en quelques semaines. Il divaguait devant les caméras, le visage écarlate et furieux, tandis que l'animateur s'efforçait de placer un mot et que les spectateurs présents dans le studio se tordaient de rire sur leurs sièges.

– Ils viennent sur notre planète depuis des siècles ! Ils viennent sur Terre et ils se reproduisent avec nous. J'ai vu les corps de mes propres yeux. Vous les avez tous vus… c'était à la télé, pour l'amour du ciel ! Et ils sont toujours là, et les enfants sont là…

Le présentateur l'interrompit :

– Allons, Chris, vous nous demandez sérieusement de croire que… ?

– Je vous le garantis !

– Bien, merci pour…

– C'est dans leur ADN, vous ne comprenez pas ? On dirait des mômes ordinaires, mais ils sont dangereux. Il faut les arrêter.

La caméra se détourna vite de lui et revint à l'animateur au teint éternellement hâlé. L'air un peu soulagé, celui-ci essaya de conclure pendant que Dalton continuait à radoter en fond sonore jusqu'à ce qu'un technicien lui coupe le micro.

– Voilà donc Chris Dalton. Naguère un archéologue de confiance, aujourd'hui… un visionnaire ? un fou ? À vous de trancher…

Laura éteignit la télévision, puis sursauta légèrement lorsque la porte s'ouvrit. Le visage de Dalton, l'œil farouche et égaré, s'effaça de son esprit au moment où Clay van der Zee entrait dans son bureau d'un pas décidé. S'il paraissait beaucoup plus équilibré que Dalton, il se révéla, dès ses premiers mots, qu'il était tout aussi énervé.

– On a perdu leur trace ! s'écria-t-il.

– Quoi ?

Laura se rappela sa conversation avec Kate Newman ce matin-là. Son sang ne fit qu'un tour.

– On savait qu'ils étaient dégourdis, dit Van der Zee, mais tout de même…

– Expliquez-moi.

Van der Zee arpentait le bureau exigu de Laura, gesticulait, manifestait une véhémence qu'elle ne lui avait jamais vue.

– Notre équipement a permis de les suivre jusqu'à Honfleur, un petit port de plaisance sur la côte normande.

– Un joli coin, à vous entendre.

– Très joli, quand on est touriste. Un couple de quinquagénaires adepte des vacances en caravane, par exemple.

Laura comprit.

– Ils ont trouvé les transmetteurs.

– Eh oui, confirma Van der Zee. Il y a six heures, nos agents ont défoncé la porte d'un petit camping-car. Résultat : une belle frayeur suivie d'une colère noire pour les deux touristes, et le comble du ridicule pour nous.

Laura ne put réprimer un sourire devant l'absurdité de l'incident et l'ingénuité des jumeaux. Van der Zee s'aperçut de son amusement. Il sourit lui aussi, mais sans joie.

– Donc, à présent, c'est à vous de jouer, docteur Sullivan.

– Que puis-je faire ?

– Vous pouvez tirer quelque chose de toutes ces années de recherche. Vous mettre à votre fichu ordinateur et compulser toutes les données que vous avez amassées sur ces sites sacrés. Je veux que vous examiniez l'emplacement de chacun d'eux. Chaque cercle de pierre, chaque tumulus, chaque endroit où quelqu'un a déterré ne serait-ce qu'une vieille pièce de monnaie, jusqu'à ce que vous découvriez où se dirigent ces mômes. Est-ce clair ?

Laura baissa les yeux, mais rien qu'une ou deux secondes. Ce qui était clair pour elle, et le devenait davantage au fil des heures, c'était qu'elle commençait à soutenir Rachel et Adam Newman.

– Je ne suis pas certaine de vouloir le faire.

– Pardon ?

– Je pense ne plus être en phase avec vous, d'accord ?

– Je croyais la question réglée, docteur Sullivan. J'espérais vous avoir tranquillisée.

Laura secoua la tête.

– Je regrette. Il va falloir que vous demandiez à quelqu'un d'autre de vous trouver les jumeaux.

Van der Zee hocha la tête, comme s'il acceptait son point de vue.

– Dites-moi, je vous ai parlé de l'autre mystère ?

– Quel mystère ?

Van der Zee s'approcha sans se presser de l'ordinateur de Laura, se mit à taper sur le clavier.

– Voici peut-être de quoi raviver votre intérêt.

Une image en noir et blanc, à gros grain, apparut. Quatre silhouettes sur un quai de gare.

– C'est un plan filmé par une caméra de surveillance en gare d'Ashford, juste après le moment où ils sont descendus de l'Eurostar.

Laura fouilla l'image des yeux. Les jumeaux se tenaient serrés les uns contre les autres. Ils semblaient perdus. Elle se demanda s'ils avaient eu froid. Van der Zee se pencha et, le doigt pointé vers l'écran, énuméra :

– Rachel, Adam, Morag, Duncan.

Laura ne réagit qu'après plusieurs secondes.

– Vous n'aviez pas dit qu'ils étaient cinq ?

– En effet, répondit Van der Zee. Notre agent a vu un autre garçon, il l'a bien observé. L'œil de l'artiste, aussi…

Il sortit une feuille de papier de sa poche, la déplia et la donna à Laura.

Elle examina le dessin : un garçon brun aux yeux verts, en forme d'amande. Le connaissait-elle ? Son visage lui évoquait quelque chose…

– Nous avons donc un adolescent qui semble mener les autres. Un garçon qui, pour une raison inexpliquée, n'apparaît pas sur les images des caméras de surveillance. Et je me suis dit que cette énigme pourrait présenter… un intérêt.

Laura essaya de dissimuler son enthousiasme, mais son cœur battait à grands coups.

– Puis-je garder ce document ?

Van der Zee était déjà sur le seuil. Il savait qu'il l'avait persuadée, qu'elle était de nouveau pleinement « en phase ».

– Bien sûr, répondit-il. Nous aurons besoin le plus tôt possible de vos premières hypothèses sur leur itinéraire, d'accord ?

Laura hocha la tête alors qu'elle entendait la porte se refermer. Elle prit une punaise dans son tiroir et fixa le portrait de Gabriel au-dessus de son bureau. Elle le considéra encore quelques instants avant d'ouvrir le fichier dont elle avait besoin et de se plonger dans son travail.

– C'est qui, ces deux-là ?

Les garçons attendaient près de l'entrée lorsque Rachel et les autres arrivèrent à la gare d'Austerlitz, dans le sud-est de la ville. Âgés de seize ans au moins, ils déplurent à Rachel au premier regard. Ils avaient de longs cheveux gras, de fines moustaches et des anoraks en Nylon assortis. Un petit bonnet rouge, crasseux, était le seul élément qui les distinguait l'un de l'autre.

Des jumeaux en tous points identiques.

Ils se moquèrent de Rachel, et celui qui portait le bonnet se tourna vers Gabriel :

– Ariel ?

– Qui ? demanda Rachel.

Gabriel sembla perdre patience et se mit à les conduire en direction des quais.

– Les présentations, ce sera pour plus tard, décréta-t-il. On a un train à prendre.

Comme s'il répondait à un signal, Duncan se précipita et tira Gabriel par la manche, tout excité.

– Quai 7, l'express Francisco-de-Goya. Train de nuit, direct. Part à 19 h 43. Arrive à 9 h 17 demain matin.

– Arrive où ? se renseigna Adam.

Duncan s'éclaircit la voix.

– À Madrid-Chamartín.

# 28

Il y avait longtemps que les jumeaux n'avaient pas dormi dans des lits superposés. La dernière fois, songea Rachel, ç'avait dû être quand ils avaient cinq ou six ans, dans l'appartement minuscule où leurs parents avaient emménagé juste après s'être mariés. Elle se souvenait de rideaux verts à la fenêtre, de posters aux couleurs vives sur le mur et de la course acharnée le soir pour arriver le premier à l'échelle et s'adjuger le matelas du haut.

À cette période, son frère et elle se disputaient presque tout.

Ni l'un ni l'autre n'avaient eu l'énergie pour une telle compétition lorsqu'ils avaient enfin déniché le petit compartiment du train de nuit. Après avoir retiré ses chaussures et son jean, Adam s'était hissé avec lassitude sur la banquette du haut, donnant à sa sœur un peu d'intimité pour se dévêtir, et dès qu'elle avait été prête, Rachel s'était installée sur la couchette du bas sans dire un mot.

Tous deux espéraient pouvoir s'endormir vite.

Treize heures trente pour relier Paris à Madrid : c'était de loin leur plus long voyage en train. Ils avaient effectué à plusieurs occasions les quatre heures de trajet jusqu'à Washington (où ils avaient traîné dans les différents musées, s'étaient fait photographier devant la Maison Blanche), mais c'était à peu près tout. Par comparaison, une nuit entière dans un train était un marathon, et s'ils n'avaient pas eu tant d'autres sujets à l'esprit, tant de préoccupations, ils auraient débordé d'enthousiasme.

Rachel s'allongea, écouta le bruit du train. Elle laissa son doux balancement rythmé l'emporter. Elle savait que Morag et Duncan occupaient le compartiment d'en face et que les jumeaux français étaient à proximité, en direction du wagon-restaurant. Quant à Gabriel, mystère. Elle l'imaginait qui arpentait les couloirs du convoi, ses idées défilant plus vite que le paysage, incapable de dormir.

À supposer qu'il dorme parfois.

Les jumeaux français…

Lucas et Loïc. Il avait fallu plus d'une heure de regards maussades et de grommellements inaudibles pour obtenir d'eux leurs prénoms, et encore, ç'avait été de mauvaise grâce. Ils s'étaient installés avec Gabriel, tandis que Rachel, Adam et les petits Écossais s'asseyaient à une table en vis-à-vis et cherchaient sans succès à nouer la conversation.

– Alors, vous venez d'où ?

– Vous parlez anglais ?

– Est-ce que vous parlez… tout court ?

Les deux nouveaux venus avaient insisté pour appeler Gabriel « Ariel », chuchoté et lancé des coups d'œil venimeux à Rachel et à ses voisins quand l'un d'eux leur avait offert un malheureux chewing-gum.

– Peut-être qu'ils ne nous aiment pas juste parce qu'on est américains, avait supposé Adam.

– Peut-être, avait répondu Rachel.

– Il me semble que nos deux pays s'étaient brouillés sur l'Irak il y a quelques années. Tu te souviens, on ne pouvait plus dire «*French fries*»…

– On n'est pas américains, nous, avait souligné Morag. Et pourtant, je crois qu'ils ne nous aiment pas non plus.

Duncan avait fusillé les deux Français du regard. Lucas, le porteur de bonnet, s'était tourné et l'avait dévisagé d'un air tout aussi hostile, en tripotant un morceau de nourriture coincé entre ses dents sales.

– Ignorons-les, avait conseillé Rachel.

Mais elle savait à quel point ce serait difficile. Elle aurait vraiment voulu découvrir qui ils étaient, non par véritable intérêt pour eux, mais parce qu'elle voulait comprendre leur lien avec Gabriel. Depuis combien de temps le connaissaient-ils ? Que leur avait-il révélé sur lui ? Et pourquoi donc les avait-il invités dans l'aventure ?

Le contrôleur s'était présenté au bout d'une heure de voyage environ, et après la brève explication de Gabriel, avait accepté sans problème leurs billets inexistants. Ils avaient tous commandé des sandwichs et des boissons froides au buffet. Pendant le repas, Lucas et Loïc s'étaient mis à parler en français avec Gabriel, mais pour Rachel et Adam, leurs propos demeuraient impénétrables. Manifestement capables de traduire une langue étrangère dans la leur avec la même aisance que Rachel et Adam, les garçons se révélaient en outre à même de neutraliser les capacités de traduction des autres.

– J'entends seulement… du bruit, avait dit Adam. Comme des parasites.

– Moi aussi, avait déclaré Morag avec une moue boudeuse. C'est pas juste !

Furieuse, Rachel avait juré à voix basse. Voyant le regard de Loïc, elle avait commenté :

– Eux, en tout cas, ils nous comprennent.

– Je parie qu'on peut le faire aussi, avait lancé Adam.

Au léger sourire de Gabriel, qui semblait bien s'amuser, Adam avait su qu'il ne se trompait pas.

– Allez… concentre-toi.

Sur l'injonction de son frère, Rachel avait fermé les yeux et tâché de mobiliser ses facultés. Une minute plus tard, elle se représentait un obstacle en train de s'édifier, par strates successives, dans son esprit.

Les paroles d'Adam lui étaient arrivées alors que le mur prenait forme. *C'est ça*, l'avait-il encouragée. *Continue*. La structure était délicate mais puissante, treillis de lumière vibrant d'énergie et de force qui s'était enroulé autour des moindres phrases, précipité entre les lettres tel un insecte en vol pour les enserrer.

Pour les protéger.

Rouvrant les yeux, Rachel avait consulté son frère mentalement. *Tu veux essayer en premier ?*

Adam avait souri. *Trouillarde !* Il s'était éclairci la voix et tourné vers les deux garçons.

– Hé, toi… andouille !

Ayant réussi à capter l'attention de Lucas, il s'était penché.

– Vous ressemblez à des singes, tous les deux, vous savez ça ?

Les gratifiant de son plus beau sourire, Rachel avait ajouté :

– Et vous empestez autant.

Vu leurs haussements d'épaules, il était évident que les deux garçons n'avaient pas saisi un mot. Rachel et Adam s'étaient rassis en se félicitant mutuellement. À l'autre table, Gabriel riait aux éclats… et Loïc avait frappé le plateau du poing, à la manière d'un petit garçon qui se sent délaissé.

Après cet incident, la conversation entre les tables était devenue plus animée, quoique tout aussi hostile. Gabriel, qui était le seul capable de comprendre les deux camps, s'était efforcé de maintenir le calme en attendant que la nuit tombe et que les trois paires de jumeaux s'éloignent à la recherche de leurs compartiments respectifs.

Rachel écoutait Adam remuer sur la banquette au-dessus d'elle. Elle savait qu'il ne dormait pas, qu'il ne parvenait pas à trouver le sommeil lui non plus.

– Adam, ça va ?

– Oui, oui.

– Tu es sûr ?

– Sûr et certain. Bonne nuit.

Et, dix minutes plus tard, Rachel entendit son frère demander :

– Il t'arrive de penser à papa ?

– Évidemment.

– Ces derniers temps aussi ? Parce qu'on ne s'inquiète que de maman. D'accord, c'est elle qui reste avec nous, elle qui a des ennuis, mais ce n'est pas comme si… s'il était mort, par exemple, hein ?

– Non.

– Alors, tu penses vraiment à lui ?

Rachel se rendit compte que, même si l'image de son père surgissait dans son esprit plusieurs fois par jour, elle n'avait pas véritablement pensé à lui depuis des lustres. À ce qu'il pouvait éprouver. S'il souffrait de leur absence. Si elle-même souffrait de son absence. C'était lui qui était parti, qui avait estimé que le mariage ne fonctionnait plus, néanmoins… elle culpabilisait de prendre spontanément la défense de sa mère. S'il fallait deux personnes pour réussir un mariage, n'en fallait-il pas deux pour le ruiner ?

Elle savait qu'Adam avait eu beaucoup plus d'hésitations.

– Quand tout sera… rentré dans l'ordre, pour autant que ce soit possible, je suis convaincue qu'on aura l'occasion de passer du temps avec lui.

– Ouais…

– Il pourrait haïr maman, ça ne changerait rien à son amour pour nous.

– Je sais. Je posais juste la question.

Rachel l'entendit avaler sa salive et se tourner à nouveau.

– On devrait essayer de dormir.

Ils murmurèrent encore quelques phrases, mais Rachel entendit bientôt la respiration régulière de son frère et sut qu'il s'était endormi. Presque à l'instant où elle se fit cette réflexion, elle sombra dans le sommeil. Elle se réveilla une fois au milieu de la nuit et chercha un T-shirt par terre pour essuyer ses larmes. Lorsqu'elle rouvrit les yeux, il faisait jour.

Adam ne bougeait toujours pas quand Rachel se glissa hors du lit et s'approcha de la petite fenêtre. De la brume flottait sur les prés marron hérissés de gros rochers. En étirant le cou, la jeune fille distingua une ville fortifiée devant eux : des tours et des tourelles se dressaient au sommet d'une colline rocailleuse, près de laquelle les rails dessinaient une large courbe vers la gauche.

Rachel s'habilla et sortit dans le couloir. Le contrôleur passa devant le compartiment.

– Arrivons-nous à Madrid ? demanda-t-elle.

– Non, mademoiselle. Il reste environ deux heures de trajet.

Il l'emmena dans le petit espace entre les voitures et montra le paysage.

– C'est Avila. Une cité médiévale. Remarquable… si vous aimez les églises partout, ce genre de monuments. Vous devriez aller la visiter.

Rachel vit Gabriel franchir la porte à l'autre extrémité de la voiture.

– Peut-être la prochaine fois, dit-elle.

Le contrôleur haussa les épaules et s'éloigna. Ils n'auraient guère de temps pour le tourisme, devinait l'adolescente à l'expression de Gabriel.

Lorsqu'elle regagna le compartiment, Adam était levé. Elle étouffa une exclamation quand il se tourna pour enfiler son T-shirt.

– Quoi ? dit Adam. Qu'est-ce que j'ai encore au dos ?

Rachel se contenta de secouer la tête et de pointer le doigt. Vingt-quatre heures à peine s'étaient écoulées depuis qu'elle avait entaillé la chair de son frère avec une lame de rasoir.

– Tout est cicatrisé, lui annonça-t-elle. Il n'y a pas la moindre marque.

# 29

Laura Sullivan frotta ses yeux fatigués. Elle prit une gorgée de café fort et tenta de nouveau, sans succès, de se concentrer sur l'écran de son ordinateur. Elle leva la tête, comme elle l'avait fait régulièrement au long de la nuit, vers le dessin au crayon de couleur punaisé au-dessus de son bureau. Le garçon brun semblait la guider, lui indiquer au fur et à mesure où chercher.

Elle travaillait avec ardeur depuis la veille au soir à rassembler toutes les données dont elle disposait. Elle avait éliminé un écheveau de fausses pistes et s'était sortie d'une dizaine d'impasses. Elle avait réexaminé des conclusions essentielles et, maintenant que l'aube pointait, elle pensait avoir peut-être enfin accompli un progrès décisif.

Laura savait qu'elle devait fournir des résultats, ou du moins des éléments suffisants pour apaiser Clay van der Zee. Pour le convaincre que la méthode dont elle était partisane était la bonne : laisser les facultés des jumeaux s'épanouir au-dehors. Permettre à Rachel et Adam de voyager à travers l'Europe et de les conduire à…

Laura ne savait pas où ils les conduiraient. Son plus grand espoir était qu'il s'agisse d'un site analogue au cercle de craie de Triskellion. Un site susceptible de contenir d'autres restes importants et des trésors anciens. Et d'apporter une lumière sur la signification ou la fonction du triskèle.

Elle espérait aussi que cet endroit révélerait l'identité du mystérieux compagnon des adolescents. Le garçon du dessin. La simple possibilité de le rencontrer était plus enthousiasmante que n'importe quelle autre perspective durant toutes ses années de recherches.

Par-dessus tout, Laura espérait que leur voyage, où qu'il les mène, quel qu'en soit le terme, affranchirait les jumeaux et leur donnerait la liberté de réintégrer la société. Elle en était convaincue : ce qu'elle (et son équipe) apprendrait de Rachel et d'Adam profiterait d'une certaine façon au genre humain. Elle sentait d'instinct que leur manière de réfléchir, leur mode de communication et leurs capacités mentales pourraient être acquis par d'autres, voire entrer dans le patrimoine des générations futures.

Elle croyait que des enfants comme Rachel et Adam Newman pouvaient être la future forme de l'humanité. L'Homme nouveau.

Une nouvelle espèce…

*Homo erectus* : l'homme des cavernes. *Homo neanderthalensis* : l'homme de Neandertal. *Homo sapiens sapiens* : nous.

Et ensuite ?

*Homo triskelliensis* ? L'homme de Triskellion ?

Laura rit sous cape. Voilà que son esprit s'emballait, survolté par l'excès de café et le manque de sommeil.

Une certitude : si elle ne proposait ni plan d'action ni itinéraire convaincant, Van der Zee mobiliserait une armée d'agents à travers l'Europe afin de ramener les jumeaux.

Elle ne pouvait le tolérer.

La plupart des supérieurs de Van der Zee aux États-Unis considéraient ces adolescents comme une « menace pour l'humanité » et voudraient absolument continuer leurs inquiétantes « recherches invasives ». Ils leur avaient implanté des transmetteurs sans aucun égard pour leurs libertés civiles. Dès lors, quelles autres atrocités estimeraient-ils acceptables dans le cadre de leurs recherches ?

Des recherches qui risquaient d'être fatales.

Au cours de la nuit, Laura avait éliminé de son enquête des dizaines de sites de l'âge du bronze. Depuis qu'elle savait les jumeaux en France, elle espérait qu'ils se dirigeaient vers les alignements de Carnac, sur la côte bretonne. Ç'aurait été logique. Autant par sa géographie que par sa géologie, le village ressemblait à Triskellion. La population y était très stable et la proportion de jumeaux élevée. Même le symbole ancien qui représentait la région sur les drapeaux et les monuments était un triskèle.

L'archéologue avait entré diverses données relatives au site de Triskellion : analyses métallurgiques des coupes en bronze, échantillons de tissus, sculptures, symboles et signes trouvés dans les environs. Une série déconcertante de sites funéraires analogues, éparpillés dans toute l'Europe, était apparue sur son écran. Il avait fallu qu'elle ajoute les informations génétiques sur les habitants – la fréquence des jumeaux, l'âge de la population – pour qu'un motif précis commence à se dessiner.

Une ligne directe reliait un certain nombre de sites. Partant d'Orkney au nord de l'Écosse, d'où venaient Morag et Duncan, elle suivait toute la côte occidentale de l'Angleterre et du pays de Galles, jusqu'à Triskellion dans le sud. Elle franchissait la Manche pour passer en Bretagne, continuait à travers l'ouest de la France et atteignait la Dordogne. Puis elle descendait encore plus au sud, arrivait en Espagne et se prolongeait, ligne nette, ininterrompue…

Laura considéra la carte et s'efforça de maîtriser l'exaltation qui montait en elle. Prise dans l'autre sens, cette même ligne retraçait l'expansion de l'homme de l'âge du bronze en Europe continentale puis sur les îles britanniques.

Une théorie se formait et le rendez-vous avec Clay van der Zee était prévu dans deux heures.

Laura avait besoin d'un nouveau café.

– Je hais les Espagnols, grommela Lucas en français, à l'adresse de son frère.

Il marchait en tête le long de l'avenue plantée d'arbres qui s'éloignait de la gare. Une voiture lui avait lancé un coup de Klaxon agressif alors qu'il se hasardait d'un pas tranquille sur la chaussée.

– Je crois que j'ai compris, dit Rachel à Gabriel, quelques mètres derrière eux. Il déteste les Espagnols.

Gabriel lui sourit en fixant sur elle ses yeux verts, et la chaleur qui avait un jour existé entre eux resurgit, brève mais puissante. Une chaleur disparue depuis qu'ils avaient quitté Triskellion et qui manquait énormément à la jeune fille. C'était une journée radieuse, un peu fraîche, et Rachel enfonça ses mains dans les poches de sa peau de mouton. Elle profita de l'occasion pour se renseigner un peu.

– J'ai l'impression que Lucas et Loïc détestent tout, je me trompe ?

Gabriel haussa les épaules.

– Ils n'ont pas eu la vie rose, expliqua-t-il. Ils viennent d'un village de Bretagne, un petit endroit comme Triskellion. Les gens ont mal agi avec eux dès leur naissance.

Plusieurs mètres devant eux, Loïc cracha sur le trottoir.

– Tu as dit que c'étaient des amis, je crois. Nos amis.

Gabriel soupira et observa les garçons français. Ils jouaient à se battre, s'envoyaient des coups de pied façon kung-fu avec leurs chaussures de sport éraflées et bousculaient les passants.

– C'est la vérité, affirma-t-il. Ils sont comme vous. Comme nous. Je n'ai pas dit que vous deviez les aimer. N'es-tu pas capable de distinguer leur nature profonde ?

Rachel resta silencieuse.

Elle avait eu ce sentiment lorsqu'ils s'étaient évadés, lorsqu'ils avaient passé des heures sans sommeil et lorsque son frère avait extirpé de son dos le microtransmetteur. Elle regarda Gabriel et sentit une fois encore qu'il la mettait à l'épreuve.

Ils tournèrent dans une rue plus petite, bordée de magasins. À une certaine distance derrière Rachel et Gabriel, Adam s'efforçait d'entraîner Morag et Duncan. Ils se plaignaient qu'ils étaient encore fatigués, s'arrêtaient devant chaque nouveauté, et à présent la fillette avait faim. Adam entra en trombe dans une épicerie, dont il ressortit quelques secondes plus tard avec un régime de bananes. Il en tendit une à chacun des jumeaux et regarda Morag l'éplucher et la dévorer comme si elle n'avait rien mangé depuis une semaine.

Puis il s'aperçut que quelqu'un les pistait.

Adam saisit la main de Morag.

– Venez, on prend du retard.

Il voyait toujours Rachel, Gabriel et les garçons français, mais ils étaient assez loin devant et Morag gémissait, peinant à suivre sur ses courtes jambes.

– Avancez aussi vite que vous pouvez, dit Adam.

Il jeta un coup d'œil par-dessus son épaule tout en essayant de ne pas alarmer les petits.

Un homme arrivait en toute hâte. Il repéra l'adolescent et pressa le pas. Adam eut beau chercher frénétiquement alentour, il ne vit nulle part où courir, nulle part où se cacher. À cet instant, une voiture stoppa net à côté d'eux et Adam regarda le conducteur, un grand homme à moustache noire, jaillir de son siège et leur couper le chemin.

Le jeune garçon prit une attitude défensive, mais l'homme se contenta d'un regard interrogateur avant d'empoigner un paquet sur le siège du passager et de l'emporter dans une boutique voisine. Adam laissa échapper le soupir qu'il retenait et jeta un nouveau coup d'œil par-dessus son épaule. L'homme s'était rapproché.

Le conducteur avait laissé le moteur allumé…

– Montez ! s'écria Adam.

Il poussa Duncan à l'intérieur de la voiture et aida Morag à grimper sur la banquette. Il claqua la portière derrière lui et la verrouilla. Dans le rétroviseur, il vit leur poursuivant s'interroger sur leur disparition puis comprendre où ils avaient trouvé refuge.

Adam commença à s'affoler, se maudit de les avoir enfermés dans ce qui devenait une cage. Il était assis côté passager, Duncan à sa gauche, les mains crispées sur le volant. Ils n'iraient pas loin comme ça, se dit-il, vu qu'aucun d'eux ne savait conduire.

– Moi si ! glapit Duncan, interceptant le flot de pensées d'Adam. Je sais comment on fait.

– Quoi ? s'exclama Adam.

– Tu es sûr ? demanda Morag.

– J'ai lu un livre, dit Duncan.

Adam le connaissait depuis peu, mais le garçonnet ne cessait de l'étonner par ses capacités. Avec l'homme qui tambourinait contre le toit de la voiture, ce n'était pas le moment de les mettre en doute.

– Vas-y ! ordonna Adam.

Le moteur hurla lorsque Duncan, étirant les jambes, appuya sur la pédale d'accélérateur et actionna l'embrayage. Il desserra le frein à main et se tordit tout entier afin de tourner le volant tandis que la voiture bondissait sur la chaussée dans un crissement de pneus.

L'œil rivé sur le rétroviseur, Adam vit leur poursuivant renvoyé dans le caniveau, le moustachu se précipiter hors de la boutique et lui porter secours, puis les deux hommes se lancer à leur poursuite.

Adam regarda Duncan penché en avant, la tête à peine plus haute que le volant.

– Fonce autant que tu veux, lui dit-il.

Même si Duncan avait lu et mémorisé le manuel avec une extrême attention, savoir en théorie comment il fallait s'y prendre et rouler réellement dans une rue espagnole pleine d'animation étaient deux choses bien différentes.

Rachel, Gabriel et les jumeaux français furent stupéfaits puis horrifiés lorsque la Seat rouge, toujours en seconde, les dépassa dans un hurlement. Conduite par le garçon de huit ans qui ne maîtrisait pas la direction, la voiture percutait continuellement le trottoir et renversait des poubelles. Rachel aperçut son frère à travers le pare-brise, le visage terrifié – il oscillait de gauche à droite et se cramponnait au tableau de bord, les bras raidis –, Morag ballottée d'un bout à l'autre de la banquette arrière, et deux hommes furieux courant au milieu de la chaussée, le poing brandi et l'insulte aux lèvres.

– Adam !

– Hou !

Lucas lança des moqueries dans un anglais teinté d'accent français et son frère siffla et sauta en l'air tandis que la voiture poursuivait au loin sa trajectoire sinueuse.

– Trop cool !

Tous deux entreprirent aussitôt de rattraper le véhicule. Rachel et Gabriel tâchèrent de ne pas perdre trop de terrain. À quelques rues de distance, une sirène de police se mit à mugir.

– Arrête ! cria Adam, qui saisit le volant, mais le pied de Duncan continuait à écraser la pédale d'accélérateur.

Le jeune garçon donna un coup de volant vers la droite et la voiture enfila une autre rue, frôlant un kiosque à journaux dans l'angle. Adam voulut redresser, mais ils roulaient trop vite, le moteur emballé. Chaque fois qu'il braquait d'un côté, il devait ensuite braquer de l'autre pour compenser, si bien que la voiture heurtait le trottoir et crissait contre la carrosserie des véhicules stationnés.

– Attention ! hurla Morag alors qu'un taxi arrivait en sens inverse.

Le mur blanc d'un garage orné du Bibendum Michelin se dressait entre les voitures en stationnement.

Le taxi se rapprochait.

Apercevant l'entrée du garage, Adam vira de nouveau vers la droite. Duncan lâcha le volant et ferma les yeux. Adam tira de toutes ses forces sur le frein à main et la voiture dérapa, bondit sur le haut trottoir et tamponna le grand mur blanc.

Pendant quelques secondes, ce fut le silence. Puis…

– Vite ! *Ven aquí !* Venez là, sortez !

Adam entendit la voix bienveillante par-dessus le sifflement du radiateur percé alors que la portière s'ouvrait brusquement. À travers le pare-brise fracassé se dessinait le visage souriant du Bibendum. Adam et les petits jumeaux sortirent de l'épave, étourdis mais indemnes.

– Ça va aller.

La voix appartenait à un petit homme soigné vêtu d'une blouse blanche de magasinier. Il emmena Adam, Morag et Duncan en face, jusqu'à une boutique surmontée d'une pancarte où figurait un unique mot en lettres d'or :

Quelques minutes plus tard, le policier examinant la voiture irréparable se demanda pourquoi il y avait aussi peu de témoins. Seuls deux garçons français revêches semblaient avoir vu l'accident, et ils se contentaient d'exprimer leur incompréhension narquoise à chacune de ses questions.

Puis deux Espagnols hors d'haleine débouchèrent au coin de la rue.

– Ils m'ont pris ma voiture pendant ma livraison, dit l'un.

L'autre hocha la tête.

– Je servais un client quand ce petit excité m'a volé des bananes, déclara-t-il.

Lucas et Loïc s'éloignaient déjà sans attirer l'attention, soulagés que l'explication soit aussi simple et que l'incident n'ait pas tourné au drame. Ils allaient bien rire aux dépens du garçon américain : cet idiot avait juste oublié de convaincre le marchand qu'il avait payé !

# 30

À leur arrivée, Rachel et Gabriel trouvèrent Lucas et Loïc en train de quitter les lieux de l'accident. Le premier sourit et, de son poing droit dans sa paume gauche, mima une collision. Le deuxième assura les effets sonores : crissements de pneus, bruits d'explosion, sirènes de police et, pour des raisons connues de lui seul, tirs de mitraillette.

– Génial ! conclurent-ils en chœur, l'air ravis.

– Où est mon frère ? voulut savoir Rachel. Et les petits ?

Lucas la dévisagea un instant, puis indiqua du menton la rangée de boutiques en face. Ils traversèrent la rue. Entre un commerce de paniers tressés et un magasin à la vitrine remplie de jambons fumés, il y avait un local plus étroit. Dans sa devanture s'entassaient des pots de formes et de tailles variées dont le contenu, captant la lumière, prenait mille nuances dorées. Sur la porte en verre était gravé un minutieux dessin d'abeille, avec les mots *Abeja* et *Miel* en écriture script à l'ancienne.

– Abeille, peut-être ? supposa Rachel.

– Et miel, comme en français, compléta Lucas.

– C'est là, déclara Gabriel.

Il poussa la porte et pénétra dans la boutique.

Un homme en blouse blanche les attendait. Il se tenait immobile au milieu de la pièce et, lorsque le jeune garçon aux yeux verts franchit le seuil, la joie éclaira son visage. Il s'avança vers Gabriel d'un pas résolu, les mains tremblantes, s'armant de courage pour le saluer d'un baiser. Puis, semblant se raviser, il lui tapota le bras et, d'une voix légèrement nerveuse, se présenta :

– Je suis señor Abeja.

L'homme n'était plus tout jeune, il devait approcher de la cinquantaine, mais avec sa peau olive presque sans rides et ses joues rasées de près autour de sa barbiche, il donnait plutôt l'impression d'un garçon vieillissant. Il avait des épaules tombantes sous une petite tête et, à l'extrémité des jambes de son pantalon au pli marqué, des chaussures noires et fines de danseur pointaient.

– Je savais que vous arriviez, dit-il dans un bon anglais, quoique timide. J'ai rêvé de l'accident de voiture. J'ai vu l'adolescent américain et les petits jumeaux…

– Où sont-ils ? l'interrompit Rachel, qui se demandait toujours s'ils étaient sains et saufs.

Señor Abeja regarda la jeune fille pour la première fois.

– Excusez-moi, la pria-t-il. Ils sont à l'arrière. Indemnes. Juste un peu secoués par le choc.

Des pots emplissaient le local du sol au plafond : le miel était liquide dans les uns, cristallisé dans les autres, accompagné de cire parfois. Le minutieux dessin d'abeille était imprimé sur chacun et une étiquette manuscrite portait le nom de la plante qui avait produit le pollen : thym, fleur d'oranger, romarin. Du matériel apicole – tamis, enfumoirs, etc. – s'entassait contre les murs auxquels pendaient des voiles de toutes dimensions et un assortiment de chapeaux et de gants d'apiculteur.

– Venez, dit señor Abeja.

Il ouvrit une porte branlante au fond de la boutique : dans une cuisine minuscule, Adam, Duncan et Morag, assis à une table, buvaient dans de petits verres.

– Je leur ai servi du jus de citron avec du cognac et du miel. Un bon remontant.

– Coucou frangine, dit Adam.

Rachel se précipita vers son frère. Il était très pâle et elle voyait du sang sur son menton.

– Ça va ? lui demanda-t-elle.

Elle regarda Morag et Duncan.

– Et vous, les petiots ?

Les jumeaux firent oui de la tête.

Gabriel se tourna vers Adam.

– Que s'est-il passé ?

– Un type nous suivait, répondit Adam. Je ne sais pas si c'était quelqu'un de la cellule Espoir ou un des… autres.

Il s'aperçut que les garçons français souriaient.

– Quoi ? leur lança-t-il.

– Les bananes, dit Lucas.

– Les bananes, répéta Loïc.

Ils ne semblaient plus s'inquiéter de bloquer la traduction.

– Tu as oublié de « payer » les bananes.

– Oh ! s'exclama Adam, et il devint écarlate.

Gabriel s'approcha et lui mit une main sur l'épaule.

– La vigilance ne peut pas nuire, dit-il.

– Euh…

Adam caressa la petite coupure à son menton, puis frotta la bosse sur sa tête et baissa les yeux vers la table pour dissimuler sa gêne.

Rachel fit un pas dans sa direction et, taquine, pianota sur son crâne.

– C'est ce qui arrive quand on laisse un diablotin se déchaîner au volant ! plaisanta-t-elle.

– Il a juste besoin de s'entraîner, affirma Morag, et tous éclatèrent de rire.

La maison de señor Abeja se trouvait quelques rues plus loin. Après avoir regardé par sa vitrine une dépanneuse emmener la Seat accidentée, il ferma sa boutique pour le restant de la journée et conduisit les sept compagnons à travers les ruelles étroites.

– Personne ne sait que nous sommes ici, à mon avis, lui dit Gabriel.

– Je le sais, moi. Donc d'autres gens sont susceptibles de le savoir. Mais vous serez à l'abri quelque temps dans ma maison.

Alors que les garçons français poussaient une bouteille en plastique vide sur les pavés de la chaussée déserte, señor Abeja s'arrêta devant un portail vert et, à l'aide d'une clé, ouvrit un petit vantail découpé dedans. Rachel leva la tête vers les fenêtres aux volets clos, reliées par un réseau de fils téléphoniques qui s'étendait en hauteur de chaque côté de la rue. Les bâtiments semblaient endormis et ne révélaient aucune activité de l'extérieur.

Rachel étouffa une exclamation lorsque señor Abeja les invita, au-delà du petit vantail, dans un fabuleux patio carrelé. Elle fit entrer Morag et Duncan, puis suivit leur hôte. Des escaliers apparents, dont les balustrades en métal ouvragé s'incurvaient telles des branches et des racines, montaient vers des balcons étagés blanchis à la chaux. Des palmiers, des plantes grimpantes et rampantes donnaient aux lieux un aspect verdoyant, comme si une jungle secrète se cachait à quelques mètres des ruelles animées.

Au centre de la cour, neuf ruches bourdonnaient tranquillement dans le calme de l'après-midi.

– Mes abeilles, souligna señor Abeja avec fierté, pendant que Gabriel et les trois paires de jumeaux contemplaient le merveilleux patio. Je vais vous présenter ma mère. Ensuite, vous pourrez vous reposer, puis nous dînerons tous ensemble.

– Très bien ! approuva Adam.

Comme Rachel et lui s'engageaient dans l'escalier en direction du premier étage, ils remarquèrent, ornant les petits carreaux de part et d'autre, le symbole du triskèle.

Laura Sullivan marcha vers le bureau de Van der Zee dans l'état d'esprit d'une écolière qui se prépare à braver l'orage. Le pire de tout, c'était qu'elle allait devoir parler.

Les jumeaux et leur mystérieux compagnon avaient été repérés à Madrid. Des agents de la cellule Espoir postés en Espagne avaient capté une radio de police signalant un accident (une voiture conduite par un garçonnet, semblait-il) et vite transmis la nouvelle. Dès que Laura avait eu connaissance du rapport et du lieu, elle s'était sentie sûre de l'endroit vers lequel se dirigeaient les adolescents et leur groupe. Elle était retournée en hâte examiner sur son ordinateur la ligne qui serpentait depuis l'Écosse à travers plusieurs autres pays, et sa certitude avait été complète. Ce n'était pas leur destination ultime (la question restait discutable) mais c'était à coup sûr leur prochaine étape.

Elle en aurait mis sa main au feu.

Van der Zee l'avait convoquée presque aussitôt. Il s'était montré enthousiaste et insistant : maintenant que Laura possédait un autre élément du puzzle, il attendait un tableau beaucoup plus net de la situation.

Il attendait des réponses.

À l'approche de son antre, elle ralentit et prit une longue et profonde inspiration. Elle pensa à Rachel, à Adam et au garçon aux yeux verts. C'était le moment de décider.

Que fallait-il révéler ? Fallait-il même révéler quelque chose ?

# 31

Señora Abeja était une femme replète et affairée, vêtue de noir de la tête aux pieds. Elle aurait paru sévère, voire effrayante, si elle ne s'était pas teint les cheveux en une invraisemblable couleur orange. Rachel supposa qu'elle avait à peu près l'âge de sa propre grand-mère décédée récemment et sourit en secret : la vieille dame lançait des instructions à son fils dans un espagnol crépitant comme des tirs de mitraillette tout en agitant ses doigts arthritiques.

– Salvador, va chercher une nappe propre. Le joli linge, Salvador, et apporte du vin par la même occasion. Le bon *Rioja*... la *Reserva* ! Salvador, coupe du jambon. L'*Iberico*, Salvador... il nous faut le meilleur ; et des tranches fines, s'il te plaît : tes tranches sont toujours trop épaisses...

Assis autour de la table dans le salon de señora Abeja, les jumeaux regardaient, amusés, le quinquagénaire obéir aux ordres de sa mère. Il avait mis un élégant costume gris et un nœud papillon, et il tirait sur sa barbiche ou tortillait l'extrémité de ses moustaches tandis qu'il vaquait à ses multiples tâches.

Il jetait des coups d'œil nerveux du côté de Gabriel, glissait des œillades à Rachel et pinçait les joues de Morag et Duncan à mesure qu'il garnissait la table de jambon, de vin, d'olives et de pain. Le repas fut prêt. Les jumeaux français s'étaient plantés devant une bruyante émission de jeux télévisés, mais la nourriture, magnifiquement disposée sur de grands plats en bois, les attira.

Seul Gabriel demeurait à l'écart, plongé dans ses pensées sur le balcon voisin. D'une main timide, señora Abeja lui demanda de rentrer, faisant le geste de s'alimenter, puis elle s'enhardit et le gratifia de diverses bénédictions incohérentes. Pour finir, elle l'empoigna, lui plaqua le visage contre sa poitrine et lui déposa une série de baisers sur la tête. Gabriel sembla extrêmement soulagé lorsqu'il fut assis et que chacun eut commencé à manger.

Rachel interrogea señor Abeja sur ses abeilles et parla de leur ami anglais, Jacob Honeyman, apiculteur de métier. Abeja ne manifesta aucun étonnement, comme si tout le monde avait des amis apiculteurs. Il leur apprit, enthousiaste, que l'Espagne avait la plus importante population d'abeilles d'Europe : près de sept cents milliards.

– Ce qui fait environ dix-huit mille abeilles par habitant.

Morag étouffa une exclamation.

– Où est-ce que les gens les mettent ? demanda-t-elle.

Abeja éclata de rire.

– Saviez-vous que les toutes premières traces d'activité apicole se trouvent ici en Espagne ?

Tous répondirent par la négative, buvant ses paroles.

– C'est vrai, continua-t-il. Des peintures rupestres vieilles de huit mille ans en témoignent.

– Des peintures d'abeilles ? s'émerveilla Morag.

Abeja confirma. Puis il se tourna vers Gabriel et son enthousiasme s'effaça en un instant. Il parut soudain triste, abattu.

– Mais depuis quelques années, les abeilles meurent…

– Pourquoi ? s'informa Rachel.

Abeja haussa les épaules et expliqua que des colonies entières étaient frappées par une mystérieuse maladie nommée *desabejacion* : le syndrome d'effondrement. La faute aux pesticides selon certains, ou encore aux ondes de téléphonie mobile. D'autres encore soutenaient que l'homme moderne avait causé des dommages irréparables à l'écosystème.

– Guère étonnant, observa Gabriel.

Abeja secoua la tête avec chagrin et leur dit que quarante pour cent des abeilles espagnoles avaient été anéanties.

– Ce fléau détruit mon gagne-pain, et si la situation s'aggrave, il détruira tout.

– Tout ? répéta Adam incrédule.

Lucas regarda son frère d'un air également sceptique.

– Je ne comprends pas… avoua-t-il.

– C'est assez facile à comprendre : sans les abeilles, il n'y a pas de pollinisation, exposa simplement Abeja. L'abeille assure notre nourriture. C'est la seule espèce animale qui travaille pour que nous puissions manger. Si les abeilles disparaissent, en l'espace de quatre ans, la vie cessera sur cette planète.

Ce fut la conversation qui cessa : le silence descendit comme une ombre. Señora Abeja finit par le rompre. Elle taxa son fils de catastrophisme lamentable et encouragea chaleureusement les jeunes invités à poursuivre leur repas.

Adam se pencha vers Rachel et chuchota :

– On pourrait toujours manger de la viande, non ? Si toutes les abeilles… tu sais ?

– J'imagine, répondit Rachel.

– Sauf que… les animaux, ils mangeraient quoi, eux ?

– J'ai l'impression qu'il faudrait renoncer aux téléphones portables…

Le deuxième verre de bon vin rouge servi par señor Abeja rayonna dans tout le corps de Rachel. Elle sentit ses joues s'empourprer tandis qu'elle reprenait des savoureux mets disposés devant elle : du riz jaune dans un immense plat en argile, de minuscules poivrons grillés, des boulettes de viande et des cuisses de poulet croustillantes. Les jumeaux français dévoraient avec bruit et grand plaisir, tout comme Adam. Grâce au vin, le jeune garçon se montrait encore plus bavard que d'ordinaire.

– Je n'ai jamais aussi bien mangé, affirma-t-il.

– *Gracias*, dit señora Abeja.

– Délicieux ! renchérit Morag.

À côté d'elle, Duncan hocha la tête, la bouche pleine.

– Meilleur que la gastronomie française, reprit Adam.

Lucas abandonna un instant sa cuisse de poulet et fit un geste du doigt qu'Adam choisit d'ignorer.

– Un toast ! lança-t-il, levant son verre de façon théâtrale. À l'Espagne !

Morag leva son verre aussi, même s'il ne contenait que de l'eau.

– Le pays que je préfère au monde, annonça-t-elle. Jusqu'à présent.

Tous participèrent au toast, même Lucas et Loïc, qui exprimèrent de mauvaise grâce leur sympathie pour le pays.

– Mieux que l'Angleterre, en tout cas, marmonna Loïc à son frère, en français.

– Ou que l'Amérique, ajouta Lucas.

Señor Abeja et sa mère sourirent, enchantés que leurs invités d'honneur apprécient autant leur hospitalité. Señora Abeja rougit jusqu'aux racines de ses cheveux orange et son fils leur souhaita la bienvenue à tous.

Il se tourna vers Gabriel.

– Vous en particulier, lui assura-t-il.

Gabriel ne semblait pas vraiment attentif. Désireux de fêter quoi que ce soit. Rachel pensa que le vin l'avait peut-être affecté lui aussi. Il parut soudain égaré, ses yeux verts se mirent à errer alors qu'il se dressait et disait, pour lui-même plus que pour autrui :

– Écoutez-nous tous… qui bavardons joyeusement. Qui nous entendons à merveille.

Rachel percevait la colère en train de le gagner. Elle se pencha et lui posa une main sur le bras, mais il ne remarqua rien, à l'évidence.

– C'est ce pour quoi nous existons, ce pour quoi nous devrions exister, du moins. La bonté des étrangers. Des gens qui ne pensent pas uniquement à eux, mais qui pensent aux individus comme partie d'un ensemble.

À l'autre bout de la table, les jumeaux français échangèrent un regard. Rachel lut leurs pensées, devina leur confusion alors que Gabriel poursuivait, résolu :

– Des gens tels que señor et señora Abeja, qui agissent comme les abeilles qu'ils soignent et aiment tant. Travailler pour que les autres puissent survivre. Œuvrer pour le bien de la ruche, toujours.

Rachel crut voir des larmes inonder les yeux de Gabriel – juste une seconde avant que sa voix se réduise à un murmure et qu'il baisse le front vers la table.

– Nuire à l'une d'elles, c'est leur nuire à toutes, déclara-t-il. Nuire à l'un de nous… c'est nous nuire à tous.

Le visage de señor Abeja était redevenu grave. L'homme toussa et ouvrit la bouche pour parler, mais un regard de Gabriel lui signifia qu'il devrait attendre.

– Nous nuire à tous…

Après quatre baisers sur les joues de chacun d'eux, la vieille dame alla se coucher, leur lançant un « *Buenas noches !* » rauque tandis qu'elle montait l'escalier.

Señor Abeja accompagna ses jeunes invités jusqu'à leurs chambres. Rachel installa les jumeaux écossais dans deux petits lits non loin du palier. Pendant que les garçons français et Adam engageaient une course bruyante vers le dernier étage, señor Abeja introduisit aimablement la jeune fille dans la pièce voisine.

– J'espère que vous serez à l'aise ici, Raquel, lui dit-il. C'était la chambre de ma grand-mère.

Rachel considéra le lit en bois sculpté, la belle épaisseur de couvertures et le jeté en dentelle.

– J'en suis persuadée, répondit-elle, tâchant de paraître convaincue.

Abeja indiqua des vêtements et des couvertures empilés sur la commode en bois dans l'angle.

– Vous les emporterez quand vous partirez. Il faut que vous preniez soin des bambins : vous êtes une mère pour eux. Et vous devez prendre soin de Gabriel aussi. Vous avez une grande… responsabilité.

Rachel hocha la tête, tout en pensant que ce n'était pas juste. Qu'elle ne le voulait pas.

Señor Abeja lui souhaita une bonne nuit et, alors qu'il l'embrassait légèrement sur les deux joues, ses moustaches lui chatouillèrent le visage. Puis il ouvrit un placard et en sortit deux livres dont il lui fit cadeau. L'un semblait presque neuf : *Tout sur les abeilles* de Salvador Francisco Ortiz Abeja. L'autre, beaucoup plus vieux, à reliure de cuir, tombait en morceaux. Un triskèle d'or figurait sur le dos. *Les Églises anciennes de Séville*.

– Merci, dit Rachel, un peu embarrassée.

Quelques minutes plus tard, calée contre les oreillers de plumes, Rachel ouvrit le livre récent et se mit à parcourir les schémas d'abeilles. Les dessins étaient méticuleux, délicats, et elle pensa que Jacob Honeyman les aurait adorés. Elle lut sans difficulté le texte en espagnol sur la communication des abeilles, leurs danses rituelles énigmatiques. Elle s'arrêta sur un passage expliquant que toutes œuvraient pour le bien de la ruche, comme l'avait décrit Gabriel, et bientôt, elle glissa dans un profond sommeil.

# 32

*Le roulement du tambour enfle alors que la procession traverse lentement la place. C'est dimanche, pour que chacun puisse être présent. Le roi lui-même a donné l'ordre de venir. C'est obligatoire. C'est un acte de foi. L'absence sera un signe de culpabilité, punissable comme ces pauvres gens vont être punis.*

*Il ne fait pas froid, mais la petite fille frissonne à l'arrivée de la parade. Un terrible serpent sinueux, dont le corps noir se compose des robes suantes des chevaux et des manteaux des hommes, dont les narines émettent des volutes de fumée et dont les yeux brillants sont les flammes des torches.*

*Les pas qui s'approchent secouent le corps de la fillette en mesure avec son pouls. Elle a l'impression que son cœur va éclater lorsque les clairons sonnent et que le premier cheval noir se présente. Elle entend son hennissement pressant, voit l'éclat de ses yeux farouches et de ses dents. Elle sent les gouttelettes de sa salive écumante lui éclabousser le visage quand il secoue la tête.*

*L'homme sur le cheval, la chemise déchirée, est torse nu. Il a les mains attachées dans le dos et se tord de douleur tant les soldats qui l'encadrent le lacèrent avec leurs fouets. Il est suivi d'un autre homme, puis d'une femme, et de trois autres personnes. Leurs visages à tous sont des masques de douleur, car les soldats leur assènent des coups sans merci.*

*Voilà ce qui arrive à ceux qui aident le Voyageur, qui croient ses discours. Qui deviennent son ami.*

*La fillette enfouit son visage dans le tissu grossier des jupes maternelles. Son frère jumeau fait pareil. Ils perçoivent la chaleur des jambes de leur mère et tentent de humer le parfum de son corps, dans l'espoir qu'il les emportera loin de cet affreux endroit.*

*La petite fille entend la foule rugir, et ne peut s'empêcher de regarder.*

*Voici le Voyageur lui-même, hissé et ligoté sur un siège en bois. Il est forcé de tenir une bougie verte noueuse dans une main et un collier de perles entre les doigts de l'autre. Enfoncé sur sa tête, un chapeau pointu décoré de soleils, de lunes et d'étoiles lui donne l'allure d'un terrible clown tragique.*

*Un collier d'acier relié au dossier du siège lui maintient la tête droite et il a un bâillon rouge dans la bouche. Les autres peuvent parler, crier de douleur. Ils peuvent faire cesser la flagellation s'ils hurlent qu'ils reconnaissent leur culpabilité et ainsi échapper au bûcher.*

*Mais personne ne veut prêter l'oreille au Voyageur.*

*Le roi et les prêtres ont assez entendu ses idées ridicules et pernicieuses. Ils ne veulent plus entendre que l'Univers est infini, que la Terre n'est ni plate ni unique.*

*Ils en ont assez vu de sa sorcellerie et de ses pouvoirs de « guérison ».*

*La petite fille lève la tête. Elle voit les larmes rouler sur le visage de sa mère quand le Voyageur passe. Ses yeux à lui, verts et calmes, sont dénués de peur. Elle entend sa mère sangloter et murmurer des bénédictions. Elle sait que sa mère se rappelle la bonté de l'étranger ; se rappelle qu'il l'a guérie quelques années auparavant et a fini par devenir tout sauf un étranger.*

*La fillette se souvient qu'après sa naissance et celle de son frère, son propre grand-père a été parmi les premiers à dénoncer l'homme qui lui avait donné des petits-enfants. À l'accuser de sorcellerie et d'hérésie ; de magie noire. Ce même grand-père qui, maintenant, marche au sein de la lugubre procession et aide à placer le siège sur le bûcher, puis ajoute sa propre torche à l'immense feu.*

*La petite fille et son frère pleurent tandis que la chaleur des flammes leur roussit le visage et que l'épouvantable odeur leur envahit la gorge.*

*Comme le feu le dévore, le Voyageur tend une main vers ceux qui l'ont condamné, vers ses propres enfants condamnés à le regarder mourir. La petite fille voit son père, voit l'amour dans les yeux de son père. Mais autour d'elle, elle ne voit que des regards assoiffés de sang.*

*Elle saisit la main de son frère et s'enfuit…*

Il était évident que Salvador Abeja aurait été heureux de voir ses invités rester bien davantage. Il n'avait visiblement aucune hâte de retourner dans sa boutique. Le lendemain matin, lorsque Gabriel annonça, après un petit déjeuner tardif (café au lait, pâtisseries et oranges pressées), qu'il était temps de partir, l'Espagnol se rembrunit.

– Vraiment ?

– Oui, confirma Gabriel. Nous avons beaucoup à faire.

Pendant que les jumeaux bouclaient leurs bagages, Abeja l'entraîna dans un coin tranquille du patio.

– Séville est à cinq cents kilomètres d'ici. Comment pensez-vous y aller ?

– Par le train, ou alors par l'avion, il n'y a qu'une heure de vol…

Abeja secoua la tête et chuchota d'un air de conspirateur :

– Des gens vous cherchent, n'est-ce pas ?

Gabriel fit signe que oui.

– Eh bien, ils pourront toujours prendre le même train que vous. Le même avion. Et vous serez faits comme des rats.

– Nous ne sommes pas sans défense, répliqua Gabriel.

– N'empêche…

Gabriel lut l'inquiétude sur le visage de l'homme.

– Quelle est votre idée ? lui demanda-t-il.

Une fois leurs sacs prêts, ils suivirent tous Abeja jusqu'à un vieux garage en bois à l'arrière de sa maison. S'y entassaient du matériel apicole ancien et des caisses de miel attendant d'être expédiées. Un gros véhicule recouvert d'une toile goudronnée poussiéreuse était garé au milieu.

– Voici le meilleur moyen, déclara Abeja.

Il ôta la bâche et révéla un fourgon bleu très sale.

– Je l'ai acheté dans ma jeunesse. Je faisais beaucoup de livraisons à une époque.

– Ce qui explique la… décoration, dit Adam, le doigt pointé vers la grande peinture à demi écaillée d'une ruche sur le côté et l'énorme abeille en plastique sur le toit, juste au-dessus du pare-brise.

– En effet. Son moteur fonctionne toujours. Il vous transportera jusqu'à Séville. Je n'en ai plus véritablement l'utilité.

À ces mots, Rachel vit la tristesse dans ses yeux et se rappela ses propos de la veille sur les colonies décimées. Elle se demanda quelle était l'ampleur de ses difficultés financières et combien de temps encore il pourrait poursuivre son activité. Elle s'approcha et lui prit le bras.

– Merci, dit-elle.

Il parut s'égayer soudain :

– Je vous en prie !

Il montra le fourgon.

– Il ne passe pas tout à fait inaperçu… mais c'est le meilleur moyen.

– Qui va conduire ? lança Adam.

Duncan s'empressa de lever la main.

– Je ne crois pas, lui dit Gabriel.

Les jumeaux français discutaient à voix basse, et au bout de quelques instants Lucas prit la parole :

– On sait conduire. On pourra se relayer au volant.

– Vous avez quel âge ? se renseigna Adam. Seize ans ? C'est l'âge légal en France ?

Lucas haussa les épaules.

– Légal, illégal, qu'est-ce que ça change ? On conduit bien.

Gabriel approuva en silence. Les jumeaux commencèrent à charger leurs bagages et à grimper dans le véhicule. Pendant qu'ils se chamaillaient pour savoir qui allait s'asseoir où, Abeja retourna vite dans la maison, affirmant que sa mère voudrait leur dire au revoir. Ils revinrent ensemble et il y eut des adieux déchirants : Morag versa toutes les larmes de son corps tandis que la vieille dame l'étreignait et lui caressait les cheveux, et Rachel s'efforça d'empêcher sa lèvre de trembler alors qu'elle remerciait une nouvelle fois Abeja. Même Adam avait la gorge nouée lorsque le fourgon sortit dans la ruelle ramenant à la rue principale, et tous tendirent le cou pour faire signe à l'apiculteur et à sa mère.

– Quelle direction ? demanda Lucas, qui conduisait en premier.

Gabriel se mit à déplier la grande carte que señor Abeja lui avait donnée, puis s'interrompit lorsque Duncan s'éclaircit la voix sur le siège derrière lui.

Morag se pencha et lui tapota l'épaule.

– On n'a pas besoin de carte, dit-elle.

– Roule vers le Paseo de Santa María de la Cabeza, dit Duncan. Cinq cents mètres plus loin, suis la sortie Tolède, et deux kilomètres après, tourne sur l'A42. Encore deux kilomètres puis tu prends la bretelle et la sortie six pour accéder à la M40, ensuite…

Adam, Rachel et Morag commençaient à glousser. Lucas leva la main. Il attendit que Duncan s'arrête, puis s'inclina vers le tableau de bord et entreprit de manipuler le vieil autoradio pour trouver de la musique.

– Dis-moi juste où tourner, lui recommanda-t-il.

Deux heures plus tard, ils roulaient à bonne allure sur la principale voie express traversant l'Andalousie. Il y avait de la circulation, et le paysage devenait plus verdoyant et vallonné au fil des kilomètres, plus méridional et inondé d'une lumière dorée à mesure que le soleil baissait dans le ciel de l'après-midi. Sur la banquette arrière, Rachel regardait par la vitre et laissait ses pensées vagabonder, danser au rythme des ratés incessants du moteur. Des voix résonnaient dans sa tête, s'emmêlaient comme les boucles d'une bande magnétique tordue.

Sa mère. Abeja. Gabriel.

*Je vais bien, ma chérie. Je te le promets.*

*Vous avez une grande responsabilité.*

*Êtes-vous prêts à vous battre ?*

Tout était calme dans le fourgon. Excepté quelques bribes de conversation, personne ne disait grand-chose depuis qu'ils avaient quitté Madrid pour pénétrer dans la campagne. Rachel était très frappée par le mutisme de Morag. Elle sentait une immense appréhension irradier des deux petits jumeaux, et elle se demanda si ce n'était pas leur plus long trajet en voiture depuis la dramatique poursuite avec leurs parents cinq ans plus tôt. Rachel savait qu'en se concentrant, elle aurait pu distinguer les images dans l'esprit de Morag et de Duncan, mais ç'aurait été une intrusion. Elle croyait bien les deviner, de toute façon.

L'eau noire et les algues vertes, et les phares de la voiture qui plongeait dans les profondeurs. Les silencieux appels au secours.

Adam avait essayé de les dérider un peu. Il leur avait décrit les jeux qu'ils faisaient autrefois, lui et Rachel, pendant les longues heures en voiture avec leurs parents.

Les devinettes et les concours idiots entre New York et le Connecticut ou le long de la côte Est.

– Jouons à repérer le plus de voitures de la même couleur, par exemple rouges et bleues. Le premier qui arrive à dix voitures rouges et dix voitures bleues gagne, d'accord ?

– Qu'est-ce qu'on gagne ? avait demandé Morag sans enthousiasme.

– C'est juste pour s'amuser, lui avait expliqué Adam. S'amuser, entendu ?

Adam s'était mis à compter les voitures tout haut, mais avait abandonné devant l'absence de participants, et Morag s'était couchée sur la banquette. Une demi-heure après, alors qu'Adam s'assoupissait lui aussi, Duncan avait soudain annoncé :

– On a doublé dix-sept voitures bleues et quatorze rouges, y compris des camions et des cars. Il y a eu trente-six autres voitures d'une autre couleur, blanches le plus souvent.

Quand il avait commencé à réciter les plaques d'immatriculation de chaque véhicule, Adam l'avait déclaré vainqueur et champion incontesté. Depuis, plus personne n'avait parlé.

Rachel avait dû s'endormir. Lorsqu'elle rouvrit les yeux, elle avait froid et le ciel était piqueté d'étoiles. Ils avançaient sur une route déserte sans éclairage. Loïc conduisait désormais, et comme l'intérieur du fourgon était plongé dans une obscurité quasi complète, la jeune fille ne savait pas bien si quelqu'un d'autre était réveillé. Puis elle entendit Adam soupirer et, à l'avant, Lucas chuchota quelque chose à son frère.

– Où on est ? demanda Rachel somnolente. On s'est perdus ?

Devant elle, Gabriel leva le bras et pointa le doigt.

– Suis-la, ordonna-t-il.

– Suivre quoi ? demanda Loïc.

– L'étoile…

Loïc scruta le ciel d'un air interrogateur et Rachel se pencha en avant pour faire de même. Une étoile était plus brillante que toutes les autres et il lui sembla que l'astre bougeait un peu pendant qu'elle l'observait. Elle ferma les yeux quelques secondes et regarda de nouveau. Loïc secoua la tête et se mit à grommeler en français.

Adam poussa sa sœur du coude.

– C'est un peu tôt pour Noël, tu ne trouves pas ?

– Suis-la ! répéta Gabriel. On n'est plus très loin.

Rachel regarda par la vitre, mais ne discerna rien. Plus très loin de quoi ? pensa-t-elle.

L'Anglais avait les yeux rivés sur l'écran de son ordinateur. Il relut le message envoyé par l'un de ses fidèles, activa le lien vers le site du journal local *El Telégrafo* et prit connaissance de l'article. La photo montrait que la voiture accidentée était en piteux état, mais le texte disait explicitement qu'il n'y avait pas eu de blessés.

Dommage. Cela lui aurait évité bien des ennuis.

L'auteur du message détaillait ensuite, pour autant qu'il avait pu les reconstituer, les déplacements du groupe pendant le reste de son séjour dans la capitale. C'était un peu tard à présent, bien sûr, mais l'Anglais ne s'attendait pas à avoir la tâche facile.

Il se souvint à quel point il avait été proche dans le métro à Paris. L'expression sur le visage du garçon aux yeux verts. L'air de défi, même après la mise en garde…

Il jeta un coup d'œil au flacon de comprimés sur le bureau. Son supplice devenait presque intolérable en soirée, mais il n'ouvrit pas le récipient. À certains moments, la douleur pouvait servir. Elle lui rappelait ce qui lui avait été infligé et l'aidait à se détacher des légères déceptions.

Il avait donc manqué les Newman à Madrid. Mais il retrouverait vite leur trace. Le nombre de ses fidèles allait croissant ; plus leur effectif augmenterait, plus il serait difficile de leur échapper. Une fois qu'il leur en aurait donné l'ordre, ils s'occuperaient de l'Espagnol importun.

Il y aurait toujours des individus pour essayer d'aider ces adolescents, de leur offrir un asile. Ils étaient déraisonnables, naturellement, et l'Anglais se fixait pour mission de les remettre dans le droit chemin. De les faire payer.

Une demi-heure plus tard, le fourgon s'engagea dans un bruit de ferraille sur un chemin qu'aucun véhicule n'avait dû emprunter récemment. Alors qu'il cahotait et multipliait les embardées, ses roues projetaient des pierres contre ses flancs. Rachel, qui observait par la vitre, ne distinguait toujours rien hormis un océan de ténèbres, une chaîne de montagnes déchiquetées se découpant sur le ciel gris sombre et l'étoile solitaire.

Ils n'avaient pas aperçu âme qui vive depuis des kilomètres.

Le froid s'accentuait dans le fourgon. Morag et Duncan se pelotonnaient l'un contre l'autre et Adam avait mis une veste sur ses épaules. Rachel voyait Loïc frissonner tandis que, penché en avant, il s'efforçait d'identifier quelque chose au-delà des phares du fourgon, d'apercevoir ce qu'il y avait devant leur faible faisceau laiteux.

Sur l'ordre de Gabriel, il avait ralenti le plus possible. Le moteur toussait, comme prêt à s'éteindre d'une seconde à l'autre. Rachel allait demander vers quel coin paumé ils se dirigeaient lorsque Gabriel, lisant ses pensées, se retourna et sourit.

– On est arrivés, annonça-t-il.

Dès que Loïc eut éteint le moteur, Gabriel sauta du fourgon, fit coulisser les portes et aida ses compagnons à sortir. Personne ne semblait très pressé, mais il se montrait d'une patience remarquable ; exceptionnellement détendu, estima Rachel. Son changement d'humeur avait été presque immédiat : le calme l'avait envahi à l'instant même où il avait posé le pied sur le sol.

Rachel sentit sa propre humeur changer aussi vite, mais pour le pire. L'obscurité était presque impénétrable et le froid extrême. D'énormes rochers surgissaient des ténèbres et il était difficile de faire un pas sans trébucher sur le sol inégal. S'ils n'avaient pas respiré un air pur et glacial, ils auraient pu croire qu'ils marchaient sur la Lune.

– Où est-on ? voulut savoir Rachel.

Gabriel se baissa pour ramasser une pierre, la nettoya et la fit rouler au creux de sa main.

– Nous sommes chez les morts, répondit-il.

# 33

– Mais… je croyais que Séville était une grande ville, observa Morag.

Gabriel s'approcha de la porte arrière du fourgon. Il prit des torches électriques et en tendit une à la petite Écossaise, une à Adam et une autre à Loïc.

– Tu as raison. Séville se trouve à une heure d'ici.

– Il fait froid, dit la fillette. Je peux remonter dans le fourgon ?

– Bien sûr. Tiens-toi au chaud.

– C'est quoi, cette histoire ? intervint Rachel.

– Quelle histoire ?

– Où est-ce qu'on est, hein ? demanda son frère.

Rachel ôta la torche des mains de Morag et la braqua sur le visage de Gabriel.

– Qu'est-ce que tu entends par « chez les morts » ?

– Une question à la fois, ce serait bien, répliqua Gabriel.

Il se détourna du faisceau aveuglant et Rachel baissa la lampe. Tous attendaient. Chaque torche brillait désormais dans la direction de Gabriel.

– Ce lieu s'appelle la Sierra Norte. C'est un site protégé. Extraordinaire… expliqua-t-il.

Il fit volte-face et pointa le doigt. Rachel ne comprenait pas par quel prodige il pouvait distinguer quelque chose ; elle ne voyait pratiquement rien.

– Il y a une nécropole de l'âge du bronze à un bon kilomètre de ce côté-là, reprit Gabriel. Une ville des morts.

– Merveilleux, ironisa Adam. Un endroit sinistre, plongé dans le noir…

Gabriel se tourna encore et dressa la tête, comme s'il essayait de saisir une odeur.

– Il y a aussi des grottes. Avec des vestiges préhistoriques. Des peintures du néolithique. Je vous l'ai dit, c'est un site extraordinaire.

Rachel fit un pas vers lui avant de demander :

– Et la raison de notre venue ?

Elle considéra les yeux verts du jeune garçon, qui brillaient dans la lumière des torches, et elle eut la réponse.

– Il te faut donc le triskèle, affirma-t-elle.

– Je n'en aurai pas pour bien longtemps, promit Gabriel.

Dès que Rachel eut sorti l'amulette de son sac pour la lui confier, le jeune garçon se mit en route. Adam agita sa torche et lui cria :

– Et nous, alors ?

– Faites un feu, suggéra Gabriel. Tu n'étais pas chez… comment tu les appelles, déjà… les scouts ?

– Les louveteaux, spécifia Adam. Et je n'ai jamais appris à faire un feu.

– Eh bien, frotte deux brindilles l'une contre l'autre, lui conseilla Gabriel, qui continuait à s'éloigner. Ou bien des vieux os…

Adam ne voyait plus Gabriel. Il leva pourtant la torche et lança dans les ténèbres :

– Ha, ha ! Très drôle !

Laura Sullivan observa Kate Newman qui s'engageait dans le couloir menant à sa chambre. Elle la vit fuir du regard le personnel de sécurité et les membres de l'équipe scientifique qu'elle croisait sur son chemin. Avancer le front baissé.

Même si Kate avait interdiction de quitter les locaux, elle n'était plus enfermée à clé dans sa chambre, et l'administration de drogues avait cessé. Néanmoins, Clay van der Zee avait bien précisé que la médication pouvait reprendre à tout moment. En particulier s'il y avait de nouveaux incidents comme la scène dans la cuisine de M. Cheung ou l'heure passée en pleine nuit à tambouriner contre la porte du bureau, à envoyer des coups de pied et à hurler, jusqu'à ce que les gardes la ramènent de force.

– Je ne peux pas vous laisser vous mettre en danger, avait déclaré Van der Zee. Ni menacer une des personnes que je dirige.

Kate lui avait garanti, ainsi qu'à Laura, que rien de tel ne se reproduirait.

Maintenant qu'elle la regardait marcher avec lenteur mais assurance en direction de sa chambre, l'archéologue se disait qu'elle n'aurait toujours pas aimé s'approcher si cette femme avait eu à portée de main un objet chaud… ou tranchant.

Laura devait choisir son moment avec soin. Elle devait rattraper Kate juste à l'instant où celle-ci entrait dans sa chambre. Laura savait que Kate saisirait la moindre occasion de lui en refuser l'accès.

Et Laura, bien sûr, n'aurait pu le lui reprocher.

Elle pressa le pas sur les derniers mètres et arriva à la seconde même où Kate ouvrait la porte.

– Qu'est-ce que… ? lança Kate Newman.

Laura la bouscula presque au passage et referma la porte derrière elles deux. Elle leva la main lorsque Kate fit volte-face et gesticula, prête à se battre.

– Je vous en prie, arrêtez et écoutez-moi, Kate. Il faut que vous m'écoutiez.

Laura déposa un sac en toile sur le lit.

Kate jeta un bref coup d'œil au sac, ne voulant pas quitter Laura des yeux plus longtemps que nécessaire.

– Qu'y a-t-il là-dedans ? demanda-t-elle.

– Des vêtements de rechange, quelques affaires indispensables.

Laura prit une seconde pour maîtriser sa respiration. Son cœur battait la chamade.

– Votre passeport, termina-t-elle.

Kate plissa les yeux.

– Qu'est-ce qui se trame ?

– J'ai besoin de votre confiance, entendu ? dit Laura, écartant d'un geste l'objection, l'insulte qu'elle sentait venir. Je vous en supplie… il faut que vous suiviez mes instructions à la lettre, sans quoi tout échouera. Je vais vous sortir d'ici.

Kate eut la gorge nouée. Sa voix se réduisit à un murmure.

– Comment ? Comment est-ce possible ?

– J'ai une autorisation officielle, répondit Laura. Obtenue en haut lieu. Je peux nous sortir d'ici. Mais il faut partir immédiatement. Ce soir.

– Où m'emmenez-vous ?

– Retrouver vos enfants.

Lucas et Loïc passèrent dix minutes à regarder Adam rassembler des branches et des feuilles. Puis cinq autres minutes à ricaner pendant qu'il jurait de frustration et frottait en vain des pierres et des brindilles. Lucas, désinvolte, finit par lui jeter un briquet qu'il avait au fond de sa poche depuis le début.

– Oh ! J'avais oublié qu'on en avait un ! prétendit Loïc.

Adam sembla sur le point d'éclater.

Rachel rit jusqu'au moment où elle se souvint qu'elle en possédait un aussi, rangé dans une poche de son sac à dos : elle l'avait acheté dans l'hypermarché de Calais. Adam et elle observèrent les deux grands adolescents qui attisaient le feu.

– Je crois qu'on n'est pas très doués pour ça, reconnut la jeune fille.

Morag et Duncan étaient rentrés dormir sous des couvertures dans le fourgon. Lorsque les flammes furent belles, Adam, Rachel et les garçons français s'assirent autour et se détendirent un peu. Ils burent du café dans les Thermos vieillottes que leur avait données señor Abeja et l'accompagnèrent de provisions qu'il leur avait fournies. Du poisson en conserve et des biscuits. Du fromage fort et d'énormes oranges juteuses.

Loïc et son frère parlèrent de leur vie : une série de tristes foyers d'accueil et des années d'aide sociale ou de surveillance policière.

– Il n'y avait personne pour s'occuper de nous, dit Lucas. Alors il a fallu qu'on se débrouille tout seuls.

Loïc haussa les épaules et cracha un pépin d'orange dans le feu.

– Mais on a toujours été là l'un pour l'autre. Toujours.

Il fit un geste vers Rachel et Adam.

– Pareil pour vous deux, non ?

Les jumeaux américains confirmèrent.

– On a notre mère aussi, dit Adam. Et notre père… même si on ne sait pas où il se trouve.

Il fixa son regard sur sa sœur à travers les flammes.

Ils racontèrent à Lucas et Loïc leur séjour à Triskellion et la période qu'ils avaient passée dans les locaux de la cellule Espoir. Ils expliquèrent qu'on les avait peut-être laissés s'évader afin de suivre leurs déplacements, et décrivirent tous ceux qui étaient à leurs trousses depuis. Les jumeaux français écoutèrent sans manifester la moindre émotion, même lorsque Adam détailla le traitement que Gabriel avait infligé à la statue dorée ou quand Rachel, incapable d'empêcher sa voix de trembler, parla du sinistre moine qu'ils avaient rencontré dans le métro à Paris.

– Ces mystérieux individus auront bien plus de difficultés dorénavant, déclara Lucas.

– Exact, enchaîna son frère, qui coinça une cigarette entre ses lèvres et se pencha pour l'allumer directement dans le feu. Parce qu'à présent, ils auront affaire à nous tous.

– Vous comprenez ? demanda Lucas.

Rachel et Adam répondirent par l'affirmative et serrèrent chacun la main qui se tendait dans leur direction. C'était un geste étrangement solennel, voire un peu maladroit, mais les garçons y mirent force et chaleur, et les poignées de mains se terminèrent seulement lorsqu'un cri déchira les ténèbres.

Adam tenta de dissimuler son inquiétude.

– Un chien sauvage ?

– Non, un gros félin, à mon avis, dit Lucas.

– Un lynx, peut-être, précisa son frère.

– Peut-être ? répéta Adam, se tournant vers Rachel. Tu n'as pas pensé à prendre ton arme magique, je suppose ?

Il y eut beaucoup d'autres éclats de rire autour du feu, mais Rachel jugea l'idée des monstres nettement moins ridicule qu'elle aurait pu la trouver jadis. Après tout ce qu'elle avait vu, tout ce dont elle connaissait désormais l'existence, était-il vraiment plus absurde de croire aux loups-garous, aux vampires ou aux zombies à trois têtes suceurs de sang ?

Même si ça l'était, Rachel savait très bien que le monde réel contenait une foule de monstres ordinaires. Largement plus dangereux et très peu évidents à localiser.

Aucun d'eux n'aurait pu dire avec certitude combien de temps Gabriel s'était absenté, mais soudain il fut de retour parmi eux, assis près du feu et buvant du café comme s'il ne les avait jamais quittés.

– J'ai beau savoir que tu as le don d'aller et de venir en catimini, avoua Rachel, il me semble parfois que tu le fais juste pour essayer de me surprendre.

– Bien observé ! admit Gabriel.

Il sourit, l'air enchanté de voir la magnifique entente qui régnait désormais entre les deux paires de jumeaux.

– On a sympathisé autour du feu, dit Adam.

Il lança un clin d'œil à Lucas et fut ravi d'en recevoir un en échange.

– Alors, tu as pu établir le contact ou faire ce que tu voulais ? demanda-t-il à Gabriel.

– Oui. Deux autres camarades nous rejoindront demain à Séville, annonça-t-il.

Lucas secoua la tête, fit la grimace en regardant son frère.

– De nationalité espagnole ? s'informa-t-il.

– Eh oui, désolé ! répondit Gabriel.

Il sourit de nouveau, ferma les yeux et s'installa confortablement.

– Mais je pensais qu'on allait à Séville dès ce soir, dit Rachel.

– Inutile, assura Gabriel. Vous avez tous mangé, je ne me trompe pas ? Et on a un bon feu.

Il leva une main et montra les environs.

– C'est agréable, par ici. C'est…

– Extraordinaire, je sais, dit Rachel. Sauf que tu oublies les gros félins !

Gabriel se redressa et la dévisagea.

– On est en sécurité ici, je te le promets.

Elle accepta de le croire. À une époque, ç'aurait été naturel, mais c'était devenu un effort.

En sécurité durant une nuit, peut-être. Durant quelques heures au milieu de nulle part. Mais pour le reste de leurs existences, qu'elles se révèlent longues ou courtes, Rachel n'était pas convaincue que l'un d'eux puisse un jour retrouver une vraie sécurité.

Señor Abeja borda sa mère pour la nuit. Il resta près d'elle pendant qu'elle priait, comme toujours, puis il se pencha pour l'embrasser.

– C'était bien d'avoir des invités, Salvador, dit-elle.

– Je sais, répondit Abeja.

– J'ai prié pour eux.

La vieille femme se tourna sur le côté.

– J'ai prié pour qu'il ne leur arrive rien de fâcheux.

Abeja éteignit la lampe dans la chambre de sa mère et descendit lentement l'escalier en direction du patio. Il aimait rendre visite à ses abeilles en fin de soirée. S'il faisait assez doux, il s'asseyait dehors et, avant d'aller se coucher, dégustait un demi-verre de vin rouge accompagné parfois d'un carré de chocolat noir.

C'était une soirée délicieuse et, depuis le balcon du premier étage, il voyait les lumières de Madrid déployées au-dessous de lui. Au bas des marches, il cueillit un citron sur l'arbre planté dans un grand pot. Le fruit était mûr à point. Salvador le mettrait avec le poisson qu'il comptait cuisiner le lendemain pour le dîner.

À mi-chemin du patio, il s'arrêta. Connaissant le moindre recoin, il ne prenait pas la peine d'éclairer, mais même dans la pénombre, il s'aperçut que quelque chose n'était pas normal.

Dans la forme des ruches.

Quelqu'un les avait renversées… piétinées. Abeja se précipita et tomba à genoux. Il ramassa chaque fragment de rayon brisé, l'empreinte boueuse d'une grosse botte bien visible sur la délicate structure. Il posa doucement les morceaux à part et, du bord de la main, poussa les corps des abeilles écrasées pendant que les survivantes grimpaient sur ses bras et ses jambes.

– Abeja, dit une voix derrière lui.

Il se redressa, fit volte-face et demeura immobile de terreur tandis que le personnage sortait de l'ombre.

– Que… que voulez-vous ? bégaya l'apiculteur.

L'homme portait un chapeau noir à large bord et un masque de carnaval lui obscurcissait les yeux. Sa voix était légèrement étouffée par le foulard en soie rouge noué sur son nez et sa bouche.

– Vous auriez dû vous contenter de mettre du miel en pot, déclara-t-il. Dès lors, aucune violence n'aurait été nécessaire.

Abeja reconnut la longue veste jaune de l'intrus, brodée de flammes et de diables dansants. Il savait ce que cette tenue signifiait et ses jambes se mirent à trembler.

– Il ne serait pas arrivé malheur à vos abeilles.

Abeja n'avait nulle part où se réfugier. Il était acculé au mur du patio et il devinait que son agresseur était beaucoup plus grand et plus fort que lui.

– Et il ne vous serait pas arrivé malheur à vous non plus…

Salvador Abeja vit le clair de lune jouer sur le couteau dans la main de l'homme. Il se signa et espéra que sa mère n'avait pas oublié de prier pour lui aussi…

# 34

Au bord du périphérique de Séville, près de la rivière, se dressait une tour d'environ quarante-cinq mètres. Ç'avait été une usine de munitions, destinée à la fabrication des balles. Les gouttes de plomb fondu tombaient d'un chaudron au sommet, se refroidissaient durant leur longue chute et terminaient leur course dans une cuve d'eau tout en bas. La tour était devenue ensuite une chambre noire, une boîte magique ; un périscope associé à un projecteur qui offrait aux curieux postés dans ses hauteurs sombres un panorama vivant sur la cité entière.

L'Anglais repoussa sa capuche et examina l'image laiteuse projetée par les miroirs du plafond sur le large disque blanc. Séville remuait devant ses yeux : des gens se hâtaient comme des fourmis sur la place au-dessous de lui, des dames promenaient des chiens dans le parc et un bateau solitaire voguait avec un bruit de moteur sourd.

L'homme observait la ville depuis l'aube et il resterait jusqu'au crépuscule s'il le fallait. Alors qu'il tournait la manivelle de mise au point et suivait la route d'entrée dans la ville, il se mit à sourire : une aussi longue attente ne serait pas nécessaire. Un très vieux fourgon Volkswagen cahotait sur le périphérique sans jamais quitter la file de droite. C'était un modèle que l'Anglais connaissait bien. Apprécié des surfeurs autant que des hippies, le fourgon Volkswagen avait été son véhicule préféré durant ses propres voyages à travers l'Europe presque trente ans plus tôt. Celui-ci était bleu, orné d'une ruche peinte, et avait une grosse abeille fixée sur le toit.

L'Anglais le regarda longer le parc juste au-dessous de son poste d'observation et, comme s'il avait obéi à ses instructions, se garer sur un emplacement de parking. Il hocha la tête lorsque les portières coulissèrent et que les divers occupants du fourgon apparurent.

Ils étaient sept en tout. Dont trois paires de jumeaux.

L'Anglais sortit son téléphone et, d'un doigt couvert de cicatrices, entreprit de taper un texto.

La première caractéristique de Séville qui frappa Rachel fut les orangers le long des rues et autour du parc. Après l'air froid de la Sierra Norte, l'atmosphère de la ville était douce et ensoleillée, presque annonciatrice du printemps.

Ils avaient tous assez mal dormi. Les garçons français avaient couché à la belle étoile, non seulement parce qu'ils étaient les plus robustes du groupe, mais parce que les autres occupants du fourgon les avaient jetés dehors, en raison de leurs chaussettes et de leurs chaussures malodorantes. Rachel avait passé la nuit dans une position inconfortable, allongée sur la banquette avec Morag et Duncan roulés en boule contre elle, pareils à des petits chats, tandis qu'Adam avait pris ses aises sur le siège avant. Elle ignorait où Gabriel avait dormi, s'il s'était effectivement reposé. Le sommeil semblait n'avoir aucune importance pour lui.

Lorsqu'elle descendit du fourgon, Rachel sentit, comme apportés par la brise, un frémissement, une impatience et un enthousiasme à l'égard de la ville. L'endroit lui plut d'emblée. Gabriel, rêveur, se tenait à l'écart, les yeux rivés sur une tour au fond du parc.

– Gabriel ! appela Rachel. Les petits ont à nouveau faim.

Le jeune garçon se retourna lentement. La nourriture ne semblait pas plus compter pour lui que le sommeil, et il s'irritait parfois de les entendre réclamer sans cesse à manger. Morag et Duncan le dévisageaient à présent, implorants ; ils avaient lu ses pensées, c'était certain.

– S'il te plaît, Michael, on a un creux...

Gabriel sut qu'il était démasqué.

– D'accord, accepta-t-il en riant. Mais pas question de s'attarder ici. Le fourgon à miel est un peu trop voyant. Il faut le remplacer.

Il regarda Lucas et Loïc, qui sautaient pour attraper des oranges dont ils bombardaient ensuite les voitures en mouvement.

– Vous deux, vous allez circuler autour de la ville en vous faisant bien remarquer, vous éloigner vers l'est durant plusieurs heures, puis vous procurer un autre véhicule et nous rejoindre ce soir.

– Ça marche, répondit Loïc.

– Qu'est-ce qu'on fait du fourgon ? demanda son frère.

– À vous d'imaginer ! leur répliqua Gabriel.

Les jumeaux français échangèrent un regard. La perspective de rouler à fond de train sur le périphérique avant de démolir le fourgon à l'extérieur de la ville les réjouissait au plus haut point. Et trouver un nouveau véhicule serait facile pour deux garçons qui manipulaient les voitures depuis qu'ils savaient marcher. Ils adressèrent un large sourire à Gabriel et levèrent un pouce approbateur.

– Nickel, dit Lucas. Et le lieu de rendez-vous ?

– Retrouvons-nous ici, sous la tour. À zéro heure quinze, autrement dit minuit et quart. Bien noté ? C'est capital que vous arriviez à l'heure.

– Sans problème, assura Lucas.

– Très bien, dit Gabriel. Parce qu'on a un bateau à prendre.

Rachel soupira pendant que les jumeaux français remontaient dans le fourgon. Elle avait pensé qu'ils pourraient séjourner un peu dans cette douce ville.

– Un bateau ? Repartir ce soir est vraiment nécessaire ? On est tellement fatigués. Et pourquoi un horaire aussi… précis ?

– Quand tu verras ce qui se passe à minuit, tu comprendras pourquoi il faut qu'on soit partis un quart d'heure plus tard. Crois-moi.

La jeune fille, accablée, sentit qu'elle le croyait en effet.

Tandis que les garçons français faisaient ronfler le moteur du fourgon Volkswagen et lançaient un signe amical à Rachel et Adam à travers la vitre crasseuse, Gabriel sourit aux petits jumeaux.

– Vous auriez envie d'une glace ?

Duncan et Morag approuvèrent avec ardeur et, comme le fourgon rugissait en direction du périphérique, les cinq compagnons quittèrent le parc, laissant derrière eux l'ombre allongée de la tour.

L'avion de Laura Sullivan et de Kate Newman avait atterri à Séville tôt ce matin-là. Laura avait loué une voiture et s'était armée d'une carte où elle avait tracé des traits, noté des références et inscrit des calculs. Elles sortirent de la ville par le nord.

Kate était assise côté passager, la carte dépliée sur les genoux. Laura conduisit le véhicule hors de l'aéroport, s'engagea sur la voie express et s'éloigna de Séville.

Kate avait très peu parlé à l'Australienne depuis le début de leur voyage, et Laura avait paru s'accommoder du silence, comme s'il correspondait à ses prévisions. Mais avec le soleil qui se levait sur la terre rouge du paysage espagnol et l'idée de suivre une piste qui la mènerait à ses enfants, Kate se sentait légèrement plus loquace.

– Pourquoi quittons-nous la ville ? demanda-t-elle, incapable de ne pas prendre un ton soupçonneux. Vous aviez dit qu'ils étaient à Séville…

Laura lui jeta un coup d'œil, désireuse de regagner sa confiance.

– J'obéis à une intuition, expliqua-t-elle. Plus qu'à une intuition, à une théorie. Tout le travail que j'ai effectué indique un endroit situé à une heure de la ville environ. Un site de l'âge du bronze dans le parc national de la Sierra Norte. Très semblable à Triskellion… donc s'ils font route vers le sud de l'Espagne, la Sierra Norte sera leur première étape.

– Pourquoi ? lui demanda Kate tout net, sans la regarder.

– Je ne sais pas, reconnut Laura avec sincérité. Je pense juste… mes recherches montrent que c'est le lieu le plus probable. Un site de l'âge du bronze, avec des grottes et des peintures. Situé sur une ligne qui court à travers l'Europe. Il y a aussi une nécropole.

– Une quoi ? dit Kate, ne reconnaissant qu'à moitié le mot.

– Un lieu de sépulture. Une ville des morts.

– Vous ne supposez pas…

La voix de Kate se perdit dans les aigus.

– Non, non, non ! Des morts très anciens. Et, si je ne me trompe pas, des morts… pas complètement humains.

Kate se tut pendant le reste du trajet. Elle essayait de ne pas réfléchir à ce qu'impliquaient les propos de Laura Sullivan.

Elles atteignirent la Sierra Norte une heure après et suivirent le chemin qui traversait la plaine puis pénétrait dans une zone plus montagneuse, couverte de pins et d'épais bosquets de chênes. Le chemin devint raboteux au fur et à mesure de l'ascension et Laura vit une vieille pancarte en bois sur laquelle *Cuevas* était écrit à la peinture blanche.

– Grottes, traduisit-elle. Je pense que c'est la bonne route.

Le chemin s'aplatit et déboucha dans une vaste clairière où de gros rochers affleuraient autour d'une grande crevasse. Des châtaigniers et des chênes parsemaient les environs. Laura se gara et les deux femmes sortirent de la voiture.

– Ça sent le romarin, dit Kate, humant l'air et regardant le beau ciel bleu.

Pour la première fois depuis des semaines, un sourire s'esquissa sur son visage.

Laura Sullivan explora les lieux, poussa de petites pierres du pied, escalada des surplombs rocheux et contempla les terres incultes qui s'étendaient devant elle, paysage demeuré identique durant des générations. Puis elle aperçut quelque chose. Elle sauta des rochers, partit en courant et revint au bout d'une minute.

– Par ici, Kate, dit-elle, essoufflée.

Elle l'attira vers un endroit où des traces de pneus marquaient le sol humide. Kate lui emboîta le pas tandis qu'elle longeait les empreintes sur plusieurs mètres, franchissait des buissons puis entrait dans une clairière protégée au fond par l'ouverture d'une grotte et sur les côtés par des arbres et des enchevêtrements épineux. Il y avait là les restes d'un feu de camp. Hormis les traces de pneus, la scène aurait pu remonter à l'homme des cavernes, des milliers d'années plus tôt.

– Ils sont passés ici, affirma Laura. Tout récemment. Les cendres sont encore tièdes.

– Comment savez-vous que c'étaient eux ?

Laura prit Kate par le poignet et l'entraîna un peu plus loin, jusqu'à une partie pentue de la clairière. Dans la terre rouge et lisse, comme s'il le destinait à un observateur aérien, quelqu'un avait dessiné un triskèle avec un bâton. Un cercle entourait le symbole large de trois enjambées. Une pierre était soigneusement placée à la pointe sud, dirigée vers la ville.

Laura Sullivan regarda Kate droit dans les yeux et eut un sourire de triomphe.

– Voilà comment je le sais !

# 35

Le glacier se trouvait dans une rue transversale située entre la rivière et l'une des nombreuses petites places parsemant les berges. Comme le moindre espace dégagé de la ville, la place était ornée de drapeaux et de banderoles aux tons éclatants, et des guirlandes de lumières colorées entouraient les troncs des orangers, leurs ampoules aussi grosses que les fruits qui pendaient aux branches.

La salle était décorée aussi : de minuscules lampions égayaient le comptoir en métal poli et le plafond au-dessus des box. Un haut-parleur accroché au mur diffusait à plein volume un air de trompette entraînant. Tout le monde semblait joyeux.

Adam regarda une serveuse embrasser deux de ses collègues et entendit un groupe de clients lancer des hourras et applaudir dans l'angle. De même que d'autres personnes dans les rues, beaucoup portaient des vestes jaune vif et des foulards rouges en brassards.

– Qu'est-ce qui se prépare ? demanda-t-il.

Gabriel tira nonchalamment une carte vers lui.

– C'est la fête d'un saint, répondit-il. Il va y avoir une grande cérémonie.

Il s'inclina vers Morag et Duncan, qui examinaient la carte depuis déjà cinq minutes.

– Vous avez choisi ?

Rachel baissa le livre dans lequel elle s'était absorbée – l'ouvrage sur les églises de Séville qu'Abeja lui avait donné à Madrid.

– C'est pour cette raison qu'on est là aujourd'hui, dis-moi ?

Gabriel lui sourit.

– Quoi donc ? demanda Adam.

Rachel reprit son livre et lut tout haut :

– C'est la fête de San Rafael, un voyageur arrivé ici vers 1500. Guérisseur ou chaman, il accomplissait apparemment des miracles, mais les autorités religieuses s'en offusquaient. Il fut donc traqué, puis brûlé vivant il y a cinq cents ans, avec tous ceux qui le suivaient ou qui refusaient de le dénoncer.

– Charmant, commenta Adam.

– Il fut canonisé en 1850, car le pape de l'époque se sentait coupable qu'il ait été supplicié au nom de l'Église. Mais il y a encore des gens ici pour fêter sa mort comme un heureux événement.

– Il a quand même été canonisé, souligna Adam.

– Un peu tard pour Rafael, dit Rachel, continuant sa lecture. Il est mort sur le bûcher à l'emplacement de l'église où on a garé le fourgon.

Elle se pencha et montra une illustration à son frère.

Adam grimaça devant l'image sinistre.

– C'est tout ce qui reste de lui ?

– Oui, et on s'apprête à le voler, déclara Rachel avec une assurance soudaine. Je me trompe ?

Gabriel haussa les épaules.

– Ce n'est pas vraiment du vol quand il s'agit de récupérer ce qui t'appartient.

Rachel referma l'ouvrage. Elle commençait à y voir clair.

– Comme les cœurs, dit-elle, dans l'église de Triskellion.

– Comme les cœurs, confirma Gabriel.

Morag reposa brusquement la carte sur la table.

– Je voudrais au chocolat avec des pépites, annonça-t-elle.

– Ça m'a l'air bon, dit Adam.

Il préférait mille fois parler glaces plutôt que fragments de corps volés.

Gabriel demanda à Rachel ce qu'elle désirait, précisant qu'il y avait quarante-huit parfums en tout.

– Quarante-neuf, plus exactement, rectifia Duncan avec solennité. Abricot, ananas, banane, café, cannelle, cerise…

Rachel sourit.

– Vanille m'ira très bien, l'interrompit-elle.

Gabriel appela une serveuse et chacun passa commande. Adam la regarda partir, puis donna un petit coup de coude dans les côtes de Gabriel. Il désigna du menton une table éloignée, deux têtes qui dépassaient tout juste au-dessus du box, leurs longs cheveux noirs noués en queue-de-cheval par des rubans rouges. Les deux paires d'yeux noirs se tournaient sans cesse dans leur direction.

– Ces filles nous lorgnent, dit Adam.

– Tu rêves ! répliqua Rachel.

Gabriel jeta un coup d'œil par-dessus son épaule.

– Eh bien, je ne sais pas comment tu vas choisir entre elles deux.

Adam gloussa d'un air de connivence, mais le rire se figea sur ses lèvres lorsqu'il vit les filles se lever et s'approcher de leur table.

– Elles viennent vers nous…

Elles étaient de l'âge des garçons français. Toutes deux avaient les cheveux et les yeux noirs, un teint parfait et de larges sourires.

Des jumelles.

Elles se campèrent de part et d'autre de Gabriel.

– Hola, Rafael.

Gabriel remarqua l'expression de Rachel.

– Une foule de noms, je te l'ai dit…

Il les présenta : Inez et Carmen. En quelques instants, le groupe s'élargit pour les inclure. Les filles s'assirent et bavardèrent volontiers, comme s'ils étaient tous de vieux amis, leur espagnol immédiatement compréhensible pour chacun d'eux.

– Je croyais qu'il y avait deux autres jumeaux, s'étonna Carmen.

– Lucas et Loïc nous rejoindront plus tard, répondit Gabriel. Ils vont être désolés d'avoir manqué votre arrivée.

– Aucun doute là-dessus ! soutint Rachel, malicieuse.

Les jeunes Espagnoles semblaient extrêmement frappées par Morag et Duncan. Elles s'empressèrent autour des petits jumeaux et goûtèrent à leurs glaces lorsque la serveuse eut apporté les coupes. Morag babillait gaiement, ravie de ces attentions, tandis que Duncan s'efforçait de dissimuler ses joues rougissantes derrière une carte dès que les nouvelles venues lui parlaient ou l'ébouriffaient.

Une fois les premières glaces avalées, ils en commandèrent d'autres. Pendant un moment, leurs rires fusèrent par-dessus la musique et ils purent presque se détendre, oublier le voyage qui les avait conduits jusqu'ici, les dangers qui les menaçaient encore et toujours.

Rachel observa Gabriel, cependant, et devina que lui n'oubliait jamais. Pas une seule seconde. Elle le vit promener un regard à la ronde, alors même qu'il discutait et riait, et elle sut qu'il enregistrait chaque détail, qu'il jaugeait chaque inconnu, chaque murmure échangé ou coup d'œil fortuit dans leur direction.

Il se pencha vers les jumelles :

– Vous pourriez vous occuper de Morag et Duncan pendant quelques heures ce soir ? Vous nous retrouverez ensuite.

– Avec plaisir, affirma Carmen. On se baladera dans la ville.

– Il ne faudra pas vous éloigner.

– Je comprends, assura Carmen.

Elle ébouriffa de nouveau Duncan.

– On va bien s'amuser ! promit-elle.

Duncan gloussa et Morag sourit, enthousiaste.

– Avez-vous parlé à votre oncle ? Le bateau sera-t-il prêt ? demanda Gabriel.

– Oui, tout sera prêt, répondit Inez. Mais il trouve que le milieu de la nuit est un drôle d'horaire pour partir à la pêche.

Morag dressa l'oreille :

– On va pêcher ?

Inez et Carmen éclatèrent de rire.

– Notre pêche sera faite bien avant, déclara Gabriel.

Il glissa un regard vers Rachel et Adam : le message était limpide. Rachel sut que leur ultime destination n'était plus très loin. Ils se rapprochaient du but mais, tant qu'ils ne l'auraient pas atteint, eux-mêmes continueraient d'être poursuivis et lutteraient à chaque instant pour ne pas tomber dans les filets des pêcheurs.

Laura Sullivan, qui lisait son guide de voyage tout en traversant la rue, évita de justesse une moto venant dans sa direction.

L'église San Rafael se trouvait un peu en retrait de la place principale de Séville. C'était une construction minuscule, longuement ombragée par la Giralda, le clocher de l'imposante cathédrale. Mais l'église San Rafael avait son propre groupe de fidèles zélés. Le saint avait été emprisonné pour hérésie (réelle ou supposée) pendant l'Inquisition espagnole et brûlé vif sur la Plaza de la Constitución, la place même que Laura et Kate parcouraient maintenant. Il n'était resté du corps que la main droite, expliquait le guide : selon la légende, le saint l'avait tendue vers ses bourreaux en signe de pardon et les flammes ne l'avaient pas roussie. L'église s'élevait à l'endroit précis où il était mort et la main momifiée demeurait devant l'autel d'une chapelle latérale, dans un coffret en verre.

– Pourquoi l'avoir conservée ? demanda Kate.

– Si je ne me trompe pas, répondit Laura, elle est plus précieuse que ces gens ne le croient.

L'odeur de l'encens saisit les deux visiteuses lorsqu'elles ouvrirent la porte. La petite église chatoyait comme un bijou, les rayons du soleil de l'après-midi filtrant par ses nombreux vitraux colorés.

Une animation inhabituelle régnait et le prêtre semblait un peu irrité que des touristes aient réussi à entrer en cette journée particulière. C'était, au fond, le grand événement de l'année. Des femmes récuraient le sol et astiquaient les bancs. D'autres disposaient des fleurs, allumaient des cierges et ornaient de guirlandes une statue en bois du saint. Des flammes sculptées, dorées, léchaient le bas de la robe de San Rafael, et ses yeux en forme d'amande, dénués d'expression, contemplaient le ciel alors qu'il tendait sa main indemne.

Le prêtre se précipita pour barrer le chemin aux deux visiteuses en haut de l'allée centrale. Il portait une tenue blanche serrée à la taille par un cordon doré. Sur l'autel était drapée sa robe de cérémonie jaune, brodée de flammes rouges et de croix galonnées d'or.

– Puis-je vous renseigner ? demanda-t-il en anglais, avec un fort accent. Vous êtes des touristes ? Américaines ?

– Euh, oui… ou plutôt non. Nous sommes étudiantes, répondit Laura. Nous faisons des recherches.

Le prêtre hocha la tête. Il s'imposa un sourire pincé et passa une main sur sa chevelure noire lissée.

– Il vaudrait mieux revenir demain. Vous voyez que nous sommes très occupés aujourd'hui, dit-il en montrant les femmes qui s'activaient.

Laura s'efforça de rester polie.

– Oh, excusez-moi. Je le savais plus ou moins, mais nous ne sommes à Séville que pour la journée, vous comprenez.

– C'est fort dommage.

Laura commençait à perdre patience.

– Bien. Vous me dites donc que nous ne pouvons pas entrer dans un lieu de culte public pour lequel nous avons fait des milliers de kilomètres ?

– Vous le voyez, là ! répliqua-t-il, pointant le pouce par-dessus son épaule et s'obstinant à leur barrer le chemin.

– En réalité, nous sommes anglaises, et nous aimerions voir la relique, déclara Kate Newman d'un ton autoritaire longtemps resté en sommeil, son accent natal se réaffirmant après deux décennies de vie new-yorkaise.

Le prêtre ne céda pas.

– Je regrette, señora. La fête de San Rafael est notre jour férié le plus important.

– Pourquoi ? demanda Laura.

Il eut un nouveau sourire pincé qui n'atteignit pas ses yeux.

– Il y a de nombreuses années, le roi a décrété que cette date devrait rester dans les mémoires comme le jour où la ville s'est débarrassée d'un dangereux hérétique.

Laura avait étudié le sujet.

– Mais je croyais que le pape avait canonisé cet homme. N'est-ce pas jour de fête pour cette raison-là ?

L'ombre de sourire disparut des traits du prêtre.

– Tout dépend de votre point de vue. Notre ville a une mémoire très ancienne. Maintenant, je vous prie de m'excuser, señora.

Laura scruta l'édifice derrière lui et, comme elle s'évertuait à distinguer l'intérieur de la chapelle latérale où était conservée la relique, elle aperçut un petit vitrail décoré du triskèle.

– Dans quel camp êtes-vous ? Saint ou hérétique ? lança-t-elle au prêtre.

Celui-ci la fusilla du regard.

– Désolé. Je suis trop occupé pour bavarder…

Alors, Laura vit le triskèle partout : ornant les poutres de la charpente, coulé dans le cuivre des calices, brodé sur la robe de cérémonie du prêtre, suspendu à l'extrémité de son rosaire. Et elle sut qu'elle avait raison. Elle se lança :

– Ce saint était un homme qui venait de loin… de trop loin, peut-être ? Un homme qui mettait en doute les idées de la population et qui l'épouvantait ?

Le prêtre empoigna les perles de son rosaire.

– Allez-vous-en. Et mêlez-vous de vos affaires !

Laura pensa ironiquement que c'étaient bel et bien ses affaires.

– Un étranger qui a eu des enfants avec des filles du pays et a été condamné à mort parce qu'il était différent ? s'acharna-t-elle.

– Assez !

La voix du prêtre résonna dans l'église. Il entraîna Laura et Kate *manu militari* vers la sortie.

– Je n'ai pas de temps à perdre avec ça. Il faut que vous partiez.

Laura fit un écart brusque, bouscula le prêtre au passage et se dirigea vers la chapelle latérale en affirmant :

– Je veux voir la relique.

Soudain, cinq ou six femmes qui s'occupaient jusque-là des préparatifs formèrent une chaîne devant la chapelle. Armées de brosses et de balais, leurs bras robustes à force d'astiquer, elles avaient l'air assez redoutables.

Kate Newman, interloquée par la véhémence de Laura, lui prit le bras et la tira en arrière.

– Tant pis, Laura, nous reviendrons une autre fois.

Elle considéra la chaîne de femmes agressives et le masque haineux sur la figure du prêtre.

– Ces gens ont manifestement quelque chose à cacher.

Le barman posa une petite assiette d'épinards et de pois chiches sur le comptoir. Il versa une nouvelle mesure de xérès avant de couper deux tranches supplémentaires dans le volumineux jambon suspendu derrière lui. Ensuite, il ajouta une marque à la craie, quelques euros de plus sur la note du client.

Debout au comptoir, l'Anglais mangea d'un bon appétit, puis avala une poignée de comprimés avec le xérès. Le minuscule bar à tapas se remplissait des gens de la fête, qui voulaient se caler l'estomac en vue d'une nuit entière à danser et à boire.

Une nuit de… réjouissances.

L'Anglais les ignora pendant qu'ils fourmillaient autour de lui ; ignora les regards occasionnels lancés dans sa direction. Lui-même allait fêter un autre événement : sa réussite personnelle. En particulier, si tout se déroulait comme espéré, le moment où les jumeaux qu'il traquait seraient à sa merci. Où il rentrerait en possession de son bien légitime.

Le barman leva une bouteille.

– *Un otro, señor ?*

L'Anglais refusa d'un signe de tête, jeta une liasse de billets sur le comptoir et sortit dans la rue d'un pas énergique. Là, un homme portant une veste jaune décorée attendait. Il suivit docilement l'Anglais qui passait devant lui, puis montra le chemin dans un labyrinthe de ruelles toujours plus animées à mesure que les heures s'écoulaient et que l'énorme soleil rouge baissait dans le ciel.

– Comment a réagi le marchand de miel ? demanda l'Anglais.

L'homme en veste jaune sourit :

– Il a été... surpris.

– Parfait. Un excellent avertissement à tous ceux qui seraient assez idiots pour tenter d'aider ces mômes.

Ils tournèrent à un angle et enfilèrent une impasse où la musique flottait dans un air chargé de fumée. Son compagnon conduisit l'Anglais jusqu'à une solide double porte en bois.

– C'est ici, annonça-t-il.

Un grand portier robuste apparut et leva une main qui semblait aussi meurtrière qu'un marteau de forgeron.

– Un problème ? se renseigna l'Anglais.

L'homme en veste jaune s'avança, prêt à défendre leur cause, mais dès l'instant où le gardien eut plongé les yeux dans l'ombre sous la capuche de l'Anglais, il s'écarta avec humilité, le regard rivé sur les pavés à ses pieds.

L'Anglais hocha la tête.

– Ça m'étonnait, aussi.

La musique devint plus forte lorsqu'ils franchirent la porte et descendirent un escalier en colimaçon jusqu'à une vaste salle. Ses murs lambrissés étaient voilés par la fumée d'un immense feu qui brûlait librement dans le fond. Un musicien imprimait un rythme sur les cordes de sa guitare et deux femmes en costume flamenco tambourinaient le sol avec leurs talons, criaient et battaient des mains. Des ramures et des cornes de taureaux montées sur des boucliers étaient accrochées au-dessus d'une estrade. Une longue table sur tréteaux occupait le milieu de la pièce, une cinquantaine d'hommes rassemblés autour.

Pendant que le tempo de la musique s'accélérait et que les danseuses virevoltaient de plus en plus vite, les hommes puisaient dans les vestes jaunes et les foulards rouges amoncelés sur la table. Ils essayaient les vestes, s'admiraient dans des miroirs en pied et prenaient des poses tout en nouant sur leurs visages les minces foulards couleur sang. Certaines vestes étaient ornées de diables criards, d'autres avaient pour décoration des os, des bêtes d'aspect effrayant ou des squelettes grimaçants qui dansaient sur la poitrine ou le long des bras.

– Ce n'est pas un bal costumé, marmonna l'Anglais. Il faut qu'ils le comprennent.

– Une fois que vous leur aurez parlé…

Mais l'Anglais se précipitait déjà vers le musicien. Il lui arracha sa guitare avant de gravir les quelques marches menant à l'estrade.

Des sifflets et des huées retentirent dans la salle. Les hommes manifestaient toujours leur mécontentement lorsque le personnage en robe arriva au centre de l'estrade et se tourna face à eux. Néanmoins, aussitôt qu'il eut frappé le sol avec sa canne noire et lentement ôté sa capuche, le silence se déploya comme une ombre. Seuls le sifflement et le crépitement du feu résonnèrent encore dans la pièce.

À un signal, un interprète se hâta près de l'estrade. Alors même qu'il traduisait, il ne voyait que le visage de l'Anglais et ne sentait que la peur au creux de son ventre. Le foulard autour de son cou lui donnait l'impression d'un nœud coulant, comme si les diables brodés sur sa veste avaient enfoncé leurs ongles dans sa peau.

– Ce soir, les rues vont s'emplir d'individus désireux de rappeler le souvenir d'un homme qu'ils qualifient de saint.

L'Anglais parlait tout bas, mais sa voix atteignait sans difficulté le fond de la pièce.

– Un homme qui a été pourchassé et supplicié. Pourquoi était-il traqué ?

Il attendit, laissa la question flotter puis s'éloigner au gré des volutes de fumée.

– Ils voudraient nous persuader qu'il avait une foi différente, une foi inadmissible alors. Ils voudraient nous persuader qu'il est mort pour la liberté, ou pour la vérité, ou afin que d'autres puissent venir ensuite et n'être pas traqués comme il l'avait été. Mensonges !

Il se tut quelques secondes, permettant à l'interprète de terminer la traduction.

– Les gens dans les rues ce soir célébreront la mémoire de cet homme, mais moi, je me réjouirai pour une raison bien plus noble. Je célébrerai sa mort. Oui, il était différent. Oui, il avait des convictions différentes. Et vos ancêtres ont eu raison de le traquer et de le détruire avant qu'elles n'aient le temps de se propager. Parce que ce n'étaient pas des convictions terrestres... Ouvrons-nous les bras au poison ? Faisons-nous bon accueil à un virus mortel ?

L'Anglais scruta tout à tour les visages, sa passion s'intensifiant lorsqu'il vit la réaction escomptée se répandre dans l'auditoire.

– Non ! Nous l'isolons et l'éliminons. Il n'est pas condamnable de vous protéger, de protéger ce qui vous appartient et ce que vous souhaitez transmettre aux générations futures. C'était ce qu'il convenait de faire il y a cinq cents ans, quand l'étranger qu'ils appellent maintenant San Rafael est arrivé dans votre ville, et c'est ce qu'il convient de faire aujourd'hui. Et vous, les descendants de ceux qui ont agi ainsi voilà des siècles, devez agir de même aujourd'hui, faire ce qu'il convient, car ses descendants à lui sont parmi nous. Ici. Ce soir…

Des voix commencèrent à jaillir de la foule, encourageantes, et la voix de l'Anglais les couvrit :

– Inutile de préciser ce que vous avez à faire. Votre sang vous le dira, de même que leur sang l'a dit à vos ancêtres. C'est l'instinct de survie, pur et simple, qui existe en chacun de nous. Croyez ce que je vous dis et vous ne craindrez rien. Votre ville ne craindra rien. Vos enfants ne craindront rien. J'ai une seule question à vous poser… Êtes-vous prêts à suivre votre sang ?

Il les considéra, tournant vers eux son visage – tel qu'il était –, et répéta sa question.

– Êtes-vous prêts à suivre votre sang ?

Ce fut comme si un courant électrique circulait soudain parmi les hommes composant l'auditoire. Souriant autant qu'il le pouvait, l'Anglais les regarda accourir vers lui. Masse jaune vif striée de rouge, os, bêtes et diables dansant alors qu'ils s'élançaient.

Il regarda chaque homme se baisser au pied de l'estrade afin de prendre un bâton enveloppé de chiffons imbibés d'essence ; chaque homme passer devant lui avec une expression d'assentiment et de gratitude pour les précieux conseils reçus.

Il vit la férocité et l'engagement dans la moindre enjambée du moindre soldat de sa petite armée parfaite.

Il vit le sang palpiter sur tous les visages, tous s'illuminant alors que les hommes plongeaient à tour de rôle leur bâton dans le feu qui brûlait librement.

# 37

Des milliers de voix vibraient dans la nuit tandis que la population de Séville sortait des restaurants, des bars et des cafés et affluait sur la place. Les guirlandes de lampions brillaient comme des myriades de lucioles et les chaînes en papier frangé froufroutaient dans la brise.

Le cortège se constituait au fond, près de l'église. La procession effectuerait le tour de la place, parcourrait les rues environnantes et se terminerait près d'un immense feu de joie, à l'endroit présumé où le saint avait été brûlé.

Des cavaliers en uniforme cintré ajustaient leurs larges sombreros noirs et, tirant sur les rênes, alignaient leurs étalons pommelés. Ils étaient suivis de gitanes portant des robes flamenco vaporeuses, assises en amazone sur des chevaux de race moins pure dont les crinières étaient tressées et les robes cirées, brillantes. Une cinquantaine de guitaristes flamenco grattaient et accordaient leurs instruments, tandis qu'un orchestre de clairons et de tambours se rangeait derrière la partie religieuse du défilé : les prêtres, les moines, les enfants de chœur et la maîtrise.

Après la fraction organisée du cortège, des clubs, des associations de bienfaisance, des communautés pieuses et des gens du public venaient en costumes traditionnels. Les garçons étaient déguisés en toreros, les petites filles habillées en gitanes ou vêtues de dentelle blanche, pareilles à de minuscules mariées. Occupés à canaliser les participants, les membres des Hermanos de las Llamas (la confrérie des Flammes) étaient présents en force, leurs vestes brodées jaunes et rouges éclatantes mais sinistres à la lumière de leurs torches.

Rachel consulta sa montre. Vingt-trois heures trente-cinq.

– Je croyais que la procession partait à la demie…

– Les Espagnols ne sont pas des robots ! répondit Inez amusée, faisant claquer ses castagnettes.

– Ici, rien ne commence jamais à l'heure, confirma Carmen en s'éventant.

Comme pour démentir leurs propos, un clairon joua un air de fanfare. Rachel se sentit gagnée par la fièvre collective, à son comble sur la place. Elle regarda Carmen et Inez. Elle les trouvait magnifiques avec leurs cheveux si noirs tirés en arrière et noués en chignons serrés. Les peignes en écaille qui maintenaient leurs coiffures formaient un diadème autour de leurs têtes et leurs robes à pois moulantes tombaient en flots et en froufrous jusqu'à leurs chaussures de danse noires, à talons hauts.

Puis Rachel se regarda. Les filles s'étaient appliquées à la couler dans une version bleue de leurs robes rouges, mais sa silhouette américaine sportive s'y opposait, anguleuse et maladroite. Ses boucles châtaines refusaient de rester attachées. Elle ne se jugeait pas présentable, et elle n'avait absolument jamais marché avec des hauts talons ! Au moins, les petits jumeaux étaient mignons, eux. Elle admira Duncan dans son costume de diable, son visage peint en rouge méconnaissable, et Morag, délicieuse dans sa tenue d'ange, avec des ailes argentées et une petite auréole.

Gabriel leur avait recommandé de ne pas s'éloigner tout en se mêlant à la foule. Inez et Carmen avaient réussi à merveille. Si seulement il leur avait dit où ils allaient, Adam et lui. Mais il avait refusé, et Rachel s'inquiétait.

La procession s'ébranla. Les clairons sonnaient et les tambours roulaient, des coups de sifflets fusèrent, et les gens poussèrent des hourras tandis que les chevaux piaffaient et hennissaient. Disséminés le long du cortège, les membres de la confrérie des Flammes, dont les foulards rouges masquaient désormais les visages et les torches lançaient des flammes vives, entonnèrent une lente mélopée dans une langue ancienne.

Une énergie circula en Rachel, un frisson venu d'une époque lointaine. La jeune fille se mit à percevoir les émotions que le saint avait dû connaître…

Au premier rang, le prêtre avait béni la statue en bois de l'église. Ornée de fleurs, elle se dressait maintenant sur un plateau que des moines en robes blanches portaient à hauteur d'épaule. Un coffret en verre, posé sur un coussin en satin aux pieds du saint, semblait contenir un morceau de bois noueux et noirci. Mais ceux qui étaient assez près distinguaient, à l'extrémité des brindilles tordues, des ongles marron.

C'était la main de San Rafael.

Le prêtre psalmodia une incantation, aspergea le groupe d'eau bénite et l'entraîna. Un enfant de chœur agita un encensoir en cuivre, enveloppant le défilé dans des volutes de fumée odorante. Les tambours battaient un rythme de marche lent et les guitares jouaient à l'unisson, accompagnées par les voix intenses, les clairons, les castagnettes et les milliers de chaussures de danse qui claquaient sur les pavés.

Les spectateurs de part et d'autre chantaient, lançaient des bénédictions et se signaient. Ils jetaient des poignées de pétales sur les participants qui traversaient la place en direction du bûcher symbolique dont l'embrasement aurait lieu à minuit, en mémoire du saint.

Puis la procession cessa d'avancer.

À l'instant où elle allait s'engager dans la rue quittant la place, un garçon barra la route au prêtre. L'ecclésiastique s'arrêta net et le défilé s'immobilisa dans des remous derrière lui, la musique cessant tandis que les clairons heurtaient les tambours qui percutaient eux-mêmes les guitaristes. La musique s'interrompant, la mélopée se tut aussi, puis les bavardages, jusqu'au silence complet.

Le prêtre regarda le garçon en face et frémit. Ce n'était pas là un jeune perturbateur s'attaquant au hasard à une tradition. Ce garçon avait une mission. Le prêtre scruta les yeux verts en amande et reconnut quelque chose.

– Pousse-toi, s'il te plaît. Que veux-tu ?

Le garçon tendit la main.

– Que veux-tu ? répéta le prêtre.

Des membres de la confrérie vinrent former un demicercle autour du garçon, l'éclat de leurs torches brillant dans ses yeux.

– Quel est mon prénom ? dit Gabriel.

– Je n'en sais rien ! lui cria le prêtre. Maintenant, écarte-toi.

Il gesticula, mais quelque chose l'empêchait manifestement de repartir.

– Dites-moi mon prénom ! martela Gabriel.

Les hommes en veste jaune se rapprochèrent de lui et un murmure parcourut le cortège, peu à peu envahi par la sensation que quelque chose allait se produire ; le genre de murmure qui pouvait contaminer une foule et semer le tumulte en elle.

Gabriel ouvrit la bouche. Un son en sortit, aigu d'abord, audible, mais ensuite d'une telle stridence qu'il se mua en une vibration lancinante douloureuse pour les tympans. Les gens la sentaient dans leurs cœurs ; elle leur secouait la poitrine et rendait leur respiration difficile. Elle leur tordait le ventre. Ils se prirent les tempes, se bouchèrent les oreilles ou plaquèrent leurs mains sur leurs côtes. Certaines ampoules des guirlandes en hauteur éclatèrent et une pluie d'étincelles et de verre pulvérisé s'abattit sur l'assemblée.

– Dites-moi mon prénom !

La voix de Gabriel, tonitruante, retentit à travers la place et frappa le prêtre comme un ouragan, lui rabattit ses cheveux lisses sur le visage et le contraignit à s'agenouiller. Le prêtre se saisit le front et Gabriel seul entendit le chuchotement rauque qui s'échappa d'entre ses lèvres :

– Es-tu… Rafael ?

L'ancêtre du prêtre avait posé la même question des siècles auparavant, lorsqu'il avait ordonné au bourreau d'allumer le bûcher.

Gabriel fit un signe de tête affirmatif.

Les lumières de la place explosèrent toutes à la fois. Des femmes gémirent et des enfants hurlèrent, la fréquence créée par Gabriel devenant insupportable. Puis les religieux se mirent à crier : le saint en bois commençait à se consumer.

De la fumée s'éleva des fausses flammes jaunes sculptées dans sa robe, puis le saint s'embrasa. Les porteurs s'efforcèrent de maintenir la statue droite, les langues de feu leur roussissant le visage et les cheveux. Gabriel s'élança et, à cet instant, le coffret contenant la relique se brisa, projeta vers le ciel nocturne des éclats de verre aux reflets dorés. Le prêtre hurla lorsque Gabriel empoigna la relique et bouscula les porteurs qui, finissant par céder à la chaleur, laissèrent le saint enflammé tomber sur le sol.

La foule, libérée du supplice que Gabriel avait provoqué pour la soumettre, poussa un soupir de délivrance. Les porteurs essayèrent de sauver la statue en la couvrant avec leurs robes. Les cavaliers tâchèrent de maîtriser leurs chevaux et les mères s'évertuèrent à calmer leurs enfants en larmes. À l'avant du cortège, alors qu'une grande partie des spectateurs n'osait pas s'approcher de lui, les hommes en jaune resserrèrent leur étau autour de Gabriel, le feu dans les yeux et la haine au cœur.

Un deuxième garçon surgit soudain des ombres. Il traversa la rue en bondissant et franchit le cercle de la confrérie, frôlant Gabriel au passage, puis s'enfuit à l'autre bout de la place et disparut dans l'obscurité.

Adam avait joué son rôle à la perfection. La relique ancienne était bien cachée sous sa veste.

Les hommes en jaune fondirent sur Gabriel, lançant de violents coups de poing et pointant des couteaux avant de s'apercevoir, quelques secondes plus tard, que l'étrange garçon leur avait échappé. À dix mètres d'eux, vers l'entrée de l'église, Gabriel leur adressa un sifflement perçant et agita la main pour attirer leur attention ; en un clin d'œil, ils repartirent à sa poursuite.

Immunisés contre le bruit que Gabriel avait employé pour contrôler la foule, Rachel, les jumelles espagnoles, Duncan et Morag n'avaient eu qu'une vague idée de ce qui se passait. Néanmoins, Rachel était certaine que cette mystérieuse agitation avait été l'œuvre de Gabriel. Chaque fois qu'il leur demandait de se montrer discrets, un événement de ce genre se produisait. C'était comme s'il ne se préoccupait pas de leur sécurité. Ils avaient entendu les cris, vu le désordre et distingué les flammes à l'avant du cortège, une trentaine de mètres plus loin, parmi la cohue.

Un autre son, à l'intérieur de sa tête, troublait maintenant Rachel. Adam lui communiquait une terrible sensation d'épouvante – sensation qu'elle ne pouvait ignorer, elle le savait.

– Il faut que je trouve mon frère, annonça-t-elle à Inez et Carmen.

Elle consulta sa montre. Vingt-trois heures cinquante. Il restait vingt-cinq minutes.

– Écoutez, les filles, reprit-elle, vous pourriez emmener Morag et Duncan à la tour ? Je vous rejoindrai sur place à minuit et quart.

Les jeunes Espagnoles, qui devinaient son inquiétude, acceptèrent et entraînèrent les petits jumeaux, se mêlant aussitôt à la foule en train de se disperser.

Rachel tourna sur elle-même, les yeux fermés, cherchant à déterminer d'où venaient les pensées de son frère. Elle rouvrit les yeux et traversa la place en diagonale, dans la direction des ruelles bordées de bars et de restaurants. Elle vit deux hommes en vestes jaunes et foulards rouges s'approcher d'un bon pas. La jeune fille commit l'erreur stupide de regarder l'un d'eux, dont elle rencontra les yeux noirs derrière le masque. Il la jaugea en une fraction de seconde. Ce temps lui suffit pour constater qu'elle était différente : mal à l'aise dans son costume espagnol et vacillante sur ses chaussures flamenco à talons hauts.

Lui suffit pour lire l'affolement sur son visage.

Rachel croisa les deux hommes en hâte et entendit le raclement de leurs lourdes bottes alors qu'ils faisaient volte-face pour la suivre. Elle arriva au fond de la place et se sentit moins exposée parmi les gens qui continuaient à boire ou qui regagnaient les bars et discutaient des curieux incidents durant la procession. Passant sur le trottoir, elle aperçut son reflet dans la devanture d'un restaurant et, à quelques mètres, *trois* chemises jaunes qui la filaient désormais.

La jeune fille envoya valser ses chaussures et déguerpit. Elle se précipita dans une ruelle transversale derrière un restaurant.

Une impasse.

Rachel recula dans l'ombre, tâchant de rendre sa présence indécelable, mais sa peur l'empêchait de contrôler son esprit pour se fondre dans le décor. Elle retint son souffle et se plaqua contre le mur, espérant une issue heureuse.

Ce fut à cet instant que le ciel s'embrasa.

# 38

Gabriel continuait de courir, jetant un coup d'œil aux éblouissantes gerbes rouges, vertes et dorées du feu d'artifice qui éclataient haut dans le ciel, les détonations résonnant sur la place comme des tirs de mitraillette. Les spectateurs lui livraient passage ; les mères, voyant les personnages vêtus de jaune le talonner, flairaient le danger et écartaient leurs enfants à son approche.

Gabriel entendait derrière lui des cris et des clameurs. Il savait que d'autres hommes poursuivaient Rachel, mais il était presque certain qu'Adam avait réussi à s'esquiver. Tel était le but : créer assez de chaos et de confusion pour donner à Adam la possibilité de s'enfuir avec la relique.

Gabriel sentait les hommes gagner du terrain, mais il conserva le même rythme. Il savait où il se dirigeait et voulait bien les laisser croire qu'ils allaient le capturer.

Il monta quatre à quatre l'escalier en pierre de l'église, trébucha au sommet et se releva aussitôt. Il entendait ses poursuivants haleter, leurs torches crépiter à quelques pas derrière lui seulement.

– *Diablo !* cria l'un d'eux. *Monstruo*.

Diable. Monstre.

Gabriel franchit en trombe les lourdes portes, se retourna et attendit. Il regarda les quatre hommes pénétrer dans l'église à sa suite, le feu d'artifice illuminant le ciel nocturne derrière eux.

Le plus grand sourit sous son masque noir.

– *Sangre envenenada*, dit-il.

Sang empoisonné.

Plus empoisonné que vous ne le croyez, pensa Gabriel tandis qu'il reculait avec lenteur le long de l'allée centrale.

Les trois hommes en vestes jaunes se déplaçaient graduellement à travers les zones d'ombre, occupaient la largeur de l'impasse, empêchaient toute fuite. Ils ne paraissaient guère pressés ; ils semblaient plutôt savourer leur triomphe, maintenant qu'ils tenaient l'adolescente prisonnière entre leurs griffes.

Des griffes qu'ils se préparaient à sortir…

Rachel les regarda se rapprocher, avec leurs masques sombres et la bande rouge autour de leur cou, et sentit les poils se dresser sur ses bras nus. Elle tenta d'établir le contact avec Gabriel et sut immédiatement qu'il n'était pas en mesure de l'aider. Qu'il était aussi menacé qu'elle.

Elle était seule.

Les facultés dont Adam et elle avaient hérité, qui étaient dans leurs os et dans leur sang, s'étaient beaucoup développées depuis le début de leur évasion, mais il lui fallait maintenant recourir à des capacités bien différentes. Il ne s'agissait pas de convaincre un serveur qu'elle avait réglé une addition ou de persuader un hôtelier de lui donner une chambre. C'était sa vie qu'elle devait sauver, or elle ne voyait pas comment s'y prendre.

Elle se battrait donc comme une jeune fille ordinaire. Elle emploierait ses seules armes et, s'ils en arrivaient là, elle attaquerait ces hommes à coups de dents et d'ongles. En tout cas, elle ne se déclarerait pas vaincue.

Sa résolution dut s'exprimer sur son visage, ou dans son attitude, prête à la lutte. Elle entendit l'un des hommes ricaner sous son masque et murmurer quelque chose à ses amis.

Ils s'approchèrent plus vite.

Rachel se plaqua très fort contre le mur et sentit les bords irréguliers des briques à travers le tissu de sa robe. Elle crispa ses mâchoires et contracta ses poings.

Elle regarda ses assaillants lâcher leurs torches et fouiller dans leurs poches. Elle vit les couteaux apparaître et eut la certitude qu'il ne lui restait que quelques instants à vivre.

– *Es tu ultimo momento*, dit l'un d'eux.

La fin.

Les trois hommes firent volte-face au grondement d'un moteur et observèrent l'énorme van sombre, visible une seconde à l'entrée de l'impasse. Ils se retournèrent vers Rachel en souriant, puis se figèrent lorsque des freins hurlèrent, que des pas retentirent et que deux silhouettes surgirent à l'angle.

Lucas et Loïc.

Rachel sentit son pouls s'accélérer, la tension palpiter en elle, battre en mesure avec son cœur. Elle avait toujours la conviction qu'elle allait mourir, mais devinait la possibilité d'un léger sursis.

Gabriel se tenait dos à l'autel. Les vitraux derrière lui s'éclairaient par intermittence, car les fusées continuaient à exploser et à siffler dehors.

Il distinguait les cris et l'agressivité montante de la foule grouillant sur la place, tel un roulement de tambour de plus en plus intense. Il espérait surtout que Rachel était saine et sauve.

Les quatre hommes chargés de le traquer se rapprochèrent encore un peu...

Leurs regards brillaient sous leurs masques à la lumière des torches et Gabriel lisait leur intention meurtrière, unique lueur dans leurs pupilles très noires par ailleurs éteintes et mornes.

Il sut ce qu'ils s'apprêtaient à faire : leur instrument d'attaque flambait dans leur poing. Vu le groupe auquel ils appartenaient, vu le motif des célébrations, ces hommes devaient considérer que c'était l'arme adéquate.

Gabriel leur adressa un petit signe de la tête. Lui aussi trouvait que c'était l'arme adéquate.

Il leva les bras et, juste avant de fermer les yeux, discerna la confusion chez les hommes venus l'assassiner. Il devina leur perplexité.

Que faisait ce garçon ? Ce monstre. Pourquoi ne s'enfuyait-il pas ?

Les paupières closes, Gabriel sentit la force l'envahir, croître au point qu'elle fut impossible à réprimer, même s'il l'avait voulu. Il entendit les détonations et le crépitement du feu d'artifice ; les bruits de verre brisé alors que la foule commençait à jeter des pierres sur les vitraux de l'église.

Puis les autres sons, à un mètre de lui.

Les exclamations étouffées lorsque les premières flammes minuscules se mirent à lécher les vestes jaune vif. Puis les hurlements lorsque le feu prit.

Adam consulta sa montre. Minuit cinq. Il avait dix minutes pour rallier le lieu de rendez-vous, dans l'ombre de la tour. Il fallait qu'il avance.

Le plan avait fonctionné exactement selon le souhait de Gabriel. Tandis qu'Adam se frayait un chemin dans la foule, tranquille, inaperçu, le paquet caché sous sa veste oscillait contre sa poitrine au rythme de sa marche.

Les restes de quelqu'un qui, de même que l'homme dont ils avaient exhumé le corps à Triskellion, était son propre ancêtre...

La ville était un gigantesque embouteillage. La circulation n'aurait pas été facile de toute façon, mais après les incidents sur la place, le chaos avait entraîné la panique et des bouchons dans la moindre rue à des kilomètres à la ronde. Les voitures roulaient pare-chocs contre pare-chocs, les conducteurs klaxonnaient ou se penchaient par les vitres pour s'insulter. Adam contourna les véhicules ou se faufila entre eux, s'ouvrit un passage dans la cohue, tout en vérifiant le nom des rues, la proximité de tel monument et sa position par rapport à la rivière, afin de s'assurer qu'il allait dans la bonne direction. Il sentit une autre peur lui envahir l'esprit et lui tordre le ventre. Rachel. Elle avait des ennuis.

Il sursauta lorsqu'une fusée explosa au-dessus de lui, serra son paquet un peu plus fort contre sa poitrine et se mit à courir.

Le combat n'était ni loyal ni élégant et Rachel, en spectatrice, devina que Lucas et Loïc avaient ainsi appris à survivre dans les rues les plus glauques de Paris.

Il avait suffi de cinq secondes pour que les couteaux des hommes volent sur les pavés. Bras et jambes frappaient à une allure folle et avec une violence effrayante. Les Espagnols haletèrent, suffoqués par les coups de pied à la poitrine, et ils eurent les yeux exorbités lorsque les mains brutales arrachèrent les foulards rouges à leurs cous.

Les garçons manifestaient une puissance et une rapidité incroyables, « talents » issus de l'ADN unique dont ils avaient hérité. Leur force était irrépressible et leurs adversaires ne faisaient pas le poids.

– Ça suffit ! cria Rachel.

Les coups continuaient à pleuvoir sur les trois hommes, qui rampaient désormais dans une tentative de fuite désespérée.

Claques, chocs, massacre. Yeux crevés et oreilles déchiquetées.

Rachel se précipita et tira Lucas en arrière par les cheveux. Il fit volte-face et elle vit la détermination froide, implacable, sur son visage, l'entendit dans le grognement qui sortit des profondeurs de sa gorge.

– Il faut qu'on y aille, dit-elle.

Puis elle attrapa Loïc par le col et l'écarta d'un corps gisant à terre.

– Le rendez-vous est dans quelques minutes.

Elle lui posa une main à plat sur la joue, l'y laissa jusqu'à ce qu'il se calme.

– Tu n'as rien ? lui demanda-t-il.

– Ça va, merci, répondit-elle.

Il mit un bras sur l'épaule de son frère et prit une longue inspiration. Il s'éloigna un peu, puis se retourna pour envoyer un dernier coup de pied à l'homme sur les pavés avant de rejoindre ses deux compagnons et de quitter l'impasse à toute vitesse.

# 39

Gabriel entendit les portes de l'église pivoter avec violence et ouvrit les yeux. Il regarda le prêtre du quartier s'approcher en chancelant, crier et gesticuler d'horreur à la vue et au bruit affreux des trois hommes transformés en torches vivantes. Un pour chacun des innocents sacrifiés pour Rafael.

– Donne-la-moi ! ordonna le prêtre.

– Pourquoi ? demanda Gabriel. Craignez-vous une baisse du nombre de touristes ?

– Donne-la-moi !

Gabriel tint bon.

– Je ne l'ai pas, répliqua-t-il.

– Menteur !

– Ne vous inquiétez pas : elle retournera là où elle doit être.

Le prêtre était blême de fureur, il hurlait des malédictions en espagnol d'une voix aiguë et cassée. Il courut vers le mur latéral, ôta l'une des haches ornementales de son support, la brandit avec maladresse et marcha droit sur Gabriel, laissant derrière lui les hommes à terre.

– Tout ça pour la main d'un défunt, dit le jeune garçon.

Le prêtre se jeta sur lui…

Gabriel ferma les yeux une seconde fois jusqu'à ce qu'il entende le bourdonnement commencer. Puis il les rouvrit, impatient de voir l'expression sur le visage du prêtre lorsque l'homme percevrait à son tour le vrombissement, lorsqu'il lâcherait son arme et tenterait de chasser les abeilles.

– La vérité est cuisante, n'est-ce pas ? lança Gabriel.

Le prêtre battait l'air et virevoltait, agitait en vain les bras pour éloigner des insectes qu'il ne pouvait voir, qui n'existaient que dans son imagination. La douleur était bien réelle cependant – piqûre après piqûre sur le moindre centimètre carré de peau dénudée, à tel point qu'il eut l'impression d'avoir le corps en feu.

Gabriel lut ses pensées et provoqua l'embrasement.

Le prêtre fit volte-face et s'enfuit alors que les flammes l'enveloppaient. Il sortit de l'église comme une flèche, dévala l'escalier, se précipita sur la place, suivant le même trajet que son ancêtre cinq siècles plus tôt, lorsque celui-ci était allé éclairer le bûcher. Depuis le seuil, Gabriel regarda la silhouette ardente s'ouvrir un chemin dans la foule, ses cris aussi stridents que les fusées du feu d'artifice.

Le prêtre s'écroula enfin sur le bûcher à la construction duquel il avait participé, et Gabriel vit les flammes commencer à monter. Le jeune garçon regarda les spectateurs effarés s'écarter de la chaleur torride en détournant les yeux, puis il quitta la place en hâte dans la direction opposée.

Lucas conduisait aussi vite que possible le van que son frère et lui avaient volé, mais la circulation était très lente et de nombreuses routes barrées.

Rachel jeta un coup d'œil à sa montre.

– Il nous reste deux minutes, annonça-t-elle.

Ils s'arrêtèrent net derrière une file de véhicules immobiles. Lucas klaxonna mais aucun ne bougea. Loïc montra, au-delà des voitures, une rue étroite presque déserte.

– Il faut qu'on descende par là, dit-il. Regardez…

Rachel se pencha pour observer. Elle distingua le sommet de la tour à quelques rues plus au sud. Nouveau coup d'œil à sa montre.

– Pourquoi ne pas laisser le van et y aller en courant ? suggéra-t-elle.

– Inutile, répondit Lucas.

Il passa la marche arrière et recula de vingt mètres.

– Rassure-moi, tu plaisantes ? dit Rachel.

Lucas fit non de la tête, puis il lança le van à toute vitesse et fracassa les deux voitures qui bloquaient l'accès à la ruelle.

Loïc hurla de joie et tambourina sur le tableau de bord pendant que son frère, pied au plancher, fonçait dans la ruelle déserte vers le lieu du rendez-vous.

Adam voyait la tour et savait qu'il arriverait à temps. Il se demanda si les autres étaient déjà là-bas. Inez et Carmen feraient l'impossible pour protéger Morag et Duncan, et les garçons français honoraient toujours leurs contrats. Rachel et Gabriel avaient été pris en chasse, c'était certain, mais ils auraient tous les deux donné du fil à retordre à leurs poursuivants.

Il s'interrogea sur la prochaine étape de leur voyage, sur le trajet en bateau dont Gabriel avait parlé.

Il s'avança sur la chaussée embouteillée, se faufila entre les voitures jusqu'au trottoir d'en face. La tour n'était plus qu'à une minute.

Il consulta sa montre.

– Adam !

Il se tourna, scruta l'océan de têtes sur le trottoir, mais ne vit rien. Cette voix, pourtant... Il avait cru reconnaître...

– Adam... par ici !

Il regarda encore et aperçut Laura Sullivan, sa chevelure rousse si particulière. Elle lui adressait des signes, montrait la femme à côté d'elle. Un nœud se forma dans la gorge d'Adam.

Sa mère !

Il bouscula les passants et courut se jeter dans ses bras en oubliant le paquet dissimulé.

– Maman...

– Mon chéri, tu vas bien ?

Adam ne put répondre, incapable de démêler le flot de pensées dans sa tête. Il prolongea l'étreinte, n'entendit que vaguement sa mère lui demander où était sa sœur lorsqu'il sentit d'autres mains le saisir, l'entraîner...

– Adam... non !

... le pousser dans le van gris métallisé qui avait stoppé sans bruit à leur hauteur et le clouer sur une longue banquette basse à l'intérieur. Prisonnier, il en fut réduit à regarder Clay van der Zee se diriger vers Laura Sullivan, vers sa mère immobilisée.

– Merci, docteur Sullivan. Nous allons prendre la relève.

– Mais vous aviez dit... vous aviez promis de ne pas les capturer.

– Garce ! Vous m'avez menti ! hurla sa mère, essayant d'atteindre Laura, de la frapper. C'était un piège !

– Non, Kate, je vous le jure...

Adam appela sa mère lorsque la porte du van claqua. Il continua d'appeler alors que le véhicule s'engageait dans la circulation.

Dès son arrivée, Rachel vit qu'il y avait un problème, sentit qu'il y avait un gros problème. Inez et Carmen, toutes deux en larmes, serraient désespérément les mains de Morag et Duncan, dont les yeux trahissaient la consternation. La détresse.

Son cœur s'emballa lorsqu'elle entraperçut sa mère courbée contre le mur, mais le visage maternel et les regards noirs en direction de Laura Sullivan, qui se tenait figée à un mètre, la pétrifièrent.

Elle se retourna vers les jumelles espagnoles. Leur posa la question mentalement.

– Ils ont capturé Adam, dit Inez.

Carmen s'approcha, prit la main de Rachel.

– Nous avons vu la scène à deux pas d'ici. Un van s'est arrêté, des hommes sont descendus...

Rachel sauta au cou de sa mère et l'étreignit tandis que les sanglots commençaient à secouer le corps de Kate Newman. La jeune fille observa Laura, qui semblait exsangue et vaincue, et devina peu à peu comment le drame s'était déroulé.

Adam...

Gabriel apparut à cet instant au coin de la rue. Il avait l'air tranquille, content de lui.

– Quelle ponctualité ! dit-il. Maintenant, il faut partir.

Il regarda Rachel et Kate enlacées.

– Que s'est-il passé ?

Rachel secoua la tête. Entre les explosions des pièces d'artifice, le bruit des pleurs de sa mère lui comprimait la gorge tel un étau.

– Que s'est-il passé ? répéta Gabriel.

Il examina les visages tour à tour, les compta, et il eut la réponse.

Alors que l'unité d'expérimentation mobile de la cellule Espoir quittait la ville, le technicien vint se pencher vers les sièges pour parler à Van der Zee.

– Je voudrais juste vous informer, monsieur. Le paquet qu'il transportait, dit-il avec une grimace, c'est une main. Une main momifiée…

Van der Zee hocha la tête.

– Effectuez toutes les analyses habituelles. Pratiquez l'examen médical et envoyez-moi d'urgence les résultats des tests ADN.

Le technicien répondit qu'il allait s'y mettre tout de suite.

Van der Zee demanda au conducteur de trouver une jolie musique apaisante et se cala dans son siège. Il jeta un coup d'œil par-dessus son épaule et vit que le technicien n'avait pas bougé, qu'il attendait d'autres instructions.

– Oh, et donnez quelque chose au garçon pour l'aider à dormir, s'il vous plaît.

Vingt minutes après la fin du feu d'artifice, quand la foule eut commencé à s'attabler autour du souper pour discuter des événements sur la Plaza de la Constitución, un homme en veste jaune vif gravit une étroite passerelle enjambant la rivière.

L'Anglais attendait.

– Ils nous ont échappé.

L'Anglais ne prit pas la peine de se retourner.

– Je ne le sais que trop, rétorqua-t-il.

L'homme vêtu de la veste jaune brodée de diables dansants lui tendit un paquet.

– Je vous ai apporté ça, dit-il. J'ai pensé que ça pourrait être une petite consolation.

L'Anglais accepta le paquet et se mit à dérouler le morceau de tissu taché qui l'enveloppait.

– De la part du marchand de miel.

L'Anglais indiqua qu'il comprenait et sortit le cadeau. Il l'examina. La main était froide et cireuse, ses ongles soignés commençaient déjà à se détacher de la chair.

– C'est bien, affirma-t-il. Je suis sûr qu'on peut récolter le miel avec une seule main.

L'homme parut ravi que son « cadeau » soit aussi apprécié.

– Ne vous inquiétez pas. Les mômes n'auront pas autant de chance la prochaine fois, certifia-t-il.

– Je ne m'inquiète pas.

– Bien sûr que non. Je voulais simplement dire...

L'Anglais haussa la main de Salvador Abeja vers la lumière.

– Voilà qui montrera le sort réservé aux individus assez idiots pour tendre une main secourable à ces mômes.

Son complice éclata de rire, puis s'arrêta lorsqu'il se rendit compte que l'Anglais ne plaisantait pas. Il le regarda remonter un peu sa capuche avant de lâcher négligemment la main tranchée dans l'eau et de s'éloigner le long de la passerelle ténébreuse.

# troisième partie : la confiance

# 40

*Les vagues se brisent contre les rochers gris déchiquetés, des gerbes d'écume montent dans le ciel du soir. Le rugissement de la mer ne s'arrête jamais. Incessant, éternel ; musique de fond qui accompagne la vie des habitants des cavernes.*

*Chaque jour, quel que soit le temps, les petites embarcations sortent. Chaque jour, quand le soleil adoré des pêcheurs descend sur l'horizon, les bateaux reviennent avec ce qu'ils ont attiré hors des eaux hostiles.*

*La jeune fille se tient sur la plage, comme souvent, pour assister au retour des bateaux qui apportent à sa famille de quoi subsister. Elle les considère avec plus d'intérêt que d'habitude, car elle sait qu'aujourd'hui, il y a du nouveau. Elle a remarqué l'éclair éblouissant, loin au large, juste après le lever du soleil, et maintenant qu'ils rentrent, elle voit les pêcheurs agiter les bras et crier.*

*Elle observe les hommes pendant qu'ils hissent le bateau sur la plage et tirent sur le sable le corps pâle et sans vie, semble-t-il. Elle le scrute de la tête aux pieds, curieuse, fascinée par une telle blancheur. Il est si lisse et glabre, si long et mince, comparé aux hommes bruns et courtauds de la tribu. Elle voit un soubresaut l'agiter soudain et une eau visqueuse, verte, couler de sa bouche. Elle voit les spasmes secouant sa poitrine et ses membres le ramener à la vie.*

*Les yeux étroits ciller, puis s'ouvrir. Profonds et verts.*

*Elle observe le chef qui retire du poing serré de l'inconnu un objet en or et le lève bien haut, trois lames étincelantes dans le soleil du soir…*

*Et maintenant, plusieurs saisons après, la jeune fille contemple l'étranger en plein travail à l'intérieur des grottes. Stupéfaite, elle le regarde peindre puis, à travers des fissures dans la roche, canaliser la lumière sur ses étonnantes et merveilleuses créations : visions du passé, du présent et du futur. Elle le voit fabriquer de beaux récipients élaborés, en pierre et en métal ; elle sait que les hommes de la tribu se rassemblent, qu'ils parlent en secret. Elle devine qu'ils sont alarmés, épouvantés par son art, menacés par cette complexité. Elle les regarde entraîner l'étranger dans les profondeurs des grottes et lui ordonner de construire suivant leurs instructions, d'accomplir ses prodiges à leur profit. Elle lit l'acceptation sur le visage de l'étranger lorsqu'il comprend qu'ils lui font bâtir sa propre tombe : un lieu où ses os et ses reliques demeureront enfermés pour toujours, afin qu'ils ne constituent plus une menace.*

*Plus tard, la jeune fille pleure lorsque le soleil se couche et que les hommes arrivent ; qu'ils les séparent, elle et l'étranger. Elle cache les yeux de ses bébés jumeaux tandis que les hommes emmènent leur père ;*

*que les habitants des cavernes l'étendent sur un rocher plat et lui fracassent le crâne avec une énorme pierre.*

*Elle se cache les yeux lorsque le corps est exposé, que les mouettes s'abattent en piqué au-dessus de la mer rugissante pour venir nettoyer les os…*

Un son plaintif, robotique et métallique, rompit le silence de l'aube fraîche et sortit Rachel des profondeurs du rêve.

Elle avait déjà eu des visions ou des rêves de ce genre. Ils avaient commencé à Triskellion et n'avaient pris véritablement sens qu'à la découverte des corps des ancêtres de Gabriel… de ses ancêtres à elle.

Des rêves et des visions.

L'arrivée d'un étranger. Une jeune fille, curieuse et sans crainte. Des enfants jumeaux.

Des rêves et des visions qui se terminaient toujours de la même manière. Par la terreur. Par le meurtre.

Rachel n'avait pas vraiment dormi. Jusqu'à une heure avancée, elle avait parlé avec Laura, sa mère, les garçons français et les jeunes Espagnoles. Ils avaient examiné et réexaminé les circonstances de l'enlèvement d'Adam et le fait que, depuis lors, elle ne réussissait pas à communiquer avec lui. Elle n'avait pas reçu le moindre message. Quelque chose semblait le séparer d'elle, empêcher tout contact. Ce qu'elle percevait, en revanche, et qui ne l'avait pas lâchée au cours des trois derniers jours, c'était une terrible sensation d'appréhension au creux du ventre.

Les autres jumeaux la plaignaient beaucoup, car ils connaissaient tous l'importance des échanges avec leur frère ou leur sœur. Car ils savaient tous que la perte de ce lien équivalait à une amputation. La mère de Rachel était muette de chagrin. N'ayant accordé sa confiance à Laura Sullivan que de mauvais gré, elle était revenue à ses sentiments d'origine : la rancœur et le soupçon. Pour Kate, perdre son fils était pire que perdre un membre.

C'était presque mourir.

– *Allahu akbar... Allahu akbar... Haya 'ala as-salat... Haya 'ala as-salat...*

« Dieu est le plus grand... Venez prier... » La voix robotique enregistrée reprit, appelant les fidèles depuis un haut-parleur au sommet d'une mosquée voisine. Rachel se rallongea dans son lit tandis que les arcs et les motifs ornementaux de la chambre émergeaient tout juste de la pénombre. Elle sentit ses entrailles se nouer devant le constat que, pour le quatrième matin consécutif, Adam était toujours absent. Bercée par la respiration régulière de sa mère qui dormait de l'autre côté de la pièce, Rachel essaya de se concentrer et de calmer son affolement.

D'affronter une nouvelle journée à Marrakech.

Quittant Séville, ils avaient roulé dans le van volé jusqu'à un petit port de la côte espagnole, mais lorsqu'ils étaient arrivés sur place, l'idée que Rachel se faisait du bateau qui les emmènerait s'était vite dissipée.

Elle avait imaginé une embarcation de pêche dansant à un mouillage, blanche ou bleue, avec une fine voile élégante et un nom charmant tel que *Marina* ou *Embruns*. Comme les voiliers astiqués des plaisanciers qu'elle avait vus au cap Cod.

Par contraste, le *San Miguel* était un cheval de labour. Courte et massive, sa coque à moitié rouillée se dessina, noire et lourde, dans l'eau graisseuse du port de pêche. Le bateau s'approcha puis heurta le quai avec son flanc robuste, pareil à un monstre marin agressif voulant se libérer de ses cordes. Lorsqu'ils montèrent à bord, aidés par l'oncle Pepe d'Inez et de Carmen, la puanteur de vieux poisson et de gasoil suffoqua Rachel.

Huit d'entre eux s'entassèrent dans la cabine derrière la timonerie pendant que Pepe mettait le moteur en marche. Les lumières intérieures laiteuses vacillèrent sur leurs visages pâles tandis que le groupe électrogène démarrait. Pepe donna l'ordre en espagnol à Lucas et Loïc, postés sur le pont, de détacher les cordes des bittes d'amarrage. Le bateau vibrant s'enfonça dans la nuit noire et, gagnant la pleine mer houleuse, se dirigea vers la côte nord-africaine.

Les odeurs mêlées du poisson, du gasoil et du fort tabac brun de Pepe, ajoutées au mouvement irrégulier du bateau, furent plus que Rachel et sa mère n'en purent supporter. Elles vacillèrent hors de la cabine et, soutenues par les garçons français, vomirent par-dessus bord, rejetant leur malaise, leur chagrin et les restes de leur dernier repas dans l'Atlantique.

Elles demeurèrent à l'air libre, pelotonnées ensemble pour se réconforter, les yeux levés vers les étoiles brillantes qui étaient les seuls signaux éclairant leur route.

Lorsque l'aube pointa le lendemain matin, ils vinrent tous sur le pont. Une étroite bande de rivage s'étendait à plusieurs kilomètres sur leur gauche et Laura Sullivan cria pour couvrir le ronflement du moteur :

– Où sommes-nous ?

Pepe montra le littoral.

– Casablanca.

Rachel connaissait le nom grâce à un vieux film. Il avait une consonance incroyablement étrangère et exotique.

– Nous allons accoster un peu plus loin, dans une petite ville, expliqua Carmen. L'oncle Pepe a des amis là-bas. Nous y avons des amis.

Ils atteignirent un port qui semblait dater d'un autre âge, quelques siècles en arrière. Des bateaux en bois rudimentaires dansaient sur l'eau, des pêcheurs loqueteux empilaient des caisses de sardines et disposaient des anguilles encore remuantes sur les étals des docks.

Les voyageurs enjambèrent des filets enchevêtrés, des caisses en bois, longèrent des carcasses de navires et franchirent un portail ouvrant sur une zone où des voitures et des taxis archaïques étaient garés dans un complet désordre. Pepe embrassa ses nièces. Puis il sécha ses larmes, casa tous ses protégés dans deux vieilles Mercedes cabossées, tendit des liasses de billets aux chauffeurs ravis et les envoya en direction de Marrakech.

Trois heures plus tard, les taxis arrivèrent près des murs rouges de la vieille ville – la médina, leur indiqua le chauffeur, avant d'annoncer que les véhicules s'arrêtaient là. Des hommes vêtus de longues robes à capuche et coiffés de calottes emplissaient les rues. Des cyclomoteurs louvoyaient dangereusement autour de charrettes tirées par des ânes à la mine triste.

Rachel n'avait jamais rien vu de tel…

Avant de découvrir l'Angleterre et Triskellion, Rachel n'avait réellement connu que New York et diverses localités plus au nord. À l'exception des voitures et des deux-roues omniprésents, la médina de Marrakech semblait appartenir au Moyen Âge : des mendiants en haillons, des marchands ambulants qui poussaient des charrettes pleines de menthe et d'oranges, des artisans qui martelaient de belles pièces de ferronnerie sur le trottoir, des odeurs d'égout et de fumier, des bouffées de parfum et de fumée…

Un vieil homme tirant une brouette en bois surgit de nulle part. Après un échange inintelligible avec les chauffeurs de taxi, il saisit les rares bagages que le groupe possédait encore et les entassa dans sa brouette. Personne n'avait eu le temps de protester qu'il commanda de le suivre et passa la porte de la vieille ville.

– Attendez ! cria Rachel. Où allons-nous ?

Elle vit Laura, sa mère et les autres aussi déconcertés qu'elle par le chaos qui les environnait soudain. Le vieil homme s'arrêta lorsque Rachel le rattrapa.

– Ne t'inquiète pas, dit Gabriel, qui franchit la porte et posa doucement la main sur l'épaule de la jeune fille. Il connaît les lieux comme sa poche.

L'homme adressa un grand sourire à Rachel et s'inclina vers elle, la main gauche sur la poitrine. Ce fut alors que Rachel remarqua le tatouage. Décoloré mais toujours net, dessiné dans le triangle entre le pouce et l'index. Un symbole bleu à moitié effacé sur la peau brune parcheminée.

Un triskèle.

Ils atteignirent le *riad* Magi au terme d'un trajet qui leur sembla interminable. Ils descendirent des ruelles, traversèrent de petites places, longèrent des boutiques festonnées de pots rouges coniques, de bassines en cuivre et de tapis aux couleurs et aux tailles les plus variées. Ils passèrent devant des hommes occupés à réparer des chaussures usées, devant des échoppes où s'empilaient des pains plats, devant des vitrines présentant un unique lapin écorché ou un crochet avec les boyaux d'un animal récemment abattu.

En l'absence de noms de rues et à cause du peu de panneaux, le groupe entier – hormis Gabriel, qui donnait l'impression de connaître les moindres zigzags, les moindres ruelles cachées – perdit tout sens de l'orientation. Morag et Duncan avaient l'air terrifiés. Ils ne lâchaient pas Kate et Laura d'une semelle tandis que les bicyclettes et les charrettes les frôlaient sans se soucier de leur sécurité ou remarquer leur existence, semblait-il.

Enfin, ils s'engagèrent dans un boyau, se baissèrent sous une voûte et s'arrêtèrent face à une porte marron érodée; sa plaque en cuivre astiqué était gravée en arabe. Le vieil homme posa sa brouette et frappa. Rachel prit une profonde inspiration et frémit lorsqu'un chat noir à trois pattes lui effleura la jambe de son corps maigre au poil emmêlé. Puis les verrous coulissèrent de l'autre côté du battant.

L'intérieur paisible du *riad* formait un contraste total avec les ruelles crasseuses et grouillantes. Introduit dans un vestibule sombre par un garçon habillé de blanc, le groupe pénétra dans une cour à ciel ouvert. Un petit bassin gazouillait au milieu et les rayons du soleil affluant par le rectangle du toit blanchissaient les murs. Des escaliers en colimaçon montaient vers des pièces de chaque côté, leurs entrées dissimulées par des rideaux blancs qui dansaient dans la brise légère.

– Bonjour ! Soyez les bienvenus !

Un homme se penchait au balcon et les saluait depuis le premier étage. Il sourit largement puis disparut, dévala à grand bruit un escalier de pierre et réapparut près du bassin.

– Bienvenue, bienvenue. Je suis Mahmoud.

L'homme, quoique manifestement marocain, avait un accent anglais quasi impeccable, comme les journalistes que Rachel avait entendus à Triskellion sur les chaînes britanniques.

– Avez-vous fait bon voyage ?

Avant même qu'ils aient pu répondre, il circulait déjà parmi eux, leur serrait la main, s'inclinait, cillait derrière des lunettes à monture épaisse et souriait à travers sa barbe grise bien taillée. Il portait un fez et un long vêtement à capuche – blanc, avec des rayures orange –, comme la plupart des hommes qu'ils avaient croisés.

Rachel considéra ses babouches jaunes. Il lui rappelait un personnage de *La Guerre des étoiles*.

– Vous devez avoir faim, dit-il.

Il pria le garçon de transporter leurs affaires à l'étage, puis les conduisit dans une belle salle où, sur une table jonchée de pétales de roses, était dressé un fantastique petit déjeuner.

Depuis leur arrivée, Mahmoud satisfaisait tous leurs caprices. Ils mangeaient bien et, l'après-midi, dormaient, s'installaient au soleil sur la toiture-terrasse ou lisaient dans la sérénité au bord du bassin. Ils n'avaient aucune raison de se risquer dehors, dans le capharnaüm de la ville, mais soudain, en ce quatrième jour, ils avaient commencé à se sentir des fourmis dans les jambes. Ne voulant pas les laisser sortir seuls, Mahmoud avait emmené Laura, Kate et les petits jumeaux se promener dans le souk, ce réseau d'étals de marché occupant le moindre recoin autour de la place principale.

Les garçons français étaient montés sur la toiture-terrasse, où ils frimaient pour Inez et Carmen qui prenaient le soleil, lisaient des magazines et feignaient de ne rien remarquer. Rachel se retrouva donc seule avec Gabriel.

Ils étaient assis sur des coussins près du bassin. Rachel ne savait plus à quand remontait leur dernier moment ensemble, juste lui et elle. Gabriel éparpillait ses efforts entre chacun d'eux et, au début, les pieds dans l'eau fraîche, Rachel n'entendit que le silence à l'intérieur d'elle-même.

Gabriel paraissait s'en accommoder de bonne grâce, mais Rachel le sollicita.

*Parle-moi*, lui demanda-t-elle mentalement. *Dis-moi où nous allons*.

*Nous touchons au but*, répondit-il en esprit. *Notre voyage se terminera bientôt*.

Quelque chose dans ses paroles procura un soulagement intense à Rachel, avec la perspective que cette aventure s'achèverait sous peu. Mais il y avait aussi une note triste dans sa voix, une note… définitive, suggérant que le dénouement de l'histoire ne serait peut-être qu'en partie heureux. L'adolescente s'apprêtait à questionner Gabriel lorsque le vacarme dans le couloir lui signala le retour de sa mère et des autres. Les petits jumeaux traversèrent la cour à toutes jambes.

– Regardez-nous ! cria Morag.

Elle montra les tenues identiques que son frère et elle arboraient : djellabas et babouches éclatantes.

– Comme moi, dit fièrement Mahmoud.

Laura Sullivan sourit.

– Nous avons pensé qu'il fallait les intégrer un peu.

– On a vu des charmeurs de serpents, s'enthousiasma Morag. Et des singes sur la place.

– Un cobra royal, un mamba vert, un serpent des blés… énuméra aussitôt Duncan.

– C'est bien, l'interrompit Rachel.

Duncan l'ignora et poursuivit sa liste des animaux qu'ils avaient observés :

– Un magot, un varan, un caméléon, une tortue…

– J'ai fait des achats pour toi, Rachel, annonça Kate.

Sa lèvre tremblait lorsqu'elle tendit à sa fille un paquet de vêtements : une épaisse veste blanche pour le soir, un bonnet de laine et des bottes fourrées.

– Je me suis dit que ça te changerait de tes pulls et de tes jeans crasseux.

Rachel baissa les yeux vers son polo taché et déchiré. Depuis quelques jours, ses habits étaient le dernier de ses soucis.

– J'ai aussi des affaires pour Adam…

Le visage de Kate se tordit alors qu'elle serrait un autre sac de vêtements contre sa poitrine. Laura essaya de lui passer un bras autour des épaules, mais rencontra un souverain mépris ; le niveau de communication poli qu'elles avaient atteint durant les jours précédents fut balayé.

– Trouvez-le, implora Kate. Retrouvez mon fils, vous…

Elle ne finit pas sa phrase, assaillie par les larmes, et courut à l'étage. Laura s'empressa d'emmener Morag et Duncan dans leur chambre et Mahmoud s'esquiva.

Rachel était de nouveau seule avec Gabriel, mais l'intimité tranquille avait disparu. Un peu de la colère maternelle la gagna :

– Pourquoi tu leur as permis d'enlever Adam ?

Gabriel se tourna vers elle.

– Je n'ai rien permis. Ils l'ont fait, voilà. Dis-moi, tu n'as pas encore compris ? Je ne contrôle pas tout ; je ne maîtrise pas chaque événement. Des gens comme moi ont été vaincus et détruits. Je peux accomplir certaines choses, mais il m'arrive d'avoir besoin d'aide. De ta part. De la part d'autres personnes.

Il plongea son regard dans le sien et Rachel éprouva une certaine crainte devant la froideur qu'elle entraperçut sous l'éclat vert. Gabriel se tut, comme s'il hésitait à révéler sa pensée, mais Rachel la lisait déjà.

La phrase était là, très claire.

*Je t'ai dit qu'il y aurait peut-être des sacrifices.*

Rachel sentit la colère flamber en elle, violente. Adam était silencieux depuis qu'ils avaient quitté l'Espagne. Elle avait essayé, en vain, d'établir le contact. L'idée que son frère pourrait être un « sacrifice » lui était insupportable. Son poing vola, dur et vif, vers le visage de Gabriel. Mais dans la fraction de seconde précédant le coup, Gabriel arrêta Rachel, la saisit avec fermeté, l'attira près de lui.

Pendant un court instant, la jeune fille crut qu'il allait lui donner un baiser.

– Explique-moi ce qu'on fait là ! lui cria-t-elle à la figure, reprenant ses esprits et libérant son poignet. C'est quoi, notre destination, à la fin ?

Elle vit une incertitude inhabituelle se peindre sur le visage de Gabriel. Il détourna les yeux.

– Je ne sais pas exactement, avoua-t-il.

Il riva son regard sur le bassin.

– J'attends un conseil.

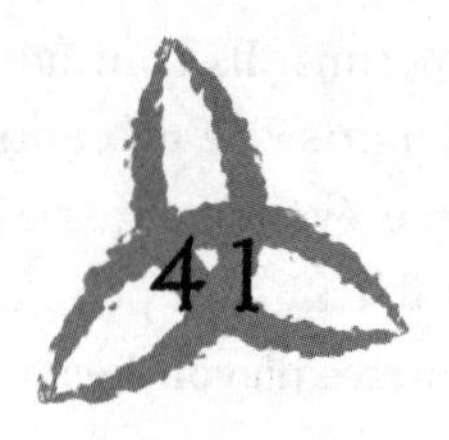

# 41

Adam rêvait de chez lui…

Tandis qu'il se promenait dans le quartier, il avait vu Rachel et sa mère sur le trottoir d'en face. Il les avait appelées, mais elles ne l'avaient pas entendu dans le vacarme de la circulation, et chaque fois qu'il avait essayé de se rapprocher, la rue s'était élargie ou une voiture avait surgi pour lui barrer le passage.

Maintenant, rentré à l'appartement, il préparait du pop-corn dans le four à micro-ondes en attendant que sa sœur et sa mère reviennent. Il regarda par la fenêtre de la cuisine et les aperçut tout près… dans un autre logement. Elles se tenaient dans une cuisine identique. Rachel racontait quelque chose, faisait des gestes en parlant, et leur mère riait… riait vraiment.

Adam tambourina au carreau, mais n'obtint aucune réaction.

Quand il voulut ouvrir la fenêtre, une nuée d'abeilles se pressa devant et la poignée demeura introuvable.

La sonnerie du four se déclencha, et Adam commença à sortir du sommeil…

Adam entendait les bips des appareils médicaux tout autour de lui. Le parfum du pop-corn se dissipa, dominé par la puanteur de l'eau de Javel, du caoutchouc et du désinfectant qu'on lui avait appliqué sur le bras avant d'y enfoncer l'aiguille. Il sentit le matelas mince sous lui. Les barreaux métalliques de chaque côté du lit. Les larges sangles noires en travers de sa poitrine et de ses jambes.

Adam ouvrit les yeux et battit lentement des paupières alors que le rêve s'éloignait. Le visage heureux de sa mère s'estompa, comme un fondu au noir à la fin d'un film. Seul demeura le visage qu'il lui avait vu sur ce trottoir à Séville : les larmes et la bouche tordue pendant qu'elle regardait les ravisseurs le capturer. Même après que les hommes avaient claqué les portes et entrepris de le ligoter, il avait continué à percevoir ses hurlements. Elle avait poussé des cris d'animal blessé.

– Bonjour Adam.

Le jeune garçon tourna la tête. Regarda Clay van der Zee fermer la porte derrière lui et pénétrer dans la pièce.

D'ailleurs, s'agissait-il d'une pièce ? Il n'y avait pas de fenêtre et les murs étaient des cloisons de métal. Faisaient-ils halte quelque part ? Adam devina qu'il était dans un laboratoire ou un hôpital mobile. Il se souvenait d'un très long trajet. Il avait perçu le mouvement durant les phases fugaces où il sortait de sa léthargie, mais les drogues l'avaient replongé dans la torpeur avant qu'il ait pu prendre ses repères. Avant qu'il ait pu tenter de communiquer avec Rachel.

Plusieurs jours s'étaient écoulés depuis son enlèvement, il en avait la certitude, et il avait presque renoncé à essayer d'établir le contact avec sa sœur. Même quand il avait toute sa conscience, il ne parvenait pas à la joindre en pensée. Il ne parvenait pas à recevoir les messages qu'elle devait tâcher de lui envoyer.

L'effet des drogues, sûrement.

– J'ai dit « Bonjour » !

Il vit Van der Zee sourire, comme si la conversation était parfaitement normale. Comme si cet individu n'avait rien d'un ravisseur. Comme si lui-même n'était pas attaché à un lit et bourré de substances ignobles...

– Tout dépend de votre définition du « bon », répliqua-t-il.

Van der Zee approcha un petit tabouret en métal et s'assit près du lit.

– Disons que ce serait une bonne journée pour vous... si vous répondiez à mes questions. À une question en particulier...

– Je vous ai déjà répondu : je n'en sais rien.

Van der Zee hocha la tête, les lèvres crispées.

– Ce garçon... dont vous refusez de préciser comment il s'appelle...

– Je vous l'ai expliqué, il a plusieurs noms.

– Il est clair que ce garçon vous emmène tous quelque part, et vous soutenez qu'il ne vous a pas révélé où ?

– Je n'en ai pas la moindre idée, certifia Adam.

– Ni pour quelle raison ?

– C'est un genre de... voyage surprise.

Adam regarda Van der Zee, savoura la colère à peine dissimulée sur son visage et lui lança :

– Qu'est-ce qui vous chagrine, vous n'aimez pas les surprises ?

Van der Zee se leva et vint au pied du lit. Il considéra Adam quelques secondes, comme s'il essayait de trancher un problème difficile, puis il se pencha et lui prit les mains.

– Je croyais que nous étions amis, déclara-t-il. Je croyais que, contrairement à votre sœur, vous sentiez que la cellule Espoir se préoccupait de vos intérêts. Maintenant, je suis dans une position… délicate.

Il se pencha davantage et pressa les mains d'Adam.

– Voyez-vous, j'ai grand besoin de savoir où votre sœur et tous vos amis se dirigent. J'ai vraiment besoin de votre aide là-dessus, Adam, et je pense que nous pourrions nous épargner beaucoup d'ennuis si vous me parliez. Vous comprenez ? Vous nous tireriez tous les deux d'une situation… épineuse. Alors ?

Adam s'efforça de ne pas crier tandis que les gigantesques mains de Van der Zee le comprimaient.

– Marché conclu ?

Il n'était même pas persuadé que Van der Zee mesurait sa propre force, mais peu importait : la douleur était aussi intense. Il serra les dents, soumis à la pression croissante qui lui écrasait les jointures, convaincu qu'il aurait les os broyés d'un instant à l'autre.

– Adam… ?

Le jeune garçon hurla de douleur. Soudain, quelqu'un frappa à la porte et Van der Zee le lâcha. Adam distingua une conversation murmurée à propos d'un appel de New York. Il entendit Van der Zee s'éloigner.

Ses mains tremblaient, faibles et inutiles. Même si les sangles ne les avaient pas retenues, il n'aurait sans doute pas pu les lever pour sécher ses larmes. Le combat contre la douleur l'avait exténué. Il fut soulagé lorsqu'une silhouette apparut à son chevet et qu'il la vit retirer le capuchon en plastique de la seringue.

L'unité mobile de la cellule Espoir était l'idée de Clay van der Zee. Elle se composait d'un parc de véhicules spécialisés, disponibles en permanence, prêts à s'installer presque n'importe où dans les plus brefs délais. Il y avait des bureaux et des logements pour une petite équipe de techniciens et d'agents de sécurité. Il y avait des laboratoires et un service hospitalier munis de tout le matériel nécessaire. Un centre de communication ultramoderne.

Et une salle d'autopsie.

Van der Zee essaya d'oublier ce dernier véhicule lorsqu'il entra dans le bureau et examina une nouvelle fois les résultats de l'analyse génétique effectuée sur la main momifiée qu'Adam Newman transportait lorsqu'ils l'avaient capturé.

Ce n'était pas de l'ADN humain. Il avait des caractéristiques communes avec les échantillons prélevés sur les corps à Triskellion, sur des corps trouvés dans d'autres sites sacrés à travers le monde, ainsi qu'avec des échantillons conservés aux États-Unis depuis une cinquantaine d'années.

De l'ADN non humain…

Guère étonnant que les supérieurs de Van der Zee s'enflamment et s'impatientent autant. Ils comptaient sur lui, avaient-ils déclaré en termes exprès. Ce fut avec anxiété qu'il écarta le dossier afin de prendre l'appel redouté au cours des dernières quarante-huit heures.

– Alors, où est notre cible ?

– Je continue à travailler sur ce point.

– Vous avez eu trois jours.

– Il s'agit de rassurer, argumenta Van der Zee. De gagner la confiance du garçon.

L'homme à l'autre bout du fil prit une gorgée. C'était le petit matin à New York, Van der Zee supposa donc qu'il buvait du café.

– Ma propre confiance, rétorqua son interlocuteur, diminue à vue d'œil.

– Il n'y a pas de raison, s'empressa d'affirmer Van der Zee. J'obtiendrai le renseignement.

Les quelques secondes de décalage dans la communication se prolongèrent. Van der Zee se demanda si son interlocuteur était seul ou s'il s'entretenait avec une tierce personne.

– Vous êtes toujours là ? s'informa-t-il.

– Parlez-moi de Laura Sullivan.

– Elle nous a quittés, révéla Van der Zee. Elle nous a quittés… pour les rejoindre. Mais je n'y vois aucun inconvénient. Nous présumons qu'elle voyagera avec eux jusqu'à la destination finale. Nous la retrouverons là-bas.

– Là-bas… c'est-à-dire ?

– Nous savons où ils sont en ce moment, répondit Van der Zee. Nous les suivrons lorsqu'ils se remettront en route.

– Mauvais calcul, riposta l'autre, si nous voulons les attendre à leur arrivée.

Van der Zee examina la carte au-dessus de son bureau. Une ligne manuscrite partait de la cellule Espoir, reliait Londres, Paris, Madrid, Séville, et s'arrêtait net à Marrakech.

– J'obtiendrai la réponse, certifia-t-il.

– Comment posez-vous la question ?

– Pardon ?

– Bien… permettez-moi de vous expliquer les choses clairement. Je vous pose cette question… simplement. Vous me suivez, docteur ?

– Il me semble…

– Alors, comment interrogez-vous le garçon ?

– Je… ne comprends pas, reconnut Van der Zee. Je lui pose la question, c'est tout.

Nouvelle gorgée de café.

– Dans ce cas, trouvez une autre manière de l'interroger.

– C'est inutile, donnez-moi juste du temps et…

– Vous avez de beaux équipements neufs dans votre luxueuse unité mobile, l'interrompit son interlocuteur, exact ?

Van der Zee voulut avaler sa salive, mais sa bouche était sèche. Il répondit d'une voix rauque :

– Exact.

Son supérieur n'avait pas de tels problèmes.

– Eh bien, utilisez-les !

# 42

Mahmoud tira les rideaux et alluma les bougies pendant que son jeune domestique servait à chacun des verres de thé à la menthe. Depuis trois jours qu'ils étaient arrivés, il traitait ses hôtes comme des rois, or il n'avait jamais été question de paiement.

Rachel avait interrogé Gabriel à propos du triskèle qu'elle avait vu tatoué aussi sur la main de Mahmoud. Gabriel lui avait expliqué que le maître de maison appartenait au peuple berbère, l'une des tribus millénaires considérées comme les premiers habitants d'Afrique du Nord. Il avait précisé que le symbole était un porte-bonheur destiné à éloigner le mal et que tous les membres de la tribu de Mahmoud l'arboraient – une tribu comptant parmi leurs amis.

– Des amis convaincus que subvenir aux besoins des voyageurs est un devoir sacré, avait dit Gabriel en souriant. Des voyageurs, ce que nous sommes précisément.

Ils étaient assis autour d'une longue table basse dans un petit salon en retrait de la cour centrale. Des mosaïques recherchées couvraient les murs. Empilés par deux ou trois, des tapis colorés jonchaient le sol de pierre. Des lanternes oscillaient au plafond et jetaient des ombres sur les visages de Loïc et de Lucas, courbés l'un vers l'autre, chuchotant au sujet de leurs compagnons : Carmen et Inez, qui discutaient de la nourriture ; Duncan installé, ravi, entre elles deux ; Gabriel et Rachel, qui observaient et attendaient ; enfin, Kate et Laura, silencieuses.

Morag avait les yeux fixés sur le feu de bois qui crépitait dans un angle.

– On dirait la cheminée du docteur Van der Zee, remarqua-t-elle.

Rachel n'avait qu'à moitié entendu.

– Comment ? demanda-t-elle.

– Dans son antre, tu te rappelles ? Avec tous ces jouets mécaniques au-dessus.

Rachel perçut l'anxiété dans la voix de la fillette, la peur que ce souvenir avait éveillée.

– Tu ne sais pas ce qu'il nous a fait subir, murmura Morag.

– Oublie-le, lui répondit Rachel. Il est très loin d'ici.

Pendant que ses invités restaient assis, Mahmoud supervisait les allées et venues des trois ou quatre domestiques qui apportaient un ensemble de plats jusqu'à la table. Rachel regarda la nourriture arriver et rougit lorsque son estomac gargouilla.

Sa mère se pencha et lui toucha le bras.

– Moi aussi, j'ai faim, avoua-t-elle.

Une fois que tous les plats furent servis, Mahmoud se campa en bout de table, radieux. Il joignit les mains et inclina la tête.

– Régalez-vous…

– Merci pour ce repas, dit Gabriel. Pour votre accueil.

Mahmoud rougit à son tour, souriant et hochant la tête alors qu'il s'éloignait.

– Vous êtes vraiment les bienvenus, leur assura-t-il.

Ils mangèrent tous de bon appétit, sans se faire prier. Ils remplirent généreusement leurs assiettes et, quand celles-ci furent presque vides, ils essuyèrent les copieuses sauces avec de gros morceaux de pain plat.

Lorsqu'elle eut terminé, Rachel leva les yeux vers Gabriel. Comme d'habitude, il avait semblé peu soucieux de se restaurer. Quoique, elle avait été si occupée à se gaver qu'il aurait pu avaler trois assiettées sans qu'elle s'en aperçoive.

– C'était exquis, dit-elle.

– Meilleur qu'à Séville ? demanda Gabriel. Le repas chez les Abeja…

– C'était succulent aussi, se rattrapa-t-elle. À mon avis, n'importe quel repas est délicieux quand on a le temps de le savourer.

– Quand on n'a pas l'impression d'être traqué, tu veux dire ?

– Exactement.

Gabriel parut approuver, puis il rectifia :

– Oh, nous sommes bel et bien traqués. Mais parfois, le chasseur fait une pause, tu vois ? Pendant qu'il prépare sa prochaine action.

Rachel comptait répliquer, lancer à Gabriel qu'il avait le don de lui saper le moral, mais un mouvement au fond de la pièce attira son attention. Elle vit Mahmoud sur le seuil, dardant des regards inquiets.

– Mahmoud ?

Il la dévisagea et s'avança lentement vers la table. Il portait une veste de cuir marron poussiéreuse et un pantalon de camouflage taché. Rachel, continuant à le scruter, discerna dans ses yeux quelque chose qui l'embarrassa et se souvint des impeccables babouches et robe rayée qu'il portait deux minutes plus tôt.

– Pourquoi avez-vous changé de tenue ?

– Je ne me suis pas changé, répondit-il, le regard fuyant.

– Mais…

Alors, Rachel leva la tête et aperçut un autre Mahmoud – le Mahmoud d'origine, en djellaba et en babouches – à l'extrémité de la pièce. Celui-ci considéra l'homme en veste de cuir et fit des signes un peu nerveux.

– Oh, j'y suis, dit Rachel. Excusez-moi.

Des jumeaux ? Y avait-il de quoi s'étonner ?

Prenant l'initiative, l'homme en veste de cuir trouva une petite place à côté d'elle et s'empara de ce qui restait dans les plats. Rachel essaya discrètement de s'écarter de lui.

– C'est le frère de Mahmoud, annonça Gabriel. Ali.

Ali jeta un coup d'œil à sa voisine, puis revint à la nourriture qu'il attaqua comme s'il n'avait pas mangé depuis une semaine. Rachel s'écarta davantage. Une odeur émanait de lui, de ses vêtements ou de sa peau. Sueur et mazout. Elle remarqua le tatouage sur sa main.

Gabriel se mit debout.

– Ali est l'homme que nous attendions, dit-il.

– Quoi ?

– Il sera notre guide dorénavant.

Gabriel se tourna pour s'adresser à la tablée entière.

– Vous avez tous besoin d'une bonne nuit de sommeil. Nous partirons tôt demain matin.

Rachel examina le nouveau venu et fut gênée lorsqu'il leva un instant les yeux et la surprit. Elle s'efforça de sourire. Elle sentit un léger frisson la parcourir à l'instant où un bout de cartilage visqueux lui tomba du coin de la bouche et qu'il le happa, rapide et brutal, tel un chien sauvage.

Dès leur rencontre à Séville, Laura Sullivan s'était attachée à observer le moindre geste de Gabriel. Elle avait étudié la moindre expression de son visage, bu la moindre parole qu'il avait prononcée, désireuse de comprendre ce qui le motivait. Parvenue à une telle proximité, elle redoutait maintenant de le faire fuir ; de le voir partir avant que l'occasion ne s'offre de lui poser les questions qui la hantaient depuis des années.

Les autres étant couchés, Laura savait où le trouver. Elle monta l'escalier de pierre jusqu'à la toiture-terrasse.

Gabriel se tenait tout au fond. Sa silhouette se découpait sur le ciel nocturne. Laura sentit ses jambes mollir alors qu'elle s'approchait de lui.

– Gabriel ?

Il la regarda par-dessus son épaule, silencieux. Il sourit. Laura s'arrêta près de lui, nerveuse, et considéra les antennes paraboliques qui fleurissaient sur les toits, jurant avec l'ancienneté des maisons.

– Bonsoir. Je ne voulais pas vous déranger, mais…

– Vous avez des questions à me poser. Je sais.

Laura se mit à rire. Il avait tant d'avance sur elle !

– Eh bien, allez-y, l'encouragea-t-il.

Laura avait rêvé de ce moment, mais à présent que Gabriel lui donnait le feu vert pour l'interroger, elle se demandait par quoi commencer. Elle prit une profonde inspiration et suivit son regard vers le ciel, vers l'étoile brillante qu'il semblait contempler.

– Quelle est cette étoile ? Est-ce… chez vous ?

Gabriel répondit sans cesser sa contemplation.

– Ce n'est pas aussi simple. Il s'agit plutôt d'une balise, d'un satellite. Je m'en sers pour obtenir des informations, des indications. J'utilise toutes les étoiles de cette manière : pour calculer où je suis, où je vais. Il y a aussi le soleil. Il nous donne de l'énergie, de la puissance.

– Nous ? Qui au juste ? creusa Laura.

– Les gens comme moi. Et les gens comme vous…

– Oui, les habitants de la Terre ont adoré le soleil pendant des milliers d'années… et puisé des informations dans les astres. Ils ont construit de grosses horloges, dressé des cercles de pierre…

Laura sentit qu'elle se laissait emporter, ravie que les idées de Gabriel concernent des matières où elle était experte. Mais elle souhaitait qu'il parle, lui.

– Je suppose que nous avons perdu ce savoir-faire au cours du temps.

– Oui, confirma Gabriel. C'est un peu pour cette raison que je suis ici.

– Êtes-vous déjà venu ?

– Oui, répondit-il encore, puis il se tut.

Laura eut l'impression qu'il se fermait. Elle tenta d'aborder un nouvel aspect.

– Écoutez, j'ai cette… théorie.

– Je connais votre théorie. Vous êtes sur la bonne voie.

Laura se demandait bien comment il pouvait être averti de ses recherches, mais elle ne put réprimer un sourire.

– Qui d'autre est au courant ? demanda Gabriel en la dévisageant. Les personnes pour qui vous travaillez en savent-elles beaucoup ?

– Seulement ce que je leur ai révélé, répondit Laura. Mais elles ne sont pas idiotes, elles peuvent deviner de quoi il retourne.

Gabriel demeura silencieux.

– Qui êtes-vous ? demanda Laura. Non, attendez, ma formulation est stupide. Avez-vous des semblables… des semblables sur le point de venir, j'entends ?

Gabriel sourit.

– Nous devons partir tôt demain. Nous parlerons davantage, mais dans l'immédiat…

Laura comprit que la conversation était terminée pour l'instant. Elle ne pouvait pas se montrer trop insistante et risquer de tout gâcher. Elle tendit la main à Gabriel. Il la serra doucement.

Puis la jeune femme alla se coucher.

Lorsqu'il fut quasi certain que les invités étaient dans leurs chambres, le Marocain se glissa dans un couloir à l'arrière du bâtiment et passa l'appel téléphonique.

Il s'éclaircit d'abord la voix. Il voulait paraître sûr de lui.

– Demain matin à la première heure, annonça-t-il.

Il n'y eut pas de réponse.

– Mais j'essaierai de les retarder. De vous donner le temps d'arriver jusqu'ici.

# 43

Le vieil homme poussait la brouette contenant leurs bagages sur la place principale. Mahmoud et Ali conduisaient le groupe. Le premier montrait des articles intéressants tandis que son frère jetait des coups d'œil soupçonneux à droite et à gauche.

La place Jemaa el-Fna était un vaste espace découvert au centre de la ville. Un siècle plus tôt seulement, elle servait au commerce des esclaves, et si on ne pouvait plus y acheter des humains, Rachel eut l'impression que n'importe quelle autre marchandise se vendait là. De la vapeur et de la fumée planaient au-dessus d'une centaine d'étals de nourriture qui offraient tout, depuis les escargots bouillis jusqu'aux diaboliques têtes de chèvres rôties. Sur le pourtour, des échoppes partaient dans toutes les directions vers les ruelles du souk.

Devant les étals, des herboristes et des sorciers présentaient leurs produits sur des tapis. Ils proposaient des remèdes, des amulettes et des talismans sous forme de pattes d'autruches, de peaux de hérissons et de caméléons enfermés dans des cages en bambou. Traînant à l'arrière, Rachel et les jumelles espagnoles s'arrêtèrent pour regarder les charmeurs de serpents, leurs cobras dans des paniers et leurs singes enchaînés.

– Photo ! Singe !

Un homme mal rasé, en djellaba crasseuse, se planta face aux trois adolescentes.

– Françaises ? *English* ? demanda-t-il.

Inez et Carmen essayèrent de l'écarter, mais Rachel était aussi fascinée qu'horrifiée par le singe enchaîné au parasol de l'homme et habillé d'une couche censée le rendre mignon.

– Joli serpent ? Photo ?

Avec un sourire édenté, l'homme tira d'un sac un long serpent vert et tenta de le mettre autour du cou de Carmen. Les deux sœurs glapirent.

– Reprenez cette bête ! hurla Inez. On a horreur des serpents !

– Laissez-nous tranquilles ! cria Rachel à l'homme.

Il leva une main et recula au moment où Gabriel se tourna pour le regarder. Les jumelles remercièrent Rachel et elles se hâtèrent à la suite du groupe.

Lorsque les trois jeunes filles atteignirent le vieil autocar cabossé garé au fond de la place Jemaa el-Fna, Mahmoud et Ali se disputaient déjà. Le véhicule fourni par Ali était manifestement un ancien car de tourisme d'un voyagiste. Sur le côté figurait, en lettres script rouges embellies, le nom :

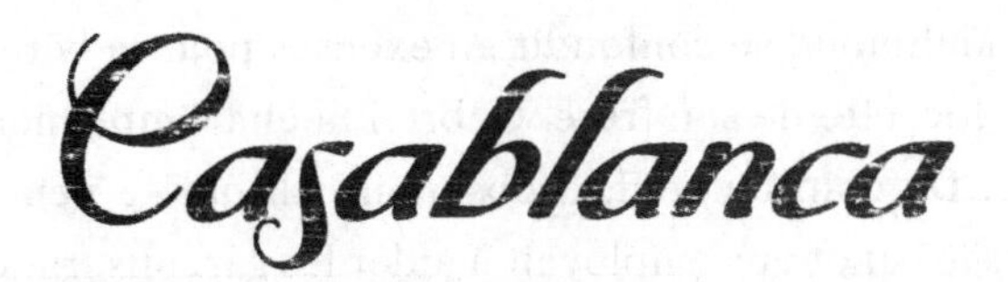

Des palmiers décolorés, ainsi que des mots en arabe, le bordaient. Certaines vitres arrière étaient cassées et rafistolées avec du ruban adhésif. Il y avait aussi des torchons en lambeaux destinés à masquer le soleil. Quant aux roues, elles étaient toutes dépareillées.

– Il marchait hier soir quand je l'ai garé, je le jure, criait Ali à son frère, lançant des coups d'œil nerveux aux autres, qui s'étaient réunis autour du capot ouvert. Je suis venu avec.

Mahmoud semblait sur le point d'éclater.

– Je t'avais dit de te procurer un véhicule fiable, espèce d'idiot. Où as-tu dégoté ce tas de ferraille ? Je t'ai donné de l'argent ! C'est une catastrophe. Il faut qu'ils partent vite. Le temps joue contre nous !

Mahmoud et son frère continuèrent en arabe leur bruyante dispute. Ils se poussaient, se bousculaient, gesticulaient.

Loïc retira la tête du capot sous lequel il s'activait avec son frère et brandit une poignée de câbles.

– Fichu, annonça Lucas.

Mahmoud et Ali interrompirent leur querelle. Ali parut déconcerté.

– C'est épouvantable, dit Mahmoud d'un ton désespéré. Comment faire ?

– Pas de panique, on peut le réparer, assura Loïc.

Lucas confirma :

– Il nous faudra une heure, peut-être.

Mahmoud se confondit en excuses pour la bêtise et l'inefficacité de son frère. Gabriel hocha simplement la tête. Du coin de l'œil, il observait Ali qui se penchait sous le capot et s'employait à aider les garçons français. Mahmoud proposa d'emmener le reste du groupe à la terrasse d'un café voisin. Kate accepta et dit qu'elle s'occuperait de Duncan et Morag. Voyant son expression glaciale, Laura hésita, puis décida de prendre le taureau par les cornes et de suivre le mouvement.

Rachel, Inez et Carmen demandèrent la permission d'aller voir des étals de l'autre côté de la place, promettant de revenir une heure après au plus tard.

À la joie de Carmen et d'Inez, Rachel marchandait les babouches orange pointues qu'elle avait déjà aux pieds. Elle se montrait bien plus habile que le vendeur ravi de faire des affaires avec celle qu'il prenait pour une cliente exceptionnelle.

– Cent cinquante dirhams. Bon prix.

– Deux cents ! lança Rachel, contrecarrant son attente.

– Prenez-les… je vous en conjure, dit l'homme. C'est un honneur, Votre Majesté !

Il regarda les jeunes filles s'en aller avec les babouches et s'empressa de raconter au vendeur voisin quel cadeau il venait d'offrir, croyait-il, à la reine d'Angleterre. Inez et Carmen gloussèrent et applaudirent les pouvoirs de suggestion croissants de Rachel.

Les adolescentes s'engagèrent dans une première ruelle où des couvertures aux tons vifs s'amoncelaient sur chaque étal. Elles tournèrent dans une deuxième dont la spécialité semblait être les articles en cuir tanné, puis dans une troisième où des lampes ouvragées scintillaient devant toutes les échoppes.

Inez et Carmen s'arrêtèrent pour regarder des bijoux en argent. Rachel essaya de paraître intéressée, mais ils n'étaient pas vraiment à son goût. Elle avança un peu, bifurqua sur une petite place. Regardant alentour, elle fut attirée par les épices très colorées empilées dans des tonnelets et intriguée par les peaux de pythons et de léopards accrochées aux devantures.

Elle était très loin des centres commerciaux américains.

À la terrasse du café, Laura et Kate buvaient de petites gorgées de thé à la menthe pendant que Mahmoud plaisantait avec Morag et Duncan. Laura décida de briser le silence. De réessayer.

– Dites-moi, Kate, pourrai-je un jour cesser de vous présenter mes excuses ?

Kate haussa les épaules.

– Je voudrais juste vous dire… tout ce que vous pensez de moi est sans doute fondé. Oui, je travaillais uniquement pour la cellule. Oui, je me préoccupais seulement de mes recherches et de mes propres intérêts. Mais à ma décharge, si je puis me défendre, cette fois ils m'ont menti. Ils m'ont trahie aussi. Je ne savais pas qu'ils captureraient Adam.

Laura respira un grand coup. Elle avait beau dire la vérité, Kate n'en croyait pas un mot.

– Écoutez, Kate, si je n'avais pas négocié avec eux « l'évasion » de vos enfants, pour commencer, la situation serait probablement pire.

Ses propos piquèrent un instant la curiosité de Kate.

– Pire ? Dans quelle mesure ? D'accord, Rachel est avec nous, mais nous sommes tous embarqués dans une aventure sans retour qui nous conduira Dieu sait où. Et je vous rappelle qu'ils ont enlevé mon fils. Il y a encore pire, d'après vous ?

Laura ne pouvait révéler à Kate le fond de sa pensée : si elle avait laissé Rachel et Adam dans les locaux d'Espoir, ils seraient peut-être morts à cette heure, comme des spécimens en bocal. Et si Kate était restée, elle serait peut-être morte elle aussi. La situation aurait pu être bien pire.

– Je sortirai Adam de là, affirma Laura, et elle regarda Kate droit dans les yeux en espérant ne pas la décevoir. Je vous promets de faire tout ce qui est en mon pouvoir pour obtenir sa libération. Le seul problème… c'est que je devrai peut-être en passer par les grands chefs.

– Tous les moyens seront bons, estima Kate.

Laura leva la tête et s'aperçut que Mahmoud buvait ses paroles. Il semblait agité.

– Qu'y a-t-il, Mahmoud ? demanda Laura. Vous paraissez inquiet.

– Je me disais juste qu'il était temps de partir. Il faut vraiment que nous nous mettions en route.

Kate remercia Mahmoud pour le thé, puis ils reprirent tous la direction de l'autocar.

Inez consulta sa montre.

– On ferait bien d'y aller.

L'heure avait tourné, et les deux sœurs avaient maintenant des sacs plein les bras. Elles attiraient tous les regards alors qu'elles déambulaient dans le souk, la tête haute, en djellabas de soie identiques, bracelets et colliers de perles colorées cliquetant.

– Où est Rachel ? demanda Carmen en considérant les alentours.

Elles se trouvaient au cœur d'un labyrinthe truffé de baraques, d'impasses et de recoins sombres, et elles se rendirent compte toutes deux qu'elles n'avaient pas vu Rachel depuis quinze bonnes minutes.

– On devrait se diriger vers la place. C'est là qu'elle ira si elle nous a perdues.

Inez observa aussi les environs. Elle ne savait plus de quel côté se situait la place.

Un jeune Marocain, qui avait à l'évidence entendu leur conversation, leur sourit.

– Jemaa el-Fna ? La place principale ? Je vous emmène.

Il leur adressa un clin d'œil et les filles, heureuses de cette aide, le suivirent. Cinq minutes plus tard, revenues dans le tohu-bohu de la place, elles glissèrent quelques pièces dans la main de leur guide.

Elles se hâtèrent, inquiètes à l'idée d'être en retard. Elles longèrent d'un bon pas les cages de reptiles, progressèrent en diagonale vers l'endroit où était garé le car.

– Hé ! Photo ? Singe ?

Un homme qu'elles reconnurent se planta devant elles, avec son sourire édenté et son magot enchaîné. D'autres dresseurs commençaient à les entourer, certains accompagnés de singes ou, découvrirent-elles horrifiées, de serpents.

Un cercle se forma, les colporteurs voyant là une belle occasion. Lunettes de soleil, serpents miniatures, tambours en bois, fausses montres surgirent sous le nez des jeunes filles. Tout à coup cernées par trois rangées d'hommes, Inez et Carmen sentirent l'affolement les gagner, se communiquèrent leur effroi qui augmenta de seconde en seconde.

– Photo ! Singe ! cria le premier homme à la figure de Carmen, tenant le magot si près d'elle que l'animal galeux réussit à lui mettre un long bras autour du cou et à tirer sur ses perles.

– Je ne veux pas de votre singe ! riposta l'adolescente. C'est ignoble, c'est cruel, vociféra-t-elle, ajoutant une expression très grossière qu'elle ne connaissait qu'en anglais, mais qui était universellement comprise.

Soudain, l'assemblée se tut. L'homme édenté en djellaba parut offensé et, crachant sur le sol aux pieds de la jeune fille, lança lui aussi un juron.

Quelque part dans la foule, un énorme chien se mit à aboyer. Le singe saisit de nouveau Carmen, la regarda droit dans les yeux et montra ses dents jaunes.

Inez fouilla dans son sac.

– On va vous donner de l'argent, dit-elle. Laissez-nous juste partir !

Carmen glapit lorsque le singe lui tira les cheveux, mais Inez hurla encore plus fort quand elle vit plusieurs longs serpents noirs onduler hors de leurs paniers et ramper très vite dans sa direction...

# 44

Rachel avançait lentement dans les étroits passages noirs de monde. La plupart des étals qui la cernaient vendaient presque les mêmes objets, si bien qu'il lui fallut un certain temps pour s'apercevoir qu'elle les avait déjà longés plusieurs fois : elle était perdue.

Et elle ne savait pas du tout de quel côté Carmen et Inez étaient allées.

Elle avait entendu plusieurs langues alors qu'elle déambulait dans le lacis de ruelles et de passages : de l'arabe, du français, un peu d'espagnol. Elle n'avait eu aucune difficulté de compréhension, elle résolut donc de demander son chemin. Elle s'arrêta près d'un étal d'articles en cuir. Le marchand s'approcha aussitôt et commença à montrer des sacs.

– Qualité supérieure. Très beau cuir. Vous êtes anglaise ? Américaine ?

Rachel lui répondit qu'elle était américaine, qu'elle n'avait pas besoin de sac neuf, puis demanda, dans un arabe impeccable, comment rejoindre la place principale. L'homme parut interloqué. Du bras, il indiqua une direction, l'air impatient de se débarrasser d'elle.

Rachel sourit et le remercia :

– *Shukran bezzaf.*

Tandis qu'elle revenait vers la place, Rachel essaya de communiquer en esprit avec Carmen et Inez. Elle sut tout de suite qu'elles avaient de gros ennuis. Elle sentait leur affolement et leur confusion, le désordre de leurs pensées fragmentées qui ne pouvait signifier qu'une chose : la peur.

Un hurlement s'éleva quelque part derrière elle. Elle fit volte-face et, bousculant les gens, se précipita vers l'angle opposé de la place, où une petite foule s'était agglutinée.

Maintenant, à travers le bruit blanc de la terreur et de l'impuissance, un message simple arrivait. Deux mots tambourinant contre le crâne de Rachel alors qu'elle pressait le pas.

*Aide-nous...*

Elle discerna l'odeur des animaux avant de les voir, une âcreté émise par chacun d'eux qui l'inquiéta beaucoup. Ils étaient prêts à l'attaque, au carnage. Leurs yeux l'exprimaient aussi : une agressivité nue que Rachel découvrit lorsque le dernier spectateur s'écarta et révéla la terrible situation de Carmen et d'Inez.

Les deux sœurs aperçurent Rachel et se mirent à crier au secours, leurs appels presque noyés par l'aboiement des chiens, les cris atroces des singes et le vacarme de la foule.

*Je suis là. Essayez de ne pas avoir peur*, conseilla Rachel en pensée.

C'était facile à dire, mais deux gros chiens tiraient très fort sur des laisses menaçant de casser. Les singes montraient les dents, l'un d'eux clouait Carmen à terre pendant que deux autres entraînaient leurs propriétaires sur les pavés dans leur furieuse envie d'atteindre les adolescentes. Des serpents avaient commencé à s'enrouler autour des chevilles des jeunes filles et un tas d'autres se tortillaient vers elles, ainsi que des lézards et des scorpions s'échappant de sacs et de paniers en osier sur le pourtour de la foule.

*S'il te plaît, aide-nous...*

Rachel ferma les yeux, se vida l'esprit et se concentra. Elle imagina un fin ruban de lumière, qu'elle créa mentalement puis envoya au-dehors. Elle le déplaça et le glissa autour des animaux qui encerclaient Carmen et Inez. Elle tâcha de les éloigner, de les amener à elle.

Les aboiements et les grognements cessèrent sur-le-champ, puis, tour à tour, les animaux pivotèrent et avancèrent. Les singes, de même que les chiens, tirèrent leurs maîtres dans l'autre sens. Serpents et lézards ondulèrent, souples, vers la jeune fille immobile, les yeux fermés, en bordure de la foule.

Rachel resserra le cercle de lumière.

Et, comme ils arrivaient à moins d'un mètre d'elle, chacun des animaux se coucha, l'air d'attendre un ordre. L'assemblée resta médusée en voyant les chiens s'étendre sur le ventre et gémir, les serpents se lover aux pieds de l'adolescente et les féroces magots se prosterner, la tête basse, leurs longs bras ouverts.

Au bout de quelques secondes, Rachel franchit à petits pas le cercle d'animaux, puis se hâta vers Carmen et Inez.

– M... Merci, bégaya Carmen.

– Il faut y aller, répondit Rachel.

Elle prit les jumelles par la main et, progressivement, elles reculèrent. Tous les visages étaient rivés sur elles et Rachel regarda les badauds s'effacer, incliner le front et marmonner des jurons, terrifiés.

Elles étaient presque revenues à l'autocar lorsqu'un vieil homme se présenta devant elles et se mit à crier en arabe. Rachel comprit ce qu'il disait, et, sans savoir pourquoi, leva lentement la main, sa paume face à lui, pendant qu'il continuait à fulminer.

– Le mauvais œil ! Elle a le mauvais œil.

Rachel ne maîtrisa pas vraiment le phénomène. Elle sentit la douleur, vit le mince ruban de fumée monter entre ses doigts, mais peu importait : elle éprouva une soudaine impression de puissance et savoura la mine épouvantée du vieil homme quand il aperçut sa paume, puis qu'il virevolta et s'enfuit.

Inez la saisit par le poignet.

– Ta main…

Rachel retourna sa main et l'examina. Le motif s'était imprimé sur sa peau, avait brûlé sa chair : rouge vif et livide, toujours fumant dans sa paume pâle.

– *Triskela*, dit Carmen.

Inutile de traduire certains mots.

Dans le bureau de l'unité mobile, Clay van der Zee fouilla au fond d'un tiroir et finit par trouver la bouteille de whisky qu'il avait cachée là. Il s'assit et se versa un verre.

Ne savait-il pas dès le début comment cette entreprise tournerait ? Après tout, il connaissait les gens qui avaient fondé la cellule Espoir ; il n'ignorait pas ce dont ils étaient capables.

Alors pourquoi avait-il autant besoin d'un verre – de plusieurs verres ?

Il sentit la chaleur du whisky se répandre en lui et réfléchit à la conversation avec son interlocuteur newyorkais. Il se rappela une époque où il n'aurait jamais envisagé cette... extrémité. Où il avait été un jeune scientifique enthousiaste, prêt à changer le monde, tout aussi rempli d'ardeur et d'optimisme que Laura Sullivan.

Ce jeune scientifique enthousiaste aurait détesté l'homme qu'il était devenu.

Il se resservit.

*Vous avez de beaux équipements neufs dans votre luxueuse unité mobile, exact ?*

La science pouvait être une activité impitoyable, il avait accepté ce fait. Il savait très bien que, parfois, quand on voulait obtenir quelque chose – faire de réelles percées –, les lois ordinaires ne s'appliquaient plus. N'était-ce pas plus ou moins le discours qu'il avait tenu à Laura Sullivan ? Avec un résultat si prodigieux en vue, tous les moyens étaient justifiés.

Même porter préjudice à des enfants.

Van der Zee regarda le whisky et constata qu'il l'avait terminé. Il remit la bouteille vide au fond du tiroir et le referma avec fracas.

Le téléphone sonna. Van der Zee décrocha d'un geste vif.

– Oui ?

– Docteur ? Votre visiteur du quartier général est arrivé. Dois-je vous l'amener ?

Van der Zee battit des paupières et se demanda ce que dirait la version plus jeune, plus innocente de lui-même.

– Oui, très bien. Pouvez-vous juste me laisser quelques minutes ?

Lorsqu'il reposa le combiné, Van der Zee s'aperçut que ses mains tremblaient.

# 45

Rachel, Carmen et Inez revinrent en hâte vers le car. La marque sur la paume de la jeune Américaine s'était effacée aussi inexplicablement qu'elle était apparue.

– Ce phénomène s'est-il déjà produit ? se renseigna Carmen.

Rachel secoua la tête. Elle évoqua la sensation de puissance qu'elle avait éprouvée. Elle réfléchit au groupe réuni par Gabriel, à certains événements auxquels elle avait assisté et s'interrogea : pourquoi semblaient-ils tous avoir des capacités différentes ?

– Pourquoi n'avez-vous rien tenté ? demanda-t-elle aux sœurs jumelles. Là-bas, avec les animaux ? Qu'est-ce qui vous empêchait de les arrêter ?

Inez sembla un peu embarrassée.

– Je l'ai fait une fois, il y a des années, avec un chien qui essayait de me mordre. Mais là, c'était différent. Je me sentais si… épouvantée que je ne pouvais pas réagir. Comme si la peur m'avait ôté tous mes moyens, tu vois ?

– Pareil pour moi, dit Carmen.

Rachel hocha la tête. Elle comprenait. Elle retiendrait la leçon, même si la peur était impossible à contrôler, en général, pour elle ou pour n'importe qui d'autre.

– N'oublie pas non plus, ajouta Inez, que nous ne sommes pas comme toi. Personne parmi nous.

– Je ne saisis pas.

– On est plus âgées, d'accord, mais vous êtes plus forts, ton frère et toi.

Elles arrivèrent à l'endroit où l'autocar était garé. Carmen serra la main de Rachel.

– Tu es capable de tellement plus de choses…

Lucas et Loïc s'activaient toujours sous le capot du car. Lucas leva la tête lorsque les filles approchèrent, leur lança un clin d'œil et passa une manche tachée d'huile sur sa figure.

– C'est plus ou moins réparé, annonça-t-il.

– Quel était le problème ? demanda Rachel.

Loïc se dégagea.

– Justement, c'est curieux, parce que…

Un cri retentit soudain dans la ruelle derrière eux. Tous se retournèrent et coururent dans cette direction, Rachel la première. Elle avait reconnu la voix de sa mère.

Elle vira dans la ruelle et se figea, aussi horrifiée que sa mère un instant plus tôt de voir Mahmoud plaqué contre le mur, un couteau sous la gorge.

– Ali, arrêtez ! cria Rachel.

Ali ne daigna pas se retourner.

– Ne vous mêlez pas de ça, répliqua-t-il.

– Aidez-moi ! supplia Mahmoud.

Rachel sut que son aversion immédiate pour Ali était fondée. Elle se souvint des paroles de Carmen : elle était sensible à ce genre de chose, de toute évidence.

– Je vais le tuer, dit calmement Ali.

Mahmoud implora à nouveau de l'aide, mais Ali lui enfonça davantage la pointe du couteau dans la gorge et le sang coula.

Rachel esquissa un pas vers les jumeaux, puis renonça lorsqu'elle vit Mahmoud écarter le couteau et jeter Ali à terre. Ils commencèrent à échanger des coups violents, des injures en arabe, jusqu'à l'immobilité complète, un bras passé autour de la nuque de l'autre, têtes collées à la façon de frères siamois.

Rachel se rapprocha.

– Ali, lâchez votre frère.

Il refusa.

– Il est devenu fou ! cria Mahmoud. Il m'a attaqué sans raison.

– Menteur.

– Non, c'est lui le menteur…

Ali se tourna lentement et regarda Rachel, grimaçant alors que le bras de Mahmoud lui comprimait le cou.

– Il vous a trahis, déclara-t-il.

– Il délire, rétorqua Mahmoud.

– Non. C'est lui qui a perdu l'esprit, rectifia Ali, le visage déformé par la fureur et la haine. Il a essayé de vous retenir ici…

– Ne l'écoutez pas ! hurla Mahmoud. Il n'est pas digne de confiance. Vous me connaissez, moi !

– Quelqu'un l'a soudoyé, je ne sais pas qui précisément. Il a reçu de l'argent pour vous livrer. En échange de vos vies.

– Mensonge…

– Il a saboté le car.

– C'est faux.

Ali montra Loïc et Lucas.

– Demandez-leur.

Lucas s'adressa à Rachel :

– C'est ce que je m'apprêtais à expliquer. Quelqu'un a retiré la tête de Delco. Il a fallu en trouver une neuve, la brancher…

– Je vous en conjure, ne l'écoutez pas, persista Mahmoud. N'ai-je pas pris soin de vous ? Je vous ai accueillis…

Mahmoud fut interrompu lorsqu'il vola par-dessus le dos d'Ali et heurta le sol. Ali s'agenouilla au plus vite et attrapa le poignet de son frère, dont il ignora les gémissements de douleur.

– Là !

Il indiqua le tatouage entre le pouce et l'index de Mahmoud. Le même que le sien. Il se pencha et lui cracha sur la main, puis frotta énergiquement les lignes bleues : le triskèle disparut.

Rachel étouffa une exclamation. Elle s'était trompée sur Ali.

– Vous voyez ? dit-il, levant les yeux vers la jeune fille. Vous n'avez pas beaucoup de temps. Il vous a trahis.

– Pourquoi ? demanda-t-elle. Qui le paie ?

– Peu importe…

À cette voix derrière elle, Rachel se tourna. C'était Gabriel. Malgré son expression neutre, une lueur inquiétante brillait dans son regard.

– Vous avez entendu Ali. Il faut partir. Immédiatement !

Une demi-heure plus tard, le vieux car quittait Marrakech dans un bruit de ferraille. Conduit avec maestria par Ali, le véhicule passa devant l'aéroport et un ensemble de grands hôtels, traversa une région de bosquets d'oliviers et de petites fermes qui se raréfièrent jusqu'au moment où il ne resta que des broussailles, le ciel et une longue route terreuse.

Rachel était assise au premier rang avec Gabriel.

– Où allons-nous ? demanda-t-elle.

– Dans une petite ville côtière, répondit Gabriel. Mogador…

– C'est son nom ancien, précisa Ali. Un nom que nous sommes encore nombreux à utiliser. Nous devrions arriver avant la nuit.

Gabriel regarda par la vitre.

– Ensuite, nous irons à pied. Ali connaît le chemin.

– Faites-moi confiance, dit Ali. Je vous amènerai au rocher des Tueurs.

Rachel sentit un frisson la parcourir.

Ali jeta un coup d'œil à Gabriel.

– Que va devenir Mahmoud ?

Gabriel haussa les épaules et se détourna.

– Il faudra qu'il vive avec ça, répondit-il. À condition qu'il vive…

Rachel glissa un regard vers Ali et le vit hocher lentement la tête. S'il éprouvait de la tristesse au sujet de son frère, il n'en montra rien.

– Je crois connaître l'homme pour qui il travaille, reprit Gabriel. Et il aime que tout soit net derrière lui…

La lutte avec son frère avait laissé Mahmoud tremblant, mais il aurait tremblé de toute façon quand il décrocha le téléphone et composa le numéro de portable qu'on lui avait donné.

– Je n’ai pas pu les retenir, avoua-t-il. Je suis désolé.

– Aucune importance.

Mahmoud se cala contre le dossier de sa chaise et respira à fond. Il faillit pleurer de joie et de soulagement.

– Je suis heureux qu’il n’y ait pas de conséquence fâcheuse.

– Simple changement de programme. Je préfère avoir une longueur d’avance. Je suis déjà sur place.

– Bravo, dit Mahmoud. Très ingénieux.

– Merci. Bon, prenez soin de vous, entendu ?

Mahmoud répondit par l’affirmative et ajouta qu’il serait ravi d’aider encore s’il pouvait rendre d’autres services.

Il leva les yeux lorsqu’une ombre se dessina sur la table et il se demanda quel était ce bruit dans son dos.

Ce fut sa dernière pensée.

# 46

Adam entendait une conversation derrière la porte. Lorsque quelqu'un entra, il souleva la tête de son oreiller et fut content de voir un visage ami.

M. Cheung.

– Bonjour Adam, le salua-t-il.

– Bonjour, répondit le jeune garçon d'une voix faible et tendue.

M. Cheung sourit.

– Vous avez été très occupé.

– On peut le dire.

– Ça va ? demanda M. Cheung, l'air inquiet.

– Pas très fort, reconnut Adam, s'obligeant à un sourire consterné.

– Bien, dit M. Cheung.

Il hissa une lourde valise métallique sur le plan de travail en acier et l'ouvrit.

– Tâchons d'en finir le plus vite possible.

Il sortit une paire de câbles et d'électrodes et plaça des pinces à l'extrémité des fils. Adam tendit le cou pour essayer de suivre ses gestes. Comme lorsqu'il observait le dentiste en train de fixer l'aiguille. Il sentit les mêmes frissons de peur lui envahir l'estomac et la vessie.

Il se rappela ce que Morag lui avait enseigné pendant l'extraction du microtransmetteur. Il devrait être courageux. Pour éviter la douleur, il devrait s'échapper par la pensée, se créer un refuge loin de la torture qui se préparait.

M. Cheung prit dans la valise un long forceps et un clamp, qu'il désinfecta. Les jambes d'Adam se mirent à trembler.

– Qu'est-ce que vous faites ? demanda-t-il d'une voix aiguë, cassée.

M. Cheung le regarda. Il ne souriait plus. Il enfila des gants en caoutchouc et alluma un lecteur de disques. Une musique classique joyeuse emplit la pièce.

– Navré, Adam. Je crains de ne pas être ici uniquement pour cuisiner.

Le vieux car bringuebalait sur l'étroite route défoncée. De temps à autre, un camion vrombissait dans leur direction ou ils doublaient une charrette tirée par un âne. Tous les vingt kilomètres environ, ils traversaient une petite localité. Là, des femmes en longues robes gris-brun rapportaient des paniers de légumes à leurs huttes en terre et des hommes pauvrement vêtus fumaient au bord de la route, oisifs, et les regardaient passer.

Rachel était assise à côté de Gabriel. Ils se taisaient depuis quelques kilomètres, l'esprit ailleurs. Les garçons français jouaient à se battre. Les autres s'étaient éparpillés sur les dix rangées de sièges du véhicule, moins confortable mais plus vaste que les précédents. Tout au fond, Morag et Duncan, étendus sur la longue banquette, chantaient une chanson de leurs voix écossaises pointues :

– Les roues du car tournent sans s'arrêter du début à la fin de la journée…

Rachel repensa à la place de Marrakech.

– Pourquoi les animaux les ont-ils attaquées ? demanda-t-elle à Gabriel.

– Comment ? dit Gabriel, qui était à des années-lumière. Tu parles des singes ?

– Oui. Pourquoi ont-ils attaqué Inez et Carmen ? Est-ce que cet affreux bonhomme les a aiguillonnés ?

Gabriel haussa les épaules.

– Pourquoi Adam s'est-il fait rosser en Angleterre ? Pourquoi t'ont-ils pourchassée à Séville ? Le scénario se répète invariablement. Certains nous identifient par instinct ou grâce aux histoires que leurs ancêtres racontent depuis des générations. Et certaines espèces animales nous reconnaissent aussi, comme les abeilles. D'autres personnes, en revanche, ne nous voient pas du tout.

– Ah ? Tu penses aux gens qui ne remarquent pas notre présence, même quand on est sous leur nez ?

– Oui. Parmi ceux qui nous reconnaissent, certains nous aident, depuis toujours.

– Et les autres ? continua Rachel, devinant la réponse.

– Les autres nous veulent seulement du mal.

Gabriel se tourna pour la regarder dans les yeux.

– Ils veulent notre mort. Et en général, ils réussissent.

Adam marchait sur la plage. Il ne savait pas exactement où il se trouvait, mais le paysage était idyllique. Un long croissant de merveilleux sable argenté s'étendait à l'infini devant lui et une eau cristalline clapotait sur le rivage. Ses pieds appréciaient le contraste entre le doux sable chaud et la délicieuse fraîcheur de la mer qui les aspergeait à un rythme régulier. C'était un paradis où les perroquets et les pélicans criaient et fendaient l'air avant de se poser sur de luxuriants palmiers verts qui bruissaient sous la caresse de la brise…

De temps en temps, la musique classique s'introduisait dans sa vision et le son aigu des violons le ramenait vers la conscience. Alors, Adam devait lutter pour regagner son île imaginaire.

Il savait qu'il y aurait des séquelles – physiques et mentales – et la douleur à supporter une fois qu'il serait de l'autre côté, que la torture serait terminée… si elle se terminait un jour. Mais tout ce qu'il pouvait faire à présent, c'était se concentrer et flotter dans son subconscient, au-dessus du supplice. Une odeur de poil roussi le tira de nouveau vers le réel. Adam continua sa lutte psychique… il courut le long de la plage et pénétra dans l'eau, brisant la surface pour atteindre l'endroit où les dauphins jouaient.

Il plongea dans les fraîches profondeurs turquoise.

Rachel regardait par la vitre, rêveuse. Une plage, une eau turquoise cristalline, un charmant paysage… L'occasion serait magnifique. Peut-être qu'un jour, elle irait en vacances dans un tel endroit…

Sa rêverie fut brisée lorsque Laura s'assit à côté d'elle. Rachel s'indigna de cette intrusion qui la ramena brutalement sur terre. Gabriel avait changé de place. Il parlait à Inez et Carmen, qui hochaient la tête et lui souriaient avec enthousiasme.

Rachel jeta un coup d'œil à Laura.

– Salut, dit Laura.

– Salut, répondit Rachel d'un ton maussade.

– Je crois que je suis en train de renouer avec ta maman, Rachel.

La jeune fille haussa les épaules et fit la moue.

– Vous envisagez peut-être de renouer avec moi, mais franchement, je pense qu'il est trop tard.

Laura sembla déçue.

– Rachel...

– Non, reprit la jeune fille. Vous n'êtes qu'une menteuse. Vous mentez, vous déformez, vous dissimulez, et vous vous comportez de cette manière depuis l'instant où je vous ai rencontrée à Triskellion.

Rachel commençait à s'échauffer. Elle éprouvait le besoin de dire ce qu'elle avait sur le cœur.

– Malgré tous vos diplômes, toute votre intelligence, ce qui motive les gens vous échappe complètement. Morag et Duncan ont plus d'intuition que vous dans leur petit doigt...

Gabriel et les jumelles espagnoles cessèrent de bavarder et les observèrent.

– Je n'ai pas votre sensibilité, dit Laura. Vous êtes exceptionnels. C'est tout ce que j'ai voulu montrer.

– Montrer à qui ? lança Rachel. À votre chef ? Au monde entier ? Pour vous, je suis un simple objet de recherche, je me trompe ? Un rat de laboratoire ! On est tous des objets de recherche, des preuves scientifiques. Pour quoi ? Que vous puissiez me boucler dans une cage et rafler une quantité de prix ?

Laura baissa les yeux vers son jean et tira sur les franges du trou qui s'agrandissait au niveau du genou.

Elle savait que Rachel disait vrai. Mentir était devenu chez elle un mode de vie pendant qu'elle travaillait pour la cellule Espoir. Elle était en effet une espionne, un agent double. L'autre commentaire de Rachel l'atteignait en plein cœur. Ses propres émotions se trouvaient pour la plupart si enfouies qu'elle ne décryptait rien des motivations des gens. Elle s'aperçut qu'elle n'avait aucune relation proche, personnelle. Aussi loin que remontaient ses souvenirs, Rachel et Adam étaient les seules personnes pour qui elle avait eu de l'affection, et voilà qu'elle les avait perdus.

Elle avait perdu deux amis. Perdu l'enfant d'une mère.

Elle avait déçu tout le monde, y compris elle-même.

Soudain, elle pleura comme une petite fille. Sa lèvre supérieure tremblait, incontrôlable, et les larmes roulaient sur ses joues pleines de taches de rousseur. Sa poitrine se soulevait, essayant de contenir les pleurs retenus par tant d'années de maîtrise de soi.

Rachel fouilla dans sa manche et lui tendit un mouchoir.

Laura se tourna face à elle.

– Merci, Rachel, dit-elle entre deux sanglots. Quoi que tu penses de moi, quelle que soit ta haine à mon égard, je te fais une promesse…

Rachel attendit que les pleurs se calment.

– Les mensonges, c'est fini.

# 47

Installé dans sa chambre, l'Anglais écoutait l'Atlantique frapper avec violence les antiques murailles de pierre de la ville. Ici, l'océan était gris et hostile, bien plus agité que dans son souvenir.

Il avait visité la ville de nombreuses années auparavant, jeune homme accompagné d'amis riches et gâtés. Leur peau était bronzée, leurs cheveux décolorés après des mois de voyage à travers l'Inde, la Turquie et l'Afrique du Nord. Il avait séjourné ici de longues semaines. Il avait passé des heures à s'étourdir de musique dans des pièces remplies de ses congénères oisifs ; la fumée et l'odeur âcre de l'encens rendaient l'atmosphère entêtante. Il avait veillé tard dans la nuit et parlé de changer le monde avec des amis qui, plus tard, étaient devenus banquiers ou hommes d'affaires.

Il avait perdu bien trop de temps.

À l'époque, il n'avait pas encore découvert sa véritable voie. Il n'avait pas encore appris qu'il existait des moyens par lesquels il pouvait réellement changer les choses, qu'il y avait plus important que s'amuser.

Il sourit en écoutant la mer rugir à l'extérieur.

Bien sûr, malgré la douleur et son défigurement, il se délectait de cette aventure. Il se délectait de traquer ces mômes. Et il attendait avec impatience l'extraordinaire sensation de réussite qu'il éprouverait – il en était certain – une fois qu'il leur aurait pris le triskèle. Les deux triskèles…

Même dans ce lointain passé où ses amis se satisfaisaient de laisser leur vie filer, la dimension spirituelle des lieux l'avait intrigué. Il y avait une histoire sombre et puissante à laquelle lui seul s'était senti lié. C'était une force très ancienne, indéniable. Et tandis que, allongé dans sa chambre obscure, il attendait l'arrivée des jumeaux, cette énergie le regagnait.

Il le devinait : les jumeaux Newman et l'autre garçon, celui qui les guidait, avaient l'intuition que venir ici et découvrir les trésors cachés depuis si longtemps était leur destin. Mais c'était aussi son destin.

Ils le partageaient, comme ils partageaient d'autres choses.

Une histoire et un sang.

Il tendit le bras vers la cruche à son chevet, remplit un verre d'eau et le but pour avaler ses comprimés.

L'attente ne serait guère longue à présent.

Ils partageaient un destin, mais seul l'un d'entre eux pourrait l'accomplir.

Laura se déplaça dans le car, passa devant Morag et Duncan pelotonnés ensemble, les jumeaux français et les jeunes Espagnoles, puis se glissa sur le siège à côté de Gabriel.

– Dans combien de temps arriverons-nous ? demanda-t-elle.

Gabriel regardait par la vitre. Le soleil commençait à décliner ; le ciel rougissait au-dessus des broussailles alentour et des sommets enneigés au loin.

– Une demi-heure peut-être, répondit-il. Ne sentez-vous pas la mer ?

Laura huma l'air. Elle ne perçut que les gaz d'échappement du car.

– Dites-moi, ce dont nous parlions hier…

Gabriel se tourna vers elle :

– Vous avez d'autres questions ?

– Juste quelques milliers.

Gabriel sourit.

– Je vais faire de mon mieux. Mais une à la fois.

– D'où venez-vous ? À quoi ressemble votre monde ? Comment… voyagez-vous ?

– En voilà déjà trois !

– Désolée.

Gabriel réfléchit un moment.

– Essayez d'imaginer une nouvelle couleur, proposa-t-il. Non pas une couleur proche du bleu ou presque rouge. Une couleur entièrement nouvelle.

Il attendit, lut la confusion sur le visage de Laura.

– La tâche n'est-elle pas irréalisable ? Comme essayer de penser à un son que vous n'avez jamais entendu, à une odeur jamais flairée. M'efforcer de vous donner les réponses que vous souhaitez est aussi impossible ; vous efforcer de les comprendre si je parvenais à vous les donner serait aussi impossible.

Laura hocha la tête.

– Je veux… apprendre. Il y a des années que j'étudie le sujet. Et pourtant, déplora-t-elle, maintenant que je me trouve assise près de vous, j'ai l'impression d'être à la maternelle.

– Je ne suis pas exceptionnel à ce point !

– Bien sûr que si.

– Nous sommes nombreux là-bas, dit Gabriel, qui se retourna vers la vitre et appuya sa tête contre le verre. Et nous sommes encore nombreux ici. Nos… restes sont nombreux.

– Les tombes ?

– Nous n'avons jamais été vraiment les bienvenus.

– J'ai l'ambition de changer cela, affirma Laura.

– J'espère que vous réussirez. Ce nom m'a toujours semblé ironique : la cellule Espoir… remarqua Gabriel avec un sourire triste.

– Certains acteurs de ce projet partagent mon opinion.

– Ce n'est pas suffisant, répliqua Gabriel. Ils vont s'employer à nous arrêter.

– Vous pouvez gagner la bataille, assura Laura.

Elle lui toucha le bras et jeta un coup d'œil vers Rachel.

– J'ai vu ce dont ces jumeaux sont capables.

Gabriel ferma les yeux. Laura crut qu'il s'était endormi et s'apprêtait à partir lorsqu'il reprit la parole.

– Ce que nous sommes, notre manière de vivre n'a rien de compliqué.

– Dieu merci ! se réjouit Laura.

– Vous vous souvenez de Honeyman, au village ? demanda Gabriel, et Laura fit un signe affirmatif. Il comprenait, lui. Il l'observait au quotidien chez ses abeilles. Pour qu'une ruche prospère, les abeilles doivent travailler conjointement. Aux yeux du monde, ce genre d'harmonie est presque invisible. Jusqu'au jour d'été où une abeille bourdonne à vos oreilles.

Gabriel regarda la jeune femme pour vérifier qu'elle saisissait.

– Si nous sommes menacés, nous piquons.

Le car continuait à vrombir. Ali négociait avec lenteur les virages serrés alors qu'il entreprenait la descente vers la côte. Laura distinguait le vaste océan gris à travers le pare-brise. La ligne où déferlaient les vagues, les remparts et les murs rouges de la ville bordant l'Atlantique.

– L'endroit où nous allons…

– La Tour de guet, dit Gabriel.

Laura réfléchit quelques secondes et le mystère s'éclaircit. C'était la traduction de l'ancien nom phénicien de Mogador.

– Et ensuite ?

– Trois ou quatre heures de marche. Ali nous emmènera. Il est le dernier à connaître le chemin.

Laura fouilla dans sa mémoire, visualisa une carte de la région… Oui ! Elle faillit pousser un cri d'enthousiasme. Il s'agissait de grottes qu'elle avait étudiées du temps où elle était à l'université. Elle avait lu les rapports archéologiques une dizaine de fois. Comment n'y avait-elle pas pensé plus tôt ? Elle se serait giflée.

– Merci, dit-elle, de m'avoir aidée à comprendre.

Gabriel la dévisagea.

– Attendez la fin de l'aventure, conseilla-t-il. Vous serez peut-être d'un autre avis.

Van der Zee quitta sa table de travail d'un bond lorsque M. Cheung entra dans son bureau.

– Alors ?

M. Cheung, blême et ruisselant de sueur, lâcha sa valise métallique. Les appareils à l'intérieur tintèrent et cliquetèrent.

– Rien.

– Quoi ?!

– Soit ce garçon ne ressent pas la douleur, soit il ne sait rien, simplement.

Van der Zee tapa du poing sur la table.

– Essayez autre chose ! ordonna-t-il.

– J'ai déjà tout essayé.

– Il doit exister un moyen…

Cheung secoua la tête.

– Je refuse d'y retourner.

Van der Zee retomba sur son siège.

– On est dans de beaux draps. À moins de découvrir leur destination, on perdra tous notre place.

Cheung reprit sa valise.

– Ça me convient.

Il se dirigea vers la porte.

– Notre conduite est ignoble… notre activité honteuse. Je n'ai plus envie d'une telle place.

Van der Zee regarda Cheung partir, puis réfléchit, suffoquant presque tant les conséquences de son échec l'assaillaient. Il savait que ses supérieurs de New York ou du Nouveau-Mexique ne tarderaient pas à l'appeler et exigeraient des réponses. Il n'osait pas envisager ce qui arriverait lorsqu'il se révélerait incapable de les leur fournir.

Des idées folles tourbillonnaient dans sa tête. Devait-il juste mentir ? Il pouvait prétendre qu'Adam avait nommé un lieu, puis l'accuser quand ses chefs s'apercevraient qu'ils avaient couru en vain. Il pouvait essayer de rejeter la responsabilité sur Cheung, ou raconter que Laura Sullivan leur donnait de fausses informations depuis le début.

Il pouvait tenter de s'enfuir…

Il sursauta lorsque le téléphone sonna, son cœur se mit à palpiter contre ses côtes. Nauséeux, il tendit le bras vers le combiné.

– C'est Laura Sullivan.

Il y avait des parasites et elle s'exprimait à voix basse, dans un quasi-murmure.

– Il faut que vous vous taisiez et que vous m'écoutiez.

– Continuez… souffla Van der Zee.

– Je sais où nous allons. Mais je pose une condition.

Cette fois, le cœur de Van der Zee battait la chamade.

– Dites-moi seulement où.

– Nous nous dirigeons vers la grotte des Berbères. À quinze kilomètres au nord de Mogador.

Van der Zee griffonna les indications.

– Je vous suis très reconnaissant, Laura. Toute l'équipe sera reconnaissante.

– J'ai vu juste. C'est l'endroit où tout a commencé, le point d'origine.

– Et votre condition ? demanda Van der Zee, qui observait déjà la carte.

Ce ne serait pas long de mobiliser l'unité, d'organiser un transport par hélicoptère.

– Que réclamez-vous ?

– Il faut que vous ameniez le garçon…

# 48

– Bienvenue à La Triskalla ! dit l'Australien derrière le comptoir. Asseyez-vous. Je vais demander à quelqu'un de monter vos bagages. Je peux vous apporter des boissons ?

Ils commandèrent de l'eau, du Coca et des jus de fruit. Rachel s'installa dans un vieux siège abîmé drapé d'une couverture et promena son regard sur le café La Triskalla. Caché en haut d'une petite rue, juste derrière le mur d'enceinte de Mogador, il avait un aspect bohème. Elle n'en avait pas cru ses yeux lorsqu'ils étaient arrivés devant et qu'ils avaient vu l'image stylisée du triskèle accrochée au-dessus de la porte. À l'intérieur, même si de l'encens brûlait et que des bûches crépitaient dans la cheminée, l'air était humide et salé. Le décor de tentures marocaines était concurrencé par des voiles de funboard, des prospectus pour des cours de kitesurf et des randonnées à dos de chameau.

Rachel regarda sa mère. Kate sourit faiblement et arqua les sourcils, mimiques signifiant combien elle aurait aimé cet endroit dans d'autres circonstances et combien Adam l'aurait adoré. Il se serait aussitôt inscrit à la planche à voile.

Rachel prit son jus de fruit et se leva pour lire certains dépliants épinglés au tableau. Elle examina des photos de jeunes gens, à peine plus âgés qu'elle, qui semblaient s'être beaucoup amusés ici durant l'été.

Dans l'insouciance la plus totale.

L'Australien se tenait près d'elle.

– Ce n'est pas la meilleure saison pour la planche à voile, ma chère, lui dit-il. Il faudrait revenir en été. Si j'ai bien compris le gars qui a réservé vos chambres, vous faites un voyage d'étude ?

– Oui, en quelque sorte, répondit Rachel.

Ali était déjà ressorti en ville, à la recherche de provisions pour le lendemain.

– Un peu d'exploration, vous voyez.

L'Australien hocha la tête et tendit la main.

– Moi, c'est Guy. Mais tout le monde m'appelle Jubby.

Rachel sourit à ce drôle de nom et considéra le visage franc et bronzé du jeune homme, ses boucles d'oreilles, ses cheveux emmêlés blondis par le soleil. Il avait l'air aux antipodes de leur situation complexe. De toute complexité, en fait. Son allure et son aisance plaisaient à Rachel, et elle se sentait flattée par son attention.

– D'où vient ce nom ? demanda-t-elle.

– Jubby ? Je n'en sais rien, il date du temps où j'étais gamin…

– Oh, désolée, je parlais du café.

– Il n'y a pas de mal ! assura Jubby en riant. La Triskalla ? L'endroit s'appelait comme ça quand on l'a repris. Apparemment, c'est un symbole très ancien. Les Marocains l'utilisent pour se protéger du mauvais œil.

Jubby fit de grands yeux à Rachel, qui sourit.

– Mais on le trouve dans une foule de motifs celtiques, bijoux et compagnie. On le voit même en Inde. Vous connaissez l'Inde ?

– Non, répondit Rachel.

Elle ne savait pas si elle irait un jour en Inde, ou dans tout autre pays, d'ailleurs. Jubby retroussa la manche de son T-shirt.

– C'est un beau symbole, hein ? Magnifique en tatouage.

Il contracta son biceps et un minutieux triskèle à l'encre rouge et verte remua sur son bras. Il roula son autre manche et révéla un cercle contenant ce qui ressemblait à deux têtards.

– J'ai aussi le yin et le yang, dit-il, tapotant le tatouage.

– Alors, La Triskalla n'a pas de… signification personnelle pour vous ?

– Non, c'est juste une excellente désignation pour le café. Il y a seulement dix-huit mois qu'on a ouvert et on espérait qu'elle nous porterait chance.

Inez s'approcha, levant un verre vide, et Jubby la dévora des yeux.

– J'ai l'impression que ça marche ! plaisanta-t-il en adressant un clin d'œil à Rachel.

La jeune fille se sentit un peu abattue tandis qu'elle le regardait s'empresser jusque derrière le comptoir pour resservir Inez.

Plus tard, Jubby et sa copine Rosie vinrent dîner avec eux. Rosie parut aussi contrariée que Lucas et Loïc de voir Jubby monopoliser les jumelles espagnoles d'un bout à l'autre du repas, leur raconter des histoires d'énormes vagues et de rencontres avec des requins en exhibant ses tatouages. Dès qu'ils eurent fini, Rosie partit avec Kate préparer une chambre pour Morag et Duncan.

Rachel s'assit par terre avec Gabriel sur un coussin près du feu. L'appréhension du lendemain pesait dans l'air.

– C'est une curieuse coïncidence, ce nom, souligna l'adolescente.

Gabriel ouvrit les mains en signe d'innocence.

Rachel avait désormais du mal à croire aux coïncidences. Peut-être que cet endroit, comme le village anglais, s'appelait ainsi pour une bonne raison.

– Il porterait chance, selon Jubby, dit-elle.

Elle bâilla, prête à s'endormir.

Gabriel la regarda se lever.

– Je ne crois pas vraiment à la chance, répondit-il. Bonne nuit.

Des songes et des visions perturbaient régulièrement Rachel depuis qu'elle avait quitté New York.

Néanmoins, ce rêve-ci était le pire à ce jour.

Seuls de minces fragments de lumière matinale arrivaient par la fenêtre, mais c'était comme si l'homme assis à son chevet les avait tous absorbés. Comme si les ténèbres qui émanaient de lui avaient tout enveloppé.

Il était assis là et la surveillait. Juste assis…

Rachel avait été incapable de crier ou d'appeler au secours, incapable d'émettre un son.

À présent, couchée sur le côté, elle regardait fixement par la fenêtre. Elle essayait de chasser cette image, implorait le cauchemar de s'éloigner en écoutant son cœur battre la chamade et en attendant que le rythme de sa respiration s'apaise.

Elle se retourna et se trouva face au personnage.

Elle eut une peur terrible. Elle ne voyait pas le visage de l'inconnu, dans l'ombre sous la capuche de sa robe, mais elle savait qu'il souriait.

– Quoi ? dit-il. Vous pensiez que vous rêviez ?

C'était l'homme qu'ils avaient croisé dans le métro à Paris ; l'homme qui avait réclamé le triskèle. Elle ne l'avait pas revu depuis, mais à le regarder maintenant, elle devinait qu'il les avait suivis en permanence. Elle s'était sentie observée en de nombreuses occasions. Alors qu'elle scrutait les ténèbres à l'emplacement du visage, elle eut la certitude qu'il s'agissait de l'homme (à supposer que ce soit un homme) qui n'avait cessé de les surveiller.

– Je vous demanderais volontiers si vous avez bien dormi, dit-il, mais c'est évident que non.

La voix était aussi sourde et cassée que dans le souvenir de Rachel ; pourtant, il y avait dans l'intonation quelque chose d'autre qu'elle reconnaissait… mais ne pouvait situer. Elle s'écarta de lui et se dressa dans le lit.

– Qui êtes-vous ?

– Toute cette aventure se terminera très bientôt, dit-il.

Il leva ses mains déformées, cloquées et griffues, et repoussa doucement sa capuche.

– Je suppose donc que ce n'est pas ennuyeux…

Rachel s'efforça de distinguer quelque chose dans le demi-jour, puis elle poussa un cri étouffé. Elle plaqua sa main sur sa bouche. Elle se sentit mal, mais ne put détacher ses yeux du visage de l'homme.

De ce qu'il en restait.

Son nez avait entièrement brûlé, laissant au milieu de sa figure un grand trou divisé par une lamelle osseuse. Des triangles de peau tendue, ses anciennes paupières, pendaient aux coins de ses yeux. Sa bouche était une fine balafre violette qui s'élargissait quand il souriait et découvrait les rangées de grosses dents jaunes. Ses oreilles avaient complètement disparu, hormis deux cicatrices tordues de chaque côté de sa tête. Il n'avait plus qu'une ou deux longues mèches de cheveux, plaquées sur son crâne, captant la lumière matinale.

Tandis qu'il se penchait vers elle, l'adolescente s'aperçut que la peau livide de son visage continuait à suinter sous un masque en plastique transparent qui ajoutait un éclat artificiel à la chair exposée, ravagée. Seuls des tendons noueux semblaient maintenir la tête reptilienne et, quand il parlait, la jeune fille voyait bien le cartilage de sa trachée remuer sous une membrane translucide de peau récemment greffée.

– Je suis Hilary Wing, déclara-t-il.

Il fallut presque une minute à Rachel pour retrouver l'usage de la parole.

– Mais… vous êtes mort, dit-elle. À Triskellion… Vous avez eu un accident de moto.

La balafre violette qui formait la bouche de Wing s'élargit.

– Je pense qu'une partie de moi est morte en effet, répondit-il. Étrangement, malgré tout… et, croyez-moi, c'est encore plus douloureux qu'il n'y paraît… je ne me suis jamais senti aussi bien de mon existence. Aussi fort.

– Que voulez-vous ?

– Nous avons déjà clarifié ce point, il me semble. Vous savez très bien ce que je veux.

Rachel regarda le visage hideux et lutta contre l'envie de porter son regard vers l'angle de la chambre. Vers le sac contenant le triskèle.

– Je ne suis pas ici pour le récupérer, continua Wing. Du moins pas dans l'immédiat. Je sais que, si je patiente, une récompense plus grande s'offrira.

Malgré la terreur qui la paralysait, Rachel sentit une force se répandre en elle : la même impression de puissance qu'elle avait éprouvée lorsque le triskèle lui avait brûlé la peau à Marrakech.

– Il ne vous appartient pas, affirma-t-elle.

Wing s'inclina brusquement.

– Vous l'avez volé ! riposta-t-il. Vous l'avez pris là où il avait sa place et j'ai l'intention de rétablir l'ordre naturel.

– Menteur, l'accusa Rachel. Vous parlez du triskèle comme si c'était une précieuse pièce d'argenterie familiale, mais en vérité, vous convoitez juste son pouvoir.

Wing redressa le buste.

– Oui, pour être honnête, c'est son pouvoir qui m'intéresse. À Triskellion, les gens ne connaissaient ni la maladie ni les mauvaises récoltes. Le triskèle nous rendait différents… exceptionnels. Alors, bien sûr, j'essaie d'imaginer ce que deux triskèles pourraient produire. C'est une part de la raison…

– Et l'autre ?

Il y eut un bruit de succion au moment où le masque en plastique se tendit sur le visage de Wing.

– Je dois m'assurer que vous et vos semblables ne mettez pas la main dessus.

Rachel sentit la puissance augmenter d'un cran, un élan de colère malgré la peur.

– Il appartient aux gens comme moi. Si le triskèle… Si les deux triskèles sont un héritage familial, c'est à ma famille qu'ils appartiennent !

– Oh, je sais très bien d'où viennent ces objets, certifia Wing. Ils sont d'indéniables sources de prodiges, mais je crains qu'autoriser votre espèce à exister soit tout simplement trop dangereux. Vous… tolérer est impossible.

– Vous oubliez, je crois, que nous sommes de la même famille.

Rachel sourit et constata que Wing était décontenancé.

– Je n'oublie rien.

– Votre père, ma grand-mère…

Wing bondit sur ses pieds et leva une main couverte de cicatrices comme s'il s'apprêtait à gifler Rachel.

– Je ne suis pas de votre engeance. Ne vous y trompez pas…

Il rabattit sa capuche et s'éloigna lentement vers la porte.

– Nous n'aurons peut-être pas l'occasion de nous reparler. Je suppose que nous serons tous très occupés dans les prochains jours.

– Sortez, lui ordonna Rachel.

– À propos, où est votre frère ? Déjà mort ?

– Sortez !

– Je dirai un mot à votre sujet en rentrant au village, annonça Wing. Peut-être qu'ils dresseront un monument dans l'église. Qu'ils feront une prière pour vous deux…

Il referma silencieusement la porte derrière lui.

Rachel compta jusqu'à vingt avant de sauter hors du lit et de s'habiller. Elle n'avait pas encore ouvert la porte que le hurlement jaillissait de sa gorge.

Elle se précipita dans le couloir, passa devant les pièces où dormaient les Français et les Espagnoles. Laura sortit de sa chambre et lui tendit la main, mais Rachel la repoussa et continua sa course échevelée, tourna l'angle et tomba dans les bras de Gabriel.

– Tout va bien, dit-il.

Rachel ne savait plus quand Gabriel et elle avaient été aussi proches pour la dernière fois. Elle se serra contre lui alors que les larmes venaient et, même s'il n'était qu'un jeune garçon, pas plus grand et guère plus fort qu'elle, elle se sentit protégée.

# 49

Ils marchaient depuis moins d'une heure et Rachel était épuisée. Le manque de sommeil lui causait des vertiges et les terribles images de la nuit l'obsédaient, inondaient son esprit d'effroi, minaient ses forces.

Ali avait loué une paire d'ânes. L'un transportait les bagages et les provisions qu'il avait réunies tandis que Duncan et Morag, aux anges, chevauchaient l'autre. Le premier kilomètre, le long d'une plage unie s'étendant à perte de vue au-delà des murailles de Mogador, n'avait pas présenté de difficulté. Ensuite, des îlots de végétation rude – herbes et buissons – avaient surgi, puis grossi pour devenir des dunes venteuses, où le sable meuble ralentissait la marche.

Ils parlaient peu, hormis les commentaires répétés sur la chaleur dont ils souffraient de plus en plus, et la conversation qu'entretenaient Inez et Carmen à propos du charmant Jubby.

Ali conduisait l'expédition. Il entraînait les ânes dans le paysage désertique en sifflotant une étrange mélodie triste. Il portait une longue robe d'un bleu profond au bas de laquelle dépassaient, incongrus, des bottes et un pantalon à l'imprimé de camouflage.

– Votre robe me plaît, dit Rachel, histoire de bavarder. Elle a une belle couleur.

Ali sourit jusqu'aux oreilles.

– C'est la couleur de ma tribu.

– Les Berbères ne forment donc pas une seule tribu ?

– Non, il en existe de nombreuses. Nous avons des tribus dans toute l'Afrique du Nord et plus loin. Mais nous croyons que notre tribu est la plus ancienne. C'est avec nous que tout a commencé.

Ali ferma le poing et se frappa la poitrine, comme pour démontrer que tout avait débuté avec lui.

– Tout ? demanda Rachel, sincèrement intriguée.

– L'humanité.

Ali avait répondu d'un ton aussi léger que s'il avait donné l'heure.

– Nous pensons que les Berbères ont été les premiers habitants d'Afrique du Nord, bien avant l'arrivée des Romains ou de tout autre peuple.

– De quelle époque parlez-vous ?

– De la préhistoire. Les hommes des cavernes. L'homme de Neandertal. Nous adorions le Soleil, la Lune et les rochers parmi lesquels nous vivions.

– Vraiment ? dit Rachel alors qu'une image commençait à se former dans son esprit. Et comment saurez-vous trouver ces grottes ?

Ali se tapota le front.

– C'est inscrit là. Mon père me l'a enseigné, de même que son père le lui avait enseigné. Il n'a rien révélé à Mahmoud. Maintenant, vous voyez pourquoi.

– J'ai encore du mal à saisir, avoua Rachel. Il paraissait si gentil, si… généreux.

– Oh oui, Mahmoud a d'excellentes manières. Et, bien sûr, il a beaucoup d'argent, qu'il a gagné en Angleterre. Mais la façon dont il l'a gagné n'est pas très respectable. C'est pour cette raison qu'il n'a pas mérité notre tatouage tribal. Il a fréquenté de sales types à Mogador, dans la période hippie. Des Anglais.

Rachel frissonna en se rappelant la nuit précédente. Elle pensa à tous les Anglais qu'elle avait rencontrés, le pire d'entre eux étant, sans aucun doute, son propre parent. Mais enfin Mahmoud n'avait pas pu connaître Hilary Wing… Si ?

Rachel n'avait parlé de sa vision d'épouvante, ni essayé de décrire le monstre qui lui avait rendu cette visite nocturne, à personne hormis Gabriel. Elle n'avait pas voulu alarmer les autres. De plus, elle avait eu le sentiment que Gabriel seul était capable de comprendre et de les protéger tous de l'abomination qu'était devenu Hilary Wing.

Adam savait qu'ils se déplaçaient.

Depuis l'intérieur de son box dans l'unité mobile, il avait du mal à se faire une idée de la direction ou de la vitesse. Mais son instinct lui disait qu'ils avançaient et, d'après les variations subtiles de mouvement, il supposait qu'ils naviguaient.

Il baissa les yeux vers ses poignets. Des sangles les rattachaient toujours au lit, mais les meurtrissures s'étaient effacées et il se sentait presque orgueilleux de sa guérison si rapide. Il n'aurait pas de cicatrices.

Il se réjouissait qu'ils n'aient pas réussi à le soumettre. Il ne leur avait rien dit, et il n'avait éprouvé aucune douleur. La partie la plus pénible de son supplice avait été de voir l'expression de culpabilité sur le visage de M. Cheung, au moment où celui-ci avait renoncé. Un homme auquel Adam avait jadis accordé sa confiance et que les dirigeants de la cellule Espoir avaient considéré comme leur plus tenace interrogateur. Un homme sur lequel Adam l'avait emporté grâce à sa propre force de caractère.

Il était en train de gagner.

– Bienvenue à bord, dit Van der Zee en ouvrant la porte du box et en détachant les sangles qui retenaient les chevilles et les poignets d'Adam. Venez avec moi.

Il emmena le jeune garçon sur le pont intérieur d'une grosse vedette. Adam ne s'était pas trompé : ils voguaient, et son compartiment avait été habilement inséré dans la cale. Il entendit les moteurs rugir et, jetant un coup d'œil par un hublot minuscule, constata qu'ils sortaient d'un port.

– Où sommes-nous ? demanda-t-il. Et où est-ce qu'on va ?

Van der Zee ne répondit pas tout de suite. Ils montèrent une volée de marches jusqu'à un poste de commande. Plusieurs membres de la cellule, portant des lunettes noires et des inhibiteurs, se crispèrent lorsque le jeune garçon entra.

– Avec un peu de chance, annonça Van der Zee, nous allons voir votre sœur.

Adam se concentra, écarta toutes les pensées inutiles, et l'image mentale d'une grotte commença à prendre forme.

En même temps qu'Ali parlait, la représentation se précisait dans l'esprit de Rachel, comme les images d'un rêve devenant nettes : une grotte, une plage, des hommes dans des bateaux. Elle serra le triskèle désormais accroché à son cou par une lanière en cuir. Elle perçut alors un autre ensemble de pensées répondant aux siennes.

Adam !

Son cœur bondit et une sensation de chaleur pénétra ses os fatigués, lui redonna de l'énergie. La communication avait beau être fragile, Rachel savait à présent que son frère était vivant et accessible. Susciter l'espoir de sa mère aurait été prématuré, mais elle ne doutait pas qu'Adam arrivait.

Ils continuèrent leur progression parmi un désert broussailleux, puis le paysage se hérissa de rochers gris et pointus. Cinq cents mètres plus loin, une pente escarpée menait à un sentier qui serpentait le long de la crête.

Ali indiqua le sommet de la falaise.

– Les ânes pourront grimper jusque là-haut, mais ensuite il faudra les laisser et transporter nous-mêmes les provisions.

Les jumeaux français ronchonnèrent en considérant les gros sacs sur le dos de l'âne. Inez et Carmen approuvèrent à regret : les semelles de leurs chaussures plates ne résisteraient sûrement pas au sentier rocailleux. Laura et Kate poursuivirent leur marche laborieuse sans se plaindre tandis que, derrière eux tous, Gabriel scrutait les environs pour vérifier que personne ne les suivait et consultait le ciel comme s'il prenait ses repères.

La voix d'Adam ne cessait de s'affirmer dans l'esprit de Rachel : il ne fallait pas qu'elle s'inquiète, il n'était plus très loin. Elle regarda Ali.

– Vous et Mahmoud êtes jumeaux, dit-elle, alors êtes-vous… comme nous ?

Ali se mordilla la lèvre et réfléchit un instant.

– Oui, je suppose, dans une certaine mesure. Une légende raconte qu'un homme est venu du soleil au commencement du monde et qu'il a créé notre peuple à partir de l'homme des cavernes primitif.

Rachel hocha la tête. Elle se souvenait des runes à Triskellion. Elles retraçaient une histoire comparable.

Ali pointa un doigt en l'air et jeta un coup d'œil vers Gabriel avant de poursuivre :

– Les cheveux blonds ou roux et les yeux verts que présentent certains Berbères se rattacheraient à l'homme venu du soleil. Ce phénomène correspondrait à la réapparition d'un gène des visiteurs qui ont abordé ce rivage.

Rachel s'enthousiasma : les pièces d'un vaste puzzle s'assemblaient peu à peu.

– Vous auriez donc un lien génétique avec le… visiteur qui a séjourné ici ? Comme nous avec le Voyageur qui s'est installé en Angleterre ?

– Oui, un lien existe. Mais n'oubliez pas que le Voyageur qui a vécu ici, parmi les Berbères, est venu il y a peut-être trente mille ans.

Ali ouvrit grand les bras pour évoquer cette durée immense.

– Sur une période aussi longue, les gènes s'amoindrissent. Alors quand vous arrivez à Mahmoud et moi, il ne reste plus grand-chose de l'ADN d'origine.

– Assez pour que Mahmoud et vous ayez des capacités exceptionnelles ? voulut savoir Rachel.

– Nous avons parfois un sixième sens concernant ce que l'autre fait ou pense, ou quand l'un de nous souffre.

Il grimaça.

– C'est ainsi que j'ai lu dans sa tête, et dans son cœur…

– Et maintenant ? demanda Rachel. Que percevez-vous de son côté en ce moment ?

Ali médita.

– Rien, finit-il par dire, frappant la croupe de l'âne avec une branche mince pour lui faire gravir la pente.

Ils effectuèrent en silence le reste de la montée. Ali aida Morag et Duncan à mettre pied à terre et débâta le second âne. Les autres membres du groupe s'alignèrent le long du sommet de la falaise. Tenant ferme face au vent, ils regardèrent la mer grise qui rugissait et se fracassait inlassablement au-dessous d'eux contre les rochers déchiquetés.

– Et comment se termine la légende ? demanda Rachel.

– Je vous le dirai plus tard, promit Ali. Nous devons continuer notre route. Jusque là-bas.

Tous écarquillèrent les yeux alors qu'il montrait la côte découpée, et ils entreprirent leur descente précautionneuse en direction de l'océan.

Ali les guida entre les rochers, indiquant d'étroits chemins qui zigzaguaient à flanc de falaise. Au bout d'une demi-heure, ils atteignirent un rebord plat surplombant la mer. À cette hauteur, la côte parut soudain familière à Rachel. Elle distinguait, à une trentaine de mètres sur sa droite, l'endroit où les rochers éboulés devenaient un croissant de plage sablonneuse. Le monde moderne était absent de ce paysage, et Rachel le découvrait presque identique à ce qu'il avait été trente mille ans auparavant. Elle voyait en pensée les hommes des tribus primitives pêcher depuis cette plage ; sortir sur leurs embarcations, jour après jour.

– Vous deviez me raconter la fin de la légende, rappela-t-elle à Ali.

– L'histoire habituelle, soupira-t-il. Après l'avoir obligé à construire ce qui serait sa propre tombe, les membres de la tribu ont arraché l'étranger à sa famille et lui ont fracassé le crâne sur un rocher. Ils ont exposé son corps jusqu'à ce que les mouettes l'aient nettoyé, puis enfermé ses os dans les grottes, où ils ne pourraient pas nuire et où personne ne les trouverait jamais.

– Alors comment ferons-nous pour les découvrir ?

Ali sourit.

– Lorsqu'il a construit sa tombe, il a laissé une entrée pour ceux dont il savait qu'ils viendraient un jour. Pour nous.

– Pourquoi l'ont-ils tué ? demanda Rachel en plissant le front.

– Parce qu'ils avaient peur de lui, expliqua Ali. Peur de sa puissance. Les gens en ont toujours eu peur. C'est encore le cas.

– Sait-on à quel endroit il est mort ?

– Ici même, répondit Gabriel, les joues inondées de larmes, en indiquant la plate-forme rocheuse sur laquelle ils se tenaient. C'est le rocher des Tueurs.

– En effet, confirma Ali.

Rachel observa la pierre. Des images d'une lutte au corps à corps, d'un homme essayant de sauver sa vie, surgirent dans son esprit. Des vibrations lui parcoururent la plante des pieds et lui picotèrent le cuir chevelu tels des courants électriques.

Gabriel éprouvait manifestement des sensations semblables. Il tomba à genoux, ses paumes contre la pierre froide, ses larmes coulant dans les fentes et les fissures du rocher.

Il se mit à hurler.

Le groupe l'entoura et le plaignit. Kate et Laura lui caressèrent les cheveux tandis que Rachel et les jumelles espagnoles essuyaient leurs propres larmes. Lucas et Loïc toussaient et se grattaient la tête. Duncan et Morag s'accrochèrent aux adultes, effrayés par l'émotion intense du jeune garçon qu'ils connaissaient sous le nom de Michael.

Les pleurs de Gabriel cessèrent aussi brusquement qu'ils avaient commencé. Il se redressa, rejetant la compassion qui lui était témoignée comme si elle le retardait.

– Venez, dit-il. Nous devons continuer. Le temps presse.

Ils sautèrent parmi les derniers rochers et s'élancèrent sur la plage. Le sable humide était si agréable après l'exténuant sentier rocailleux ! Ils lâchèrent leurs sacs et Gabriel les entraîna. Ils s'écartèrent de la mer et remontèrent la plage jusqu'au moment où ils discernèrent, cachées sous une avancée rocheuse, la longue voûte basse et l'ouverture sombre, plongeante, qui marquait l'entrée d'une grotte.

– La grotte des Berbères, annonça Ali.

– C'est ici que notre histoire a commencé, dit Gabriel.

Rachel le regarda :

– Est-ce ici qu'elle se termine ?

– Un seul moyen de le savoir.

Et ils pénétrèrent dans l'obscurité.

# 50

La mer, grise et agitée, clapotait avec rudesse contre les flancs du bateau, contre les deux canots pneumatiques à moteur attachés à la poupe et contre le nom peint en grosses lettres blanches sur la coque :

ESPOIR

Installé sur le pont supérieur, Clay van der Zee ne quittait pas des yeux la rangée d'écrans et de moniteurs fixés au mur. Le centre de communication du bateau était aussi bien équipé que celui de l'unité mobile encore stationnée à Gibraltar quelques heures plus tôt. Après l'appel de Laura Sullivan, la traversée jusqu'à la côte marocaine avait été courte et le poste de commandement vite établi, une fois le bateau ancré à deux kilomètres du rivage pour éviter d'attirer l'attention. Van der Zee se trouvait désormais en contact permanent avec ses différents observateurs et, grâce aux images fournies par des satellites en orbite loin au-dessus d'eux, passait en un clin d'œil de la plage à l'entrée de la grotte.

Comme le reste de l'équipe, Van der Zee était fébrile, presque haletant de nervosité et d'impatience. Il bouillonnait ainsi depuis l'arrivée du dernier message en date.

*Ils entrent dans la grotte...*

Van der Zee consulta de nouveau (il le faisait toutes les deux minutes) chaque poste d'observation à terre, chacun des techniciens et agents de sécurité présents à bord. Plus d'une douzaine d'hommes attendaient ses instructions, prêts à intervenir dès que le signal serait donné. À capturer aussi vite que possible les quatre paires de jumeaux et le garçon – l'étranger – qui les conduisait ; à s'emparer surtout de ce qu'ils étaient venus chercher dans la grotte des Berbères.

Assis à l'autre bout de la pièce, Adam regardait Van der Zee taper sur des boutons et aboyer des ordres dans le micro. Il avait l'autorisation de se déplacer librement à travers la cabine, mais la mission de surveillance des deux agents de sécurité était évidente. Il jeta un coup d'œil sur leurs visages inexpressifs, leurs lunettes noires et leurs inhibiteurs. Il savait qu'ils portaient des armes et n'hésiteraient pas à s'en servir.

– Vous ne le reprendrez pas, déclara-t-il. Le triskèle. C'est bien clair dans votre esprit, je suppose ?

Van der Zee pivota sur son siège.

– Nous verrons, répliqua-t-il.

– Vous n'obtiendrez rien.

– Contentons-nous de suivre le déroulement des opérations, d'accord ? préconisa Van der Zee souriant, puis il montra les écrans. Vous êtes aux premières loges, alors mettez-vous à l'aise et profitez du spectacle...

Adam leva les yeux vers l'un des écrans, scruta l'entrée sombre de la grotte. Il avait vu Rachel, sa mère et les autres disparaître à l'intérieur quelques minutes plus tôt. Il aurait tant aimé être avec eux ! Mais dans l'immédiat, il ne pouvait que fermer les yeux et communiquer par la pensée. Dire à sa sœur qu'il l'accompagnait.

Lui souhaiter bonne chance.

De lents filets d'eau coulaient sur les parois grises montant à dix mètres au moins avant de se resserrer vers un plafond indistinct qui semblait bouger, là-haut dans les ombres humides. Chaque goutte résonnait en frappant le sol. De minces rayons de lumière obliques pénétraient par des fentes dans le rocher, zébraient les murs de bandes pâles et soulignaient les moindres détails.

Pendant plus d'une minute, Rachel, Gabriel et les autres demeurèrent immobiles et silencieux, stupéfiés par la taille de la grotte. Puis ils commencèrent à déambuler, à longer les parois tel un groupe de touristes, caressant la roche de la main et chuchotant, émerveillés.

– Ma parole, murmura Laura. Ces peintures...

Au fil des années, elle avait vu des centaines de peintures rupestres, mais aucune n'atteignait ce degré de précision. Une qualité artistique incroyable caractérisait chaque trait tracé dans la pierre. Et il y avait aussi...

– De la passion, dit Rachel, lisant les pensées de Laura. Pour leur auteur, ces dessins avaient une véritable signification.

Rachel parcourut la salle, voyant ou plutôt sentant les émotions inscrites dans toutes ces marques, toutes ces lignes. Il y avait des abeilles et des ruches, des étoiles filantes et des bancs de poissons très détaillés. Et des triskèles...

L'adolescente s'arrêta devant une immense paroi et contempla la série d'images représentant l'histoire que lui avait racontée Ali. Sur la roche claire, des courbes noires figuraient un bateau et un homme tiré des eaux. Comme Rachel les examinait, son rêve lui revint, et elle fut soudain la jeune fille qui regardait, sur la plage, l'étranger hissé hors du bateau de pêche. La jeune fille qui avait ensuite donné naissance à des jumeaux et regardé leur père entraîné vers la mort.

Qui avait attendu que le corps du défunt soit réduit à un tas d'os.

Alors que Rachel était perdue dans sa contemplation, Kate et Laura vinrent se placer à sa droite et à sa gauche. Laura prit une photo du mur avec son téléphone portable. Elle se pencha vers Rachel :

– N'est-ce pas fantastique ?

– De quoi s'agit-il ? demanda Kate.

Comme Laura s'apprêtait à répondre, Kate ajouta aussitôt :

– Et donnez-nous une explication simple. Tout le monde n'est pas diplômé en archéologie.

Elle jeta un coup d'œil vers Gabriel et les autres jumeaux.

– Ni doté de capacités exceptionnelles…

Laura prit son souffle.

– Bien… J'ai toujours eu idée qu'un changement s'était produit dans l'évolution de l'humanité il y a trente mille ans. Un événement qui avait transformé l'homme de Neandertal en homme moderne et lui avait donné l'impulsion pour se rendre en Espagne puis envahir l'Europe du Nord.

Elle regarda le mur.

– C'est ici que le changement a eu lieu. L'auteur de ces peintures en est la cause.

Kate hocha la tête en considérant les images.

– L'étoile filante n'en est pas vraiment une, je me trompe ?

– Les gens qui vivaient ici à l'époque ont cru que c'en était une, répondit Laura. Et ils n'auraient pas eu de mot pour décrire celui… ce qu'ils avaient tiré de l'océan.

Elle se tourna en direction des jumeaux explorant la grotte, pointant le doigt et murmurant.

– Le phénomène s'est reproduit voilà trois mille ans, puis plus tard. D'autres visiteurs sont venus. En France, en Espagne, en Écosse… et à Triskellion, votre village natal.

Laura vit Kate prendre la main de Rachel.

– Et aujourd'hui, des enfants comme les vôtres, des enfants porteurs de ces gènes, peuvent faire pareil que leurs ancêtres : permettre aux humains de franchir une nouvelle étape. La surhumanité…

Kate hocha encore la tête. Elle commençait à saisir la portée de la théorie de Laura et toute la valeur de sa propre descendance.

– Mon explication était-elle assez simple ? demanda l'archéologue.

Gabriel se tenait derrière elle. Il avait écouté, à l'évidence. Il sourit.

Un cri retentit à l'autre bout de la grotte et tous accoururent vers Duncan et Morag. Les petits jumeaux indiquaient le plafond.

– Ce n'est pas des ombres, affirma Duncan, mais des êtres vivants.

– Des abeilles, précisa Morag enchantée. Il y en a des millions…

Ils observèrent la colonie d'insectes qui grouillait dans les hauteurs de la salle. Les abeilles formaient une voûte mouvante comme si elles constituaient une partie de la grotte elle-même, comme si leur bourdonnement sourd et insistant venait des profondeurs de la roche, sang palpitant dans une veine.

– J'ai l'impression qu'elles nous souhaitent la bienvenue, dit Morag.

Puis chacun d'eux se figea alors qu'un nouveau son arrivait d'en haut. Un vrombissement très différent et bien plus menaçant, qui augmenta au point de couvrir le bruit des abeilles. Au point que Gabriel dut crier pour se faire entendre :

– Tous dehors. En vitesse !

Clay van der Zee haussait rarement le ton quand il parlait avec son correspondant de New York, mais cette fois il ne put se retenir. Depuis qu'il avait aperçu l'engin piquer vers la falaise quelques minutes plus tôt, il était aussi furieux que déconcerté.

– Je n'ai pas demandé l'assistance d'un hélicoptère ! cria-t-il.

Sur l'écran, il observa les jumeaux sortant de la grotte et gagnant la plage.

La voix de son interlocuteur grésilla dans le haut-parleur et emplit la cabine.

– C'est moi qui ai pris cette décision. On ne saurait être trop prudent.

– Qu'attendez-vous au juste ? se renseigna Van der Zee.

– Si je le savais, il n'y aurait pas de problème.

– Vous avez envoyé un hélicoptère de combat. Un engin armé…

– Ce ne sont pas vos affaires, docteur.

L'homme marqua une pause et, pendant quelques instants, le seul bruit dans la cabine fut le lointain fracas des pales.

– Vous êtes toujours là, docteur ?

Van der Zee ne dit rien. Il avait pivoté sur son siège pour regarder Adam et restait muet devant l'expression du jeune garçon. Celui-ci semblait horrifié par un événement dont il sentait l'imminence mais qu'il ne pouvait empêcher.

Le tir de missile fut assourdissant.

Van der Zee se retourna face à ses écrans et s'exclama devant l'explosion :

– Bon sang ! Mais pourquoi ?

Le son du haut-parleur se déforma quand l'homme de New York hurla :

– Qui a donné cet ordre ?

Van der Zee vit l'hélicoptère reprendre de l'altitude et virer au-dessus de la falaise tandis que des tourbillons de fumée montaient vers le ciel.

– Je répète, qui a donné cet ordre ?

Il y eut plusieurs secondes de silence avant qu'une autre voix s'élève. Le pilote de l'hélicoptère, manifestement ébranlé, se présenta et tenta de fournir une réponse :

– Je ne sais pas. Quelqu'un… m'a dit de tirer. Je l'ai entendu…

Gabriel et ses compagnons se redressèrent et se tournèrent en direction de la grotte. Un nuage sombre flottait au-dessus de l'entrée et une fumée noire sortait de la falaise un peu plus haut, à l'endroit où le missile était tombé. Par ailleurs, la voie semblait libre. De la poussière et des gravats s'abattaient encore sur la plage. Une épaisse colonne d'abeilles jaillit, vint cerner le groupe qu'elle enserra comme un lasso et ramena vers l'entrée.

Laura Sullivan s'écarta de quelques mètres et saisit son téléphone. Elle composa un numéro. Elle eut du mal à ne pas vociférer tant elle était indignée.

– Non mais qu'est-ce que vous croyez faire ?

– Je n'y suis pour rien, répondit Van der Zee.

– Quoi ?

– Je ne mens pas, je vous le jure.

– Dégagez-moi immédiatement cet hélico !

– Écoutez, je vous promets…

– Avez-vous amené le garçon ?

– Il est juste à côté de moi.

– Prouvez-le, exigea Laura.

Elle patienta. Puis elle entendit Adam la saluer, lui assurer qu'il allait bien.

Van der Zee prit le relais :

– Nous nous connaissons depuis longtemps, vous et moi. Vous devriez savoir que je tiens parole.

– Il faut que je vous laisse…

– Vous ne me faites pas confiance ?

Laura leva les yeux vers l'hélicoptère qui continuait à tournoyer.

– Je ne fais pas confiance aux gens pour qui vous travaillez.

Elle mit fin à la communication et lorsqu'elle se retourna vers le groupe, elle vit Morag et Duncan les yeux braqués sur son téléphone. Elle le rangea dans sa poche pendant que Gabriel s'arrêtait pour s'adresser au groupe.

– Bon, ils savent que nous sommes là, c'est évident, dit-il. Alors je vous propose de nous dépêcher d'aller chercher ce pour quoi nous sommes venus.

Rachel avait vu l'expression de Gabriel quelques secondes avant l'impact. Lorsqu'ils se furent tous remis en marche, elle courut pour le rattraper. Elle montra la fumée, puis l'hélicoptère.

– C'était toi ? Le tir, c'est toi qui l'as provoqué ?

– Disons que je n'ai pas appelé cet engin, mais puisqu'il s'est présenté, autant m'en servir !

– Je ne comprends pas, reconnut Rachel. Pourquoi bombarder la grotte ?

– La grotte n'est qu'un point de départ, expliqua Gabriel. Un simple vestibule.

Il leva les yeux vers l'appareil et haussa les épaules.

– Il me fallait un moyen pour forcer la porte d'entrée.

Rachel sourit malgré elle et l'aida à entraîner le groupe le plus vite possible vers la grotte. Se plantant devant l'entrée, Gabriel ordonna à Loïc et à Lucas d'attendre.

– Vous ne pouvez pas nous accompagner, annonça-t-il.

Les garçons essayèrent de passer, mais Gabriel tendit le bras.

– Non, vous devez rester ici. J'ai une mission pour vous.

– Quelle mission ? voulut savoir Lucas.

– Une tâche importante, dit Gabriel. Qui va vous plaire, à mon avis.

Ayant échangé un regard, Lucas et Loïc se tournèrent vers Gabriel et acquiescèrent. Il les remercia puis, à la suite des autres, franchit l'écran de poussière et réintégra la grotte des Berbères.

# 51

Les débris retombaient à l'intérieur de la grotte. Une fissure plus large était apparue dans le plafond de la salle et un gros rayon de lumière jaune transperçait l'air poussiéreux. Alors que les parois principales et les peintures étaient demeurées intactes, une grande ouverture triangulaire s'était écroulée au fond, constata Laura, surprise.

– C'est la porte d'entrée dont je parlais, dit Gabriel. Bien, nous ferions mieux d'y aller…

Ils se rassemblèrent autour de l'ouverture mise à nu. Au-delà, un passage conduisait à des marches grossièrement taillées dans la roche, serpentant vers la pénombre. Gabriel s'engagea le premier par la brèche et tous le suivirent timidement au cœur du labyrinthe de tunnels, de renfoncements et de salles creusé dans l'épaisseur de la falaise. Une faible lueur éclairait les tunnels, apportée par des fragments d'un matériau semblable au verre insérés dans des trous de la paroi rocheuse.

– Étonnant, observa Laura.

Elle s'arrêta pour toucher le verre.

– Du mica, ou un genre de cristal. On dirait un système de lentilles et de prismes conçu pour amener la lumière naturelle depuis l'extérieur. Très élaboré. Ce n'est pas le travail d'un homme des cavernes ordinaire.

– Qui a prétendu que c'était l'œuvre d'un homme des cavernes ? demanda Gabriel.

– Dites-moi ce que vous savez ! s'écria Laura.

Mais Gabriel avait déjà repris sa route. Il plongeait la tête dans des recoins, jetait de rapides coups d'œil sur de petites cavités.

Laura et Kate tournèrent dans une salle à gauche tandis que les autres exploraient celle de droite. Laura ramassa une coupe et resta médusée. Le récipient métallique, gris argent, ne ressemblait à rien de ce qu'elle connaissait. À aucun vestige découvert à ce jour dans une grotte néandertalienne.

– Prodigieux, souffla-t-elle. Cette coupe paraît si moderne.

Elle la reposa doucement sur le sol et la photographia.

– Cet objet a trente mille ans et il semble avoir été fabriqué hier. Par une machine. Je suis incapable d'en identifier le métal. Mais je m'égare… ces hommes des cavernes ne maîtrisaient pas la métallurgie. Jamais au grand jamais je n'ai vu un objet pareil.

Kate examina la coupe.

– C'est ce qu'il cherche ?

– Gabriel ? Non, je ne pense pas. C'est juste une trouvaille. Une trouvaille stupéfiante. Je crois qu'il cherche une tombe…

À l'instant où elle le prononçait, le mot sonna soudain comme un glas dans l'esprit de Laura.

Tombe.

Des années de tombes : à les localiser, à les étudier, à les fouiller. Laura observa de près la salle où Kate et elle étaient entrées. Ce qu'elle avait pris pour de petites rangées de bâtons dessinés sur les murs – peut-être un système de numération – se révélait doté de petites têtes, de bras et de jambes. C'étaient des rangées de corps étendus.

L'emploi prévu pour cette grotte ? Une sépulture, une immense tombe ?

Les pensées de Laura se bousculèrent. Et si Van der Zee jouait un double, voire un triple jeu ? Et s'il avait bel et bien réclamé l'hélicoptère lance-missiles ? Elle le savait très capable d'un coup pareil. Elle savait aussi que des membres du consortium Éclipse avaient pour objectif de réunir un maximum d'êtres « exceptionnels » dans un même lieu et de les réduire, avec ceux qui les protégeaient, en poussière.

Ce dédale souterrain deviendrait-il leur tombe ?

Laura sentit l'affolement l'envahir. Quelle idiote elle avait été ! Aveuglée par sa propre recherche – recherche qui ne servirait à personne s'ils étaient tous promis à la destruction. Dans son enthousiasme aveugle pour démontrer l'exactitude de sa théorie, dans son désir de se racheter auprès de Kate et de lui rendre Adam, elle avait contribué à créer pour eux tous un subtil piège mortel.

– Il faut regagner la plage, dit-elle à Kate d'un ton alarmé. Gabriel, Rachel, tout le monde... nous devons sortir ! cria-t-elle en direction de l'autre cavité.

Duncan et Morag firent irruption dans la salle. Ils regardèrent la coupe et les silhouettes sur les murs.

– Qu'est-ce que vous avez trouvé ? demanda Morag.

– Peu importe, trancha Laura. Il faut juste ressortir.

– Exclu, affirma Gabriel, qui arrivait tranquillement. Il n'y aura qu'une occasion et c'est maintenant.

– Mais ils savent où on est ! s'écria Laura. C'est bien évident ! Ils doivent suivre nos moindres déplacements sous terre par satellite… par imagerie infrarouge. Ils ont dû établir notre position grâce à mon téléphone.

Tous la dévisagèrent.

– J'ai été obligée de leur indiquer où nous étions pour obtenir le retour d'Adam, avoua-t-elle.

Kate lui serra le bras et sourit.

– Je sais, dit Gabriel. Et vous avez bien fait. Simplement, cette exploration est moins simple que je l'imaginais. Un petit délai nous serait utile.

– Laura… docteur Sullivan ? dit Morag en la tirant par la manche. Pourquoi ne pas donner le téléphone à Duncan ? Il connaît tous les mots de passe d'Espoir. Il pourrait peut-être s'amuser un peu.

Laura regarda la mine innocente de Morag sans comprendre. Ce n'était guère le moment de s'amuser. Puis elle vit un petit air moqueur s'épanouir sur les traits de Duncan et les paroles de Morag devinrent claires. Si quelqu'un pouvait s'introduire dans le système et brouiller le dispositif de pistage d'Espoir, c'était bien Duncan.

– Mais on ne capte rien dans ces profondeurs, si ? demanda Laura.

– Donnez-le-moi.

Duncan prit le téléphone et, dès qu'il eut l'appareil en main, la puissance du signal atteignit le maximum. Ses doigts boudinés pianotèrent sur le clavier. La page d'accès à Internet apparut sur l'écran, puis une série de messages défilèrent à toute vitesse. Il tapa des combinaisons de chiffres, des symboles et des lettres, rapide comme l'éclair.

– Je suis dans l'ordinateur central, annonça-t-il.

Puis, quelques secondes plus tard, il enfonça résolument la touche entrée et considéra ses compagnons.

– Voilà.

Il agita le téléphone sous le nez de Gabriel, se permettant un de ses rares sourires.

– Bravo, Duncan, le félicita Gabriel. Chacun a un rôle à jouer ici, et c'était le tien. À nous de continuer.

– Mais ils savent toujours où nous sommes, je me trompe ? demanda Kate.

Elle suivit Gabriel alors qu'il les entraînait dans le demi-jour d'un nouveau passage sinueux.

– Ils ont une idée approximative, répondit Gabriel. Mais ils avancent à l'aveuglette. Tandis que nous, nous savons où nous allons.

Laura regarda Rachel et haussa un sourcil. À son tour, Rachel serra la main de sa mère et sourit.

Les galeries devinrent plus étroites et sombres, car la lumière apportée par les prismes faiblissait au fur et à mesure de la descente. L'air fraîchit, humide, et le silence gagna le groupe dans une atmosphère de plus en plus tendue.

L'attitude d'Ali n'arrangeait rien. Il se précipitait entre ses compagnons, balayant la grotte avec le faisceau de sa petite lampe. Il tapotait les murs et le sol rocheux à l'aide d'un bâton tout en marmonnant. Il prenait appui dans de profondes fissures, puis grimpait et tentait de déceler au toucher des rebords dissimulés ou des accès encombrés à d'autres salles autour d'eux.

– Que cherchez-vous ? lui demanda Laura.

– Les hommes des cavernes voulaient que cette tombe reste inviolée.

Il montra les énormes rochers en équilibre instable au-dessus de leurs têtes, maintenus par des pierres plus petites : des traquenards primitifs destinés à décourager les intrus.

Des intrus comme eux…

Ils continuèrent plus lentement dans la quasi-obscurité. Morag se mit à pleurnicher. Ali lança un juron, frustré par leur apparent échec.

– Attendez, dit Gabriel.

Tout le groupe s'immobilisa.

– Il faut que vous vous calmiez, Ali. Vous me perturbez.

– Excusez-moi, répondit Ali, dont le visage semblait vieux et fatigué à la lueur de sa lampe. Je vous ai déçus. Je pensais que nous l'aurions trouvée à cette heure, que ce serait évident dès notre arrivée dans les cavités principales. Il aurait dû y avoir…

Comme les mots lui échappaient, il allongea les doigts.

– Vous savez… des stalactites, des stalagmites…

– Vous avez accompli votre part, lui assura Gabriel. Vous nous avez emmenés jusqu'ici. À présent, nous devons arrêter de nous affoler et nous concentrer. Rachel ?

Il tendit le bras vers elle et la jeune fille s'approcha.

– Je veux que tu réfléchisses très fort. Intensément…

Des émotions conflictuelles la troublaient, parmi lesquelles dominait un désir croissant de fuir la grotte. Devinant ses doutes, Gabriel lui prit la main et la serra.

Rachel respira une longue bouffée d'air humide et, fermant les yeux, tâcha d'éclaircir ses pensées...

Au début, elle ne perçut que le souffle de chacun, les reniflements nerveux de Morag et les pas traînants. Puis, alors que ces bruits passaient à l'arrière-plan, un autre son se fit entendre : un ronronnement sourd et régulier. Une lumière se répandit et se solidifia derrière ses paupières, prit la forme d'un globe qui flotta dans son esprit, rayonnant et doré. Elle essaya d'en déterminer la provenance, posa ses mains contre la paroi froide de la galerie, et la sphère lumineuse l'entraîna, remontant avec lenteur le chemin qu'ils avaient parcouru.

– Quelqu'un la voit ? demanda Rachel.

– Quoi donc ? dit Laura.

La jeune fille suivit le globe sur dix, quinze mètres, jusqu'à ce qu'il s'immobilise contre un bloc incliné qui descendait du plafond et s'élargissait au niveau du sol. Elle toucha la surface lisse au moment où la lumière dorée brillait sur la gauche puis disparaissait derrière la roche. Rachel fit un pas de côté : voyant la lumière réapparaître, elle s'avança dans un interstice opaque.

Une entrée.

Cachée derrière le pan de roche, comme dissimulée par un rideau de scène, l'entrée aurait été impossible à distinguer de là d'où ils venaient. Il fallait s'arrêter exactement au bon endroit pour être dans l'angle de l'ouverture.

Par chance, ou grâce au bon sens de quelqu'un, l'improbable s'était réalisé. Tendant les mains dans l'obscurité, Rachel suivit la sphère jusqu'à une nouvelle salle sur la gauche. Cet espace était beaucoup moins sombre : un dôme de cristaux pareils à ceux qui avaient éclairé leur chemin l'illuminait dans les hauteurs, lesquelles parurent attirer la sphère, la réduire à un point et l'absorber. Des stalactites ruisselaient au plafond et, au milieu de la cavité, entouré par une clôture de stalagmites pointues, trônait un cercueil de pierre brute.

– Je l'ai trouvée ! cria Rachel.

Réverbérée par la salle, sa voix résonna le long du passage.

– J'ai trouvé la tombe…

# 52

À bord d'*Espoir*, l'ambiance était beaucoup plus tendue depuis que le noir avait soudain envahi les écrans. Van der Zee cherchait désespérément à trouver l'origine du problème et la nervosité des agents qui surveillaient Adam atteignait des sommets. Le jeune garçon avait la certitude que le brouillage des satellites était l'œuvre d'un membre du groupe, même s'il ignorait par quel procédé. Peut-être l'un des jumeaux français, ou…

Van der Zee frappa le pupitre à deux mains et hurla dans le micro :

– Qu'est-ce qui arrive ?

Adam ferma les yeux et vit une image de Duncan euphorique, levant ce qui semblait être un téléphone mobile et l'agitant d'un air de triomphe. Lorsqu'il rouvrit les yeux, son sourire était aussi large que celui du petit Écossais.

Van der Zee le remarqua.

– C'est vous le saboteur ?

Adam ne dit rien mais continua de sourire, malgré les vigiles qui l'encadraient de plus près.

S'échappant du micro, la voix du correspondant de New York retentit dans la cabine :

– Que se passe-t-il de votre côté, Van der Zee ? Ici, nous avons perdu les images et les renseignements chiffrés.

Van der Zee saisit le micro.

– Nous y travaillons, répondit-il.

– Eh bien travaillez plus vite !

Van der Zee considéra Adam avant d'indiquer les écrans noirs.

– Ça n'a aucune importance, affirma-t-il. Nous avons toujours les prises de vue de l'hélicoptère. Et nous serons prêts quand vos amis ressortiront.

Le regard braqué sur Adam, il laissa ses paroles faire leur chemin, puis se retourna vers son pupitre et appuya sur un bouton qui le mettait en contact avec le pont.

– Écoutez. Ils savent que nous sommes là, donc inutile de nous cacher désormais. Approchons-nous autant que possible du rivage…

Adam fut plaqué en arrière sur son siège lorsque le bateau démarra puis accéléra. Il ferma de nouveau les yeux et communiqua mentalement.

Il devait informer Rachel.

La tombe était de loin la plus dépouillée des salles qu'ils avaient visitées. Elle avait des murs blancs et nus. En dépit de sa hauteur, la cavité était étroite et ils eurent du mal à s'y tasser tous les neuf.

– J'ai froid, dit Morag, son souffle formant un nuage de vapeur devant sa bouche.

Laura vint lui prendre la main. Elle-même sentait la chute de la température, comme un manteau glacé jeté sur ses épaules.

Ali pointa le menton vers le cercueil illuminé par un rayon venant du dôme cristallin au plafond. La pierre s'était effritée par endroits et décolorée au fil des nombreux siècles, mais le motif sculpté sur le côté demeurait très reconnaissable : un triskèle.

– Le moment est venu, déclara Ali.

Gabriel approuva et s'avança lentement.

Rachel l'observa tandis qu'elle analysait les informations transmises par Adam.

– En résumé… Duncan a réussi son coup avec le téléphone, dit-elle, mais ils se rapprochent. Ils sont sur un bateau…

– Oui, confirma Laura, le bateau sur lequel se trouve Adam.

Elle se tourna vers Kate qui, à son soulagement, sourit et lui adressa un « merci » muet.

– Alors dépêchons-nous, recommanda Gabriel.

Il fit signe à Rachel. Tous deux se glissèrent entre les gigantesques stalagmites ceinturant le cercueil.

– Ça va ? demanda Rachel.

– Oui, ne t'inquiète pas.

Rachel secoua la tête. La mine de Gabriel avait tout lieu de l'inquiéter. Il était blême soudain et il paraissait lutter contre la colère ou les larmes, Rachel n'aurait pu trancher.

– Simplement, j'ai le souvenir de ta réaction quand ils ont ouvert la tombe à Triskellion, reprit-elle. Cette émotion irrépressible…

– Je commence à m'habituer, affirma Gabriel. Il y a tant de corps…

Il contempla le cercueil pendant trente secondes et lorsqu'il se retourna vers Rachel, son expression avait changé. Il semblait plus déterminé que jamais.

– Retirons le couvercle, dit-il.

Gabriel et Rachel s'inclinèrent pour le pousser. La tâche s'annonçait rude. Morag et Duncan accoururent, se faufilèrent entre les stalagmites et les aidèrent, bientôt suivis par le reste du groupe.

– Je crois qu'il bouge ! s'écria Laura.

Rachel ferma les yeux et poussa en mobilisant toute l'énergie qu'elle avait encore, grognant sous l'effort. Le lourd couvercle de pierre s'écarta lentement, crissant contre le bloc inférieur, et bascula enfin à terre de l'autre côté dans une épaisse nuée de poussière et de cailloux.

Spontanément, tous attendirent que Gabriel se penche et examine le contenu. Ali fredonnait l'air triste qu'il ne cessait de siffloter depuis leur départ de Mogador. Laura se mordit la lèvre, impatiente comme jamais auparavant. Ils se nettoyèrent le visage puis s'avancèrent pour voir ce qu'ils avaient dégagé.

– Ils sont jaunes, dit Morag, obligée avec son frère de se tenir sur la pointe des pieds pour scruter par-dessus le bord du cercueil. Je croyais que les os étaient blancs.

– Ils sont vieux, expliqua Ali.

Laura pouvait à peine contenir l'enthousiasme dans sa voix :

– Ils sont très vieux. Plus anciens que tout ce que j'ai pu observer jusqu'à présent.

Le squelette semblait très incomplet. Les rares os reposaient çà et là dans la poussière, jaunis et noircis aux points de fracture. Quelques dents marron demeuraient fixées à une moitié de mâchoire, et la partie supérieure du crâne gisait à une extrémité du cercueil, le trou déchiqueté bien visible à son sommet. Rachel savait déjà comment cet homme était mort – elle l'avait vu en rêve et entendu de la bouche d'Ali –, mais personne n'aurait eu de doute devant ce qui restait trente mille ans plus tard.

– Ils n'ont pas laissé grand-chose de lui… murmura-t-elle.

– Où est-il ? demanda Gabriel, faisant volte-face vers Ali. Je pensais le trouver là.

Rachel ne quitta pas le cercueil des yeux. Elle devinait de quoi parlait Gabriel. De l'objet qu'ils étaient venus chercher.

Le deuxième triskèle.

Elle leva la main et saisit l'amulette accrochée à son cou. Exhumée des profondeurs du cercle de craie dans le village de Triskellion.

– Ça ne m'étonne pas, soutint Ali. Ces gens avaient peur, ils étaient superstitieux et ils savaient sûrement ce dont l'objet était capable. Ils n'auraient pas voulu qu'il soit enterré avec les os.

– Alors où… ?

– Je pense qu'ils ont choisi un endroit difficile à découvrir. Un endroit fermé.

Gabriel jeta des regards affolés en tous sens.

– Comment le dénicher ? J'ai besoin de votre aide !

– Pas de problème, répondit Ali.

Il désigna l'amulette que tripotait toujours Rachel, puis revint au cercueil.

– Nous avons l'un et l'autre…

La jeune fille comprit aussitôt. Elle décrocha le triskèle de son cou et s'approcha du symbole à trois lames gravé sur le côté du cercueil. Elle se baissa et souffla pour chasser la poussière.

Se précisa non pas une gravure, mais une serrure…

– C'est le Voyageur qui l'a caché ! Il savait qu'il creusait sa propre tombe et qu'ils allaient le tuer. Refusant que le triskèle tombe dans de mauvaises mains, il l'a enfoui là où personne ne le trouverait jamais ni ne pourrait l'utiliser, raisonna Ali. Néanmoins, avant de mourir, il nous a laissé un accès.

Rachel leva les yeux vers Gabriel, qui lui adressa un signe de tête affirmatif. Elle inséra le triskèle dans le symbole de pierre. Ils s'emboîtaient à la perfection.

– C'est incroyable, s'émerveilla Laura.

Ali sourit.

– Attendez…

Le triskèle se mit à rayonner, à palpiter, et quelque part sous le cercueil, il y eut une série de cliquetis et le grincement de quelque chose qui descendait. Tous se figèrent alors que la clôture de stalagmites s'enfonçait soudain dans le sol de la cavité. Quand la pointe de la dernière d'entre elles eut disparu, la lumière du triskèle s'éteignit et le cercueil entier pivota en silence, comme s'il flottait sur un coussin d'air.

Une petite ouverture carrée était aménagée dessous : l'entrée d'une fosse.

Rachel, Gabriel et les autres avancèrent d'un pas et regardèrent ce que le cercueil dissimulait jusqu'alors. Un escalier presque vertical qui plongeait dans un puits mal éclairé. Et, au fond, des reflets.

Turquoise, miroitants…

– Là en bas ? demanda Gabriel.

– Ce n'est pas idiot, si l'on y réfléchit. L'objet a été tiré de l'océan voilà trente mille ans, argumenta Ali. Aujourd'hui, vous devez faire pareil, indiqua-t-il avec un sourire.

# 53

Rachel confia le triskèle à Gabriel. Il approuva d'un signe de tête minuscule. Elle sut que c'était à elle de jouer. Gabriel avait bien expliqué que chacun d'eux avait un rôle défini et, dans son for intérieur, elle savait son tour venu.

Kate étreignit sa fille.

– Tu ne peux pas descendre dans ce puits, ma chérie.

– Ne te tracasse pas, maman, répondit Rachel. Je suis une bonne nageuse.

Elle embrassa sa mère.

– C'est plutôt dangereux ici aussi, de toute façon.

– Inez et Carmen vont t'accompagner, précisa Gabriel.

Les jumelles espagnoles confirmèrent et, après un baiser léger sur les deux joues de Gabriel, elles rejoignirent Rachel qui observait l'eau en contrebas.

– Je t'en supplie, sois prudente, recommanda Kate.

Rachel s'assit sur le rebord et passa ses jambes dans l'ouverture. Elle étira le pied à la recherche d'un appui et, l'ayant trouvé, entreprit la descente vers l'eau turquoise.

Inez la suivit, puis Carmen, toutes deux progressant avec précaution et se cramponnant à la surface bosselée du mur. Après quelques marches, ce qui avait semblé être un puits étroit s'élargit en une vaste grotte souterraine. Plusieurs couches de coraux multicolores, rendus lisses par le ruissellement continuel et savonneux au toucher, la garnissaient.

Rachel finit de dévaler l'escalier sur les fesses et se redressa sur la frange rocheuse glissante qui entourait le bassin. Elle le scruta. L'onde était cristalline, et des rides déformaient les galets et les roches tapissant le fond. Il pouvait y avoir un mètre de hauteur d'eau, comme dix.

Rachel leva la tête vers l'entrée désormais lointaine. Elle vit les silhouettes de sa mère et de Gabriel se découper dans la lumière qui brillait au-dessus d'eux. Elle les regarda agiter la main, puis disparaître.

– Nous voilà seules, dit-elle à Inez et Carmen.

Elle se retourna vers le bassin.

– Ça paraît profond. Je ne sais pas si je pourrai retenir ma respiration jusqu'en bas.

– On t'aidera, dit Carmen. On plonge depuis qu'on est toutes petites.

Inez sourit et toucha l'épaule de Rachel.

– C'est pour ça qu'on est venues. Pour t'aider à respirer.

Rachel considéra les jumelles l'une après l'autre.

– C'est maintenant ou jamais, déclara-t-elle. Je suppose qu'il faut nous jeter à l'eau.

Inez et Carmen plièrent les bras et plongèrent dans le lagon avec la grâce des dauphins, rompant la surface presque en silence.

Rachel les regarda un instant fendre l'eau, leurs cheveux noirs flottant derrière elles.

Puis elle gonfla ses poumons, se pinça le nez et sauta dans leur sillage.

Gabriel avait dit à Laura de rebrousser chemin jusqu'à l'entrée à travers le réseau de galeries et de cavités (ils se retrouveraient sur la plage), mais l'archéologue voulait recueillir des échantillons et prendre des photos, car l'occasion se révélerait sans doute unique. Ali, impatient de ramener Duncan et Morag dehors, s'efforçait d'entraîner tout le groupe. Kate, quant à elle, n'était pas pressée de partir tant que Rachel demeurait à l'intérieur.

Elle s'attardait avec Laura en attendant que sa fille réapparaisse. Ensemble, elles allaient de salle en salle et ramassaient de petits objets : des outils en pierre, des os de poissons travaillés, ainsi que des ustensiles, telle la coupe métallique, bien plus élaborés dans leur conception. À mesure qu'elles s'éloignaient de la grotte aquatique, le passage s'élargissait et les cavités de part et d'autre devenaient plus vastes. Elles étaient couvertes de peintures et de gravures ornementales d'un raffinement encore supérieur à celles de l'entrée principale.

– Regardez ce dessin, indiqua Laura, comme il est beau.

Du doigt, elle suivit le contour d'une grande forme.

– On dirait une montagne.

Kate hocha la tête.

La montagne, enduite d'un pigment rouge, avait un sommet aplati. Laura l'examina de près.

– Il pourrait presque s'agir du mont Uluru, en Australie.

Elle s'écarta pour que sa tête cesse de projeter une ombre sur la peinture. Au-dessus de la montagne figurait une grosse étoile, à la droite de laquelle cinq autres plus petites composaient un losange.

– Et regardez les étoiles... Alpha du Centaure et Bêta du Centaure... si je ne me trompe pas, c'est la constellation de la Croix du Sud. Vous savez, celle qui orne le drapeau australien.

Elle resta silencieuse quelques instants.

– Je ne pense pas que la Croix du Sud soit visible dans cette partie de l'Europe. Attendez une minute...

Son doigt descendit des étoiles jusqu'au pied de la montagne. Des animaux y étaient dessinés. Des animaux qui ressemblaient à des chiens suppliants, mais dont les pattes postérieures étaient trop longues, la queue trop puissante et les pattes antérieures trop réduites.

– Des kangourous, dit-elle d'une voix tremblante, car son esprit vacillait devant la portée de ces images. Il s'agit de kangourous. C'est l'Australie.

Elle se retourna et comprit pourquoi elle avait eu l'impression de parler toute seule. Face au mur opposé, Kate Newman, muette, montrait du doigt les peintures qui s'étendaient sur la roche. Un croquis primitif, à grands traits charbonneux, des tours de New York, parfaitement reconnaissables. L'Empire State Building était là, comme le Chrysler Building, et une immense silhouette au bras levé vers le ciel : la statue de la Liberté.

– Ce n'est pas possible, murmura Laura.

Au-dessous du paysage citadin étaient tracés des personnages filiformes : une mère et deux enfants. Un triskèle reliait les mains des enfants.

– C'est nous, souffla Kate.

Elle avança lentement le long de la paroi, suivant la peinture. À l'endroit où les tours de Manhattan s'arrêtaient commençait une image de la mer. Un grand oiseau blanc volait au-dessus des eaux, transportant deux enfants sur son dos. À l'autre bout de l'océan, il y avait une petite île avec un triskèle dans son angle inférieur gauche.

– C'est notre histoire, reprit Kate. L'histoire de mes jumeaux. Cette salle nous représente.

Elle consulta Laura.

– Quelque chose m'échappe. Comment ces hommes des cavernes ont-ils pu voir aussi loin dans l'avenir ?

D'extraordinaires idées et hypothèses découlant des peintures tourbillonnaient dans la tête de Laura. Elle passa ses mains dans ses cheveux comme si elle essayait de contenir les pensées qui jaillissaient de son cerveau.

– Ce n'était pas eux, à mon avis, répondit-elle.

Elle pointa le menton vers le passage à l'extérieur, vers la tombe.

– Celui dont les os gisent là-bas… cet inconnu savait que nous viendrions.

# 54

Gabriel appuya ses mains contre les bords rugueux du cercueil. Il avait voulu être seul pour accomplir cette tâche. Pour rassembler les restes de son ancêtre. Le jour viendrait où il aurait recueilli les restes de tous ses aïeux, où il pourrait les mettre en terre, comme il l'avait fait avec les cœurs retrouvés dans le village de Triskellion. Comme il avait espéré le faire avec la main du « saint ». Il les maintiendrait hors de portée des sondes et des scalpels des scientifiques. Moins ceux-ci auraient de matériau génétique à analyser, mieux ce serait.

Il avait renvoyé les adultes et les petits jumeaux. Il avait besoin de ce moment, et besoin de cette proximité avec Rachel qui nageait quelque part sous ses pieds. Il se pencha sur le long coffre de pierre et regarda les dents, les membres et le crâne fracturés…

Le premier coup toucha Gabriel à la tempe, le fit pivoter et lui plaqua le visage contre le mur granuleux. Le deuxième coup le frappa en plein sur le haut de la tête : il s'écroula immédiatement.

Il sentit un filet de sang lui couler dans les yeux et un goût métallique à l'endroit où ses dents avaient percé sa lèvre inférieure sous la violence du choc. Même affaibli, il savait qu'il devait entraîner son agresseur hors de la salle, l'éloigner de l'entrée du lagon. Mobilisant toutes les forces qu'il avait encore, il se redressa et se jeta sur la sinistre silhouette. Son attaque fulgurante repoussa l'homme dans l'étroit passage.

Gabriel se protégea la figure avec la main et sentit quelque chose craquer quand un nouveau coup lui atteignit l'avant-bras. Il tenta d'essuyer ses yeux sanglants et, levant la tête, vit la silhouette le dominer. Une grande silhouette en manteau à capuche.

Un personnage dénué de visage.

S'aidant d'une grosse canne noire, Hilary Wing baissa le bras et tendit une main tordue, couverte de cicatrices. Gabriel sentit les doigts griffus effleurer son cou alors qu'ils saisissaient la lanière en cuir, la tiraient au point qu'elle finit par casser. Les lames d'or du triskèle brillèrent et oscillèrent un instant devant les yeux de Gabriel, puis disparurent sous le manteau de son agresseur. La canne s'abattit encore et encore, sur ses côtes, ses bras et ses jambes, minant ses dernières forces, le réduisant à la soumission…

Wing s'agenouilla. Son haleine et ses plaies dégageaient une odeur de pourriture. Ouvrant et refermant ses paupières ensanglantées, Gabriel plongea son regard sous la capuche. Malgré la peau fondue, les yeux de Wing étincelaient, bleus et froids.

Il asséna un ultime coup de canne sur la tête de Gabriel.

Au début, l'eau la glaça, mais alors qu'elle se laissait couler, les pieds en premier, Rachel sentit un courant l'envelopper, comme si, quelque part, un appareil envoyait de l'eau chaude. Elle se retourna, étira ses jambes derrière elle et se propulsa vers le fond, près duquel Inez et Carmen nageaient, remuant les pierres et agitant les galets.

La lumière de la salle en contre-haut éclairait le bassin principal et de minuscules méduses phosphorescentes luisaient dans ce faisceau. Mais une autre lumière, plus forte, venait d'une source invisible plus loin dans l'eau et donnait aux profondeurs du lagon un étrange éclat, telle une piscine illuminée la nuit. Rachel nagea avec les jumelles, puis signala qu'elle devait regagner la surface pour respirer. Elles remontèrent donc, faisant du surplace pendant qu'elles reprenaient leur souffle.

– Il faut nous diriger vers la lumière, dit Rachel.

S'étant gonflé les poumons, elles replongèrent toutes les trois jusqu'au fond du bassin et nagèrent en direction de la lumière. Celle-ci sortait d'un tunnel qui semblait conduire à une autre grotte assez proche.

Carmen indiqua qu'elles devaient s'y engager. Alors qu'elle commençait à perdre haleine, Rachel suivit Carmen, poussée dans le dos par Inez. Le tunnel était plus long qu'il l'avait paru, mais il devenait de plus en plus lumineux, et Carmen monta vers la surface. Elles émergèrent dans une petite poche d'air juste au-dessous du plafond. La paroi rocheuse étincelait de cristaux minuscules et de coraux très colorés. Rachel absorba, à un rythme précipité, la lourde atmosphère chargée de soufre.

– Je ne suis pas sûre d'y arriver, avoua-t-elle, pantelante.

– Il le faut, répondit Carmen, écartant des mèches noires plaquées sur son visage.

– Fais-nous confiance pour t'aider, Rachel, ajouta Inez. Tu en es capable. Il suffit que tu te détendes.

– Me détendre ?

Malgré les circonstances, Rachel réussit à rire.

Elles inspirèrent une dernière fois et repartirent. Après quelques longueurs, le tunnel déboucha sur une grotte sous-marine plus vaste. La lumière blanche, éblouissante, semblait venir d'en haut, comme des rayons de phares, irradiant l'eau. Carmen remonta encore et Rachel s'empressa de la suivre, impatiente de trouver de l'air… en vain. La masse d'eau n'en finissait pas, et Rachel commença à s'affoler. Le manque d'oxygène lui brûlait les poumons et elle se mit à faire des mouvements de bras et de jambes frénétiques.

*Ne t'affole pas*, lui conseilla Inez en pensée. *N'aie pas peur de l'eau, respire-la*.

Et soudain, Rachel put respirer à nouveau, comme si l'eau s'était changée en air. Inez continua, rejoignit Carmen qui flottait au-dessus.

L'adolescente montra la lumière et, de plus près, Rachel vit une autre couleur apparaître entre les rayons en éventail.

Le jaune d'or.

Elle nagea vers l'éclat doré, qui étincelait et ondoyait dans l'eau bleue. Elle allongea les bras… se rapprochant encore.

Gabriel se traîna sur le sol mouillé. Il savait qu'il avait été stupide de s'isoler et de se laisser surprendre. Si seulement il avait réussi à garder Adam et Rachel près de lui, la réunion de leurs forces aurait empêché ce drame. C'était l'une des raisons pour lesquelles il les avait rassemblés : pour lui permettre d'accomplir ce qu'il ne pouvait réaliser seul. Ils croyaient qu'il les protégeait, ce qui était vrai, dans une certaine mesure. Mais ni Adam ni Rachel n'avaient conscience de le protéger en retour.

Allait-il échouer au dernier obstacle ? Vaincu et détruit par la sauvagerie d'hommes tels que Hilary Wing ? Des hommes qui avaient assassiné ses ancêtres et dispersé leurs ossements, si bien qu'aujourd'hui, des dizaines de milliers d'années plus tard, Gabriel avait été envoyé pour retrouver leurs restes ?

Il entendit du bruit plus loin dans la galerie qui menait hors de la tombe. Il prit un instant pour récupérer. Il n'avait aucune difficulté à surmonter la douleur mentalement, mais le choc et la volée de coups avaient privé son corps d'énergie. Il ne pouvait mobiliser aucune de ses capacités habituelles.

Il se releva péniblement et, sans s'écarter du mur, avança dans le passage. Il suivit le bruit qui résonnait entre les parois et semblait venir d'une salle voisine, cachée comme la tombe elle-même par un coude dans la roche.

Gabriel se tint au mur jusqu'au moment où il atteignit l'entrée, puis il jeta un coup d'œil prudent à l'intérieur. Il vit une nouvelle cavité décorée de peintures et plusieurs portes ouvrant sur des salles contiguës plus petites. Une foule d'abeilles tapissaient le plafond et bourdonnaient, nonchalantes, de salle en salle. De nombreux renfoncements aménagés dans les murs contenaient des récipients métalliques, des coupes, des anneaux et des blocs de cristal qui brillaient dans le demi-jour. Hilary Wing était courbé sur une pile d'objets. Il en cachait le plus possible sous son manteau, lâchant des pièces d'une valeur inestimable dans sa précipitation.

– Vous considérez que ces objets vous appartiennent, je suppose ? dit Gabriel d'une voix faible.

Le personnage encapuchonné fit volte-face, son crâne couvert de cicatrices pointant comme la tête d'un serpent.

– Remettez-les à leur place, ordonna Gabriel.

– C'est vous qui allez m'y contraindre, peut-être ? siffla Wing. Vous tenez à peine debout. Je suis étonné que vous ayez survécu. Les monstres de votre espèce sont solides, hein ?

Se faire traiter de monstre par Hilary Wing était le comble de l'ironie. Gabriel riposta :

– Puisque nous en sommes à déterminer qui est un monstre... ne croyez-vous pas qu'il pourrait y avoir juste une petite partie de moi en vous ?

Malgré l'absence d'expression sur la peau trop mince qui recouvrait les os de Wing, il y eut chez lui un brusque changement d'humeur. Un étrange gargouillis s'échappa du fond de sa gorge.

– Que signifie ce discours ?

– Dites-moi donc comment vous expliquez votre stupéfiante guérison ? Votre aptitude à supporter la douleur ? Toute personne normale aurait péri dans cet accident de moto... serait morte de ses brûlures, en tout cas. Et si vous nous ressembliez plus que vous n'aimez le penser ?

– Taisez-vous ! hurla Wing.

Laissant tomber les dernières coupes, il se jeta sur Gabriel, le plaqua contre le mur et lui appliqua sa canne en travers de la gorge, le suffoquant.

– Il savait tout de vous, chuchota le jeune garçon d'une voix rauque. Regardez les murs...

Le visage reptilien de Wing se contracta, sa peau se tendit autour de sa cavité nasale béante. Les yeux bleus se détournèrent et s'agrandirent alors qu'ils scrutaient la fresque sur la paroi derrière la tête de Gabriel.

Tout était là.

L'existence de Hilary Wing figurait devant lui. Une grande demeure : le manoir de Waverley, la maison de famille. Puis le village : des huttes minuscules bordant une lande où un gros triskèle était peint. À côté du triskèle, il y avait des jumeaux et un homme barbu aux longs cheveux : Wing lui-même.

– Qu'est-ce que c'est ? lança-t-il.

Il parcourut les murs en hâte. Il maintenait la pression contre la gorge de Gabriel, mais il y avait de l'affolement dans sa voix. Où qu'il porte son regard, des instants de sa vie s'étalaient sur la roche en volutes colorées. Il passa au dessin d'un homme seul, à califourchon sur une espèce de cheval qui avait des roues à la place des pattes. Plus loin, le « cheval » brûlait, et l'image suivante représentait un homme encapuchonné, brandissant une longue canne et ressemblant à la Mort.

Wing parut retrouver son sang-froid et braqua de nouveau ses yeux sur Gabriel.

– S'il s'agit de moi, l'artiste m'a donné l'apparence de la Faucheuse en personne.

Il appuya davantage sur le cou de Gabriel et sourit.

– En ce qui vous concerne, c'est exactement ce que je vais être…

# 55

Rachel plongea sa main parmi les épaisses algues vertes. Des rayons de lumière dorée venaient de derrière les plantes, se divisaient et dansaient en ondoyant. La jeune fille sentit le corail rugueux et bosselé sous ses doigts, puis un objet métallique, comme une lame. Un courant se répandit dans son corps, lui redonna des forces.

*Il est là!* s'écria-t-elle en pensée. *Nous l'avons trouvé.*

Les jumelles espagnoles écartèrent les algues, exposant une niche au creux de la roche.

Pour la première fois depuis les dizaines de milliers d'années qu'il était caché dans l'eau sous les grottes, une main humaine touchait le triskèle.

Le deuxième triskèle.

Les lames étincelaient contre la roche sombre, immobiles, prises dans le corail et entortillées dans les algues. Un ou deux petits poissons argentés montèrent des profondeurs et s'attardèrent dans l'éclat des lames. Cinq ou six autres les suivirent, plus gros, zigzaguant plus vite entre les rayons. Puis dix, vingt, trente… de sorte qu'un banc de poissons entier s'approcha de la lumière et commença à mordiller, à tirailler l'enchevêtrement d'algues qui avait retenu le triskèle pendant tant d'années. Aidées par les poissons, Carmen et Inez trouvèrent des pierres et des morceaux coupants de coquillages, et tous s'acharnèrent sur le corail et taillèrent les algues jusqu'au moment où, enfin, l'amulette trilobée se détacha.

Rachel tendit le triskèle devant elle. Les rayons de lumière jumeaux qui continuaient à émaner de la pénombre au-delà se réfléchirent sur les lames et composèrent un arc-en-ciel qui trancha l'eau comme un faisceau laser. Les poissons se regroupèrent et, tel un ruban argenté fluide, se glissèrent entre les rayons.

*Repartons*, dit Rachel en pensée.

*Non... repars, toi.*

Inez avait parlé d'une voix forte et claire dans l'esprit de Rachel, mais lorsque celle-ci la regarda, la jeune Espagnole lui parut soudain livide, sans plus de vigueur dans son robuste corps de nageuse.

*Vite*, insista Rachel. *Il faut regagner la grotte. Nous n'avons plus beaucoup de temps.*

*Oh, nous avons l'éternité*, la contredit Carmen.

*Venez donc !* Rachel reprit le chemin du tunnel, puis fit volte-face, sentant qu'elle était seule. Aucune des jumelles ne la suivait. Réduite à l'impuissance, elle les considéra tour à tour alors qu'elles s'en allaient au milieu des poissons vifs et brillants dans la lumière sous-marine. Les deux jeunes filles, très pâles maintenant, s'estompaient.

*Je vous en supplie*, leur lança Rachel implorante.

Leurs cheveux noirs flottaient autour de leurs têtes comme de fines algues, leurs bras et leurs jambes oscillaient mollement au gré des courants. Rachel les vit s'éloigner de plus en plus, attirées dans les profondeurs des rayons jumeaux.

*Qu'est-ce que vous faites ? Rejoignez-moi !* hurla-t-elle en pensée alors qu'une force magnétique l'entraînait dans la direction opposée, la ramenait vers le tunnel.

La vie quittait Gabriel, soumis à la pression implacable de la canne contre sa gorge.

– Cette fois-ci, vous ne vous relèverez pas, affirma Wing d'une voix marquée par son effort pour tuer ce garçon d'une résistance exceptionnelle.

Puis il hurla.

Son glapissement sauvage, animal, résonna dans la grotte alors que la précieuse amulette autour de son cou devenait soudain incandescente. Ses doigts griffus lâchèrent la canne qui étouffait son adversaire. Elle tomba sur le sol avec fracas.

Une image surgit dans l'esprit de Gabriel : une jeune fille étirait le bras, rompait la surface paisible de l'eau turquoise dans un geste de triomphe, une amulette étincelante au poing. Puisant dans ses dernières ressources, Gabriel tendit la main et saisit l'autre triskèle, qui sifflait désormais en brûlant la poitrine couverte de cicatrices de Hilary Wing.

L'homme hurla plus fort lorsqu'il fut dépossédé de l'amulette dont il s'était emparé indûment. Soudain, une aveuglante lumière blanche emplit la cavité et un vent mugit. La bourrasque repoussa Wing, le renvoya de mur en mur, lui plaquant le visage contre la roche où figurait l'histoire de sa propre vie, avant de l'emporter dans l'obscurité d'une des petites salles adjacentes.

Gabriel serra le triskèle et sentit sa puissance le ranimer. Il vacilla jusqu'à l'entrée par laquelle venait d'être aspiré Wing. En sortait un bourdonnement sourd que masquaient les hurlements de l'homme. Gabriel entra dans la salle.

L'intérieur d'une gigantesque ruche.

Gabriel écarquilla les yeux. Dans cette grotte en miniature, des couches d'abeilles tapissaient les parois ; des rayons compacts garnissaient chaque recoin. De la cire jaune enveloppait la moindre surface et des gouttes de miel épais, doré, coulaient du plafond. Lorsque Gabriel s'avança, le bourdonnement redoubla et une colonne d'abeilles se détacha, tourna autour de sa tête, lui couvrit le visage et les mains. Le jeune garçon sourit pendant que les insectes rampaient sur lui comme pour soigner ses blessures, le flairaient et le léchaient tel un millier de minuscules chatons heureux de revoir leur maître.

Au bruit de l'autre côté de la salle, Gabriel se retourna et regarda l'affreux spectacle.

Wing s'était écroulé, ou trouvé entraîné, dans une profonde fosse emplie de rayons où grouillaient les larves blanches des abeilles. Il gesticulait sur le dos, mais plus il s'agitait, plus il s'engluait dans l'épais miel brun qui remuait sous lui comme du sable mouvant visqueux et sucré. Il semblait coiffé d'un casque d'abeilles, et ses yeux bleu clair brillaient, terrifiés, au milieu des insectes sombres, tandis que leurs larves se délectaient de sa chair pourrissante. Ses plaintes furent noyées une minute par le vrombissement des abeilles, puis enflèrent de nouveau lorsque les insectes commencèrent à envahir ses oreilles, sa bouche et le creux qui remplaçait son nez.

À se frayer un chemin dans sa tête.

# 56

Adam savait que Van der Zee le lisait sur son visage. L'immense élan de joie, d'euphorie qu'avait éprouvé Rachel et qui s'était communiqué directement à lui ne pouvait signifier qu'une chose, or Adam n'avait pas réussi à rester impassible.

– Ils l'ont trouvé, hein ?

– Trouvé quoi ? dit Adam, les yeux écarquillés.

Van der Zee secoua la tête avec impatience et se retourna vers le pupitre. Les écrans étaient toujours noirs. Il empoigna le micro pour s'adresser aux agents sur le bateau :

– C'est le moment, annonça-t-il. Ils ressortiront de cette grotte d'une minute à l'autre, envoyons donc sans plus tarder un comité d'accueil sur la plage…

– Message reçu.

Van der Zee pivota vers Adam et haussa les épaules.

– Ce sera bientôt fini, déclara-t-il.

– Je ne sais vraiment pas de quoi vous parlez, soutint Adam. Qui aurait trouvé quoi ?

Il fit un pas vers le pupitre de commande mais les vigiles l'arrêtèrent.

– Regrettable que nous soyons privés d'images, déplora Van der Zee. Mais vous devriez tout entendre.

Et comme à un signal, une voix forte s'échappa des haut-parleurs. Aiguë et crispée, à l'accent new-yorkais.

– Parlez-moi, Van der Zee.

Celui-ci revint au pupitre.

– Je crois qu'ils sont en possession de l'objet.

– Bien. Très bien…

– J'ai donc envoyé une escouade pour les intercepter. C'était notre plan d'action, nous sommes d'accord ?

– Oui, oui.

L'homme se tut un instant.

– Néanmoins, reprit-il, les plans peuvent changer, vous devez le comprendre. Nous avons affaire à des individus… imprévisibles. Il faut réfléchir vite et être souple. Faire tout ce que la situation exige. Vous me suivez ?

– Oui, je…

– Avertissez-moi quand ils seront dehors.

Van der Zee allait enchaîner, mais son correspondant raccrocha. Il tourna son siège avec lenteur face à Adam.

– Tout ce que la situation exige ? demanda ce dernier. Ça signifie quoi ?

Van der Zee demeura silencieux.

– Et qu'est-ce qui m'arrivera quand tout sera terminé ? ajouta Adam.

Van der Zee fixa les yeux au sol quelques instants et lorsqu'il releva la tête, il évita le regard du jeune garçon.

– La décision ne m'appartient pas, avoua-t-il.

Ces paroles firent l'effet d'une main glacée sur le cou d'Adam.

Il savait qu'une équipe se dirigeait vers la plage. Rachel et le groupe auraient de gros problèmes à leur sortie de la grotte. Lui aussi en aurait. Impossible de rester là les bras croisés.

Une tentative s'imposait.

Gabriel détacha la lanière en cuir et la rendit à Rachel. Lorsque la jeune fille eut passé la nouvelle amulette dessus, il lui donna le premier triskèle.

– Ils vont ensemble, déclara-t-il.

Rachel replaça le bijou sur la lanière et se tourna pour que Gabriel la lui noue derrière la nuque.

Dès qu'elles furent en contact, les deux amulettes se mirent à bouger, se superposèrent et tintèrent contre sa peau.

– Il y avait si longtemps..., dit Gabriel.

Le métal semblait s'être amolli et les triskèles pouvoir s'imbriquer. Les lames se frôlèrent puis s'entrelacèrent, formèrent des motifs complexes. L'éclat qui en émanait illumina la gorge de Rachel.

Puis le phénomène cessa, les amulettes s'éteignirent et finirent par s'immobiliser au bout du cordon. Elles cliquetèrent doucement lorsque Rachel fit volte-face vers Gabriel.

– Tu as les mains poisseuses, dit-elle.

– Pardon ?

– C'est... du miel ?

Gabriel essuya ses paumes sur son pantalon.

– Ce monstrueux personnage que tu as vu près de ton lit... Il ne te tourmentera plus.

Rachel le dévisagea, puis hocha la tête. Elle comprenait.

– Je me sens soulagée, reconnut-elle.

– Il faut partir.

Gabriel se dirigea vers l'escalier qui remontait vers la tombe.

Mais Rachel était retournée au bord du bassin et en scrutait les profondeurs.

– Carmen et Inez… dit-elle.

Et elle implora Gabriel du regard. Pourtant, alors même qu'elle prononçait leurs prénoms, elle avait deviné qu'elles ne reviendraient pas.

Gabriel secoua la tête.

– Elles savaient depuis le début ce qu'elles auraient à faire.

Il lui tendit la main.

– Allez. Il faut rejoindre les autres et sortir au plus vite.

Assis sur des rochers, Lucas et Loïc s'amusaient à jeter des cailloux en direction des mouettes lorsqu'ils entendirent les bateaux. Ils levèrent les yeux et fixèrent le large tandis que le hurlement des moteurs hors-bord augmentait, puis regardèrent les deux canots pneumatiques rapides contourner le promontoire.

Les jumeaux sautèrent sur leurs pieds et retroussèrent leurs manches.

Les deux embarcations touchèrent le sable presque en même temps. Les six hommes qui bondirent de chacune d'elles, entièrement vêtus de noir, portaient tous des lunettes et des inhibiteurs.

Après un bref échange, ils s'élancèrent vers l'entrée de la grotte. Ils parcoururent en un clin d'œil les trois ou quatre cents mètres qui les séparaient des jeunes Français.

Lucas et Loïc, immobiles, observaient leur approche. Le premier consulta son frère.

– Ils sont douze. Ce n'est pas juste.

– Tu as raison, approuva Loïc. C'est très inégal.

Lucas sourit jusqu'aux oreilles.

– Peut-être qu'on devrait s'attacher un bras dans le dos. Histoire de leur donner une petite chance…

Les jumeaux se montrèrent tranquillement et attendirent le tout dernier moment pour frapper. L'individu qui semblait commander l'équipe fit signe à ses hommes de se méfier, mais vu leur réaction, il était manifeste que les jumeaux – exceptionnels ou pas – ne constituaient guère une menace à leurs yeux.

Après dix secondes de combat, deux hommes gisaient inconscients, deux autres avaient bras et clavicules cassés, trois autres encore crachaient du sang et leurs dents sur le sable.

Le chef du groupe ordonna le repli.

Lucas se tourna vers son frère alors qu'il balançait un homme par-dessus son épaule et en plaquait un autre contre la falaise.

– Et si on s'attachait les deux bras dans le dos… ?

Sur le bateau, Van der Zee était pétrifié par les sons qui s'échappaient des haut-parleurs : les grognements et les cris, les appels radio frénétiques. Il ne vit pas les paupières d'Adam papilloter puis se fermer, ne le vit pas glisser dans son siège et basculer.

– Docteur ! Le garçon…

Van der Zee pivota : les vigiles désignaient Adam à terre.

– Que s'est-il donc passé ?

– Il s'est écroulé. Brusquement…

Ils s'interrompirent, les yeux horrifiés, alors qu'Adam commençait à se tordre et à convulser sur le sol, que de l'écume lui sortait de la bouche, qu'un dernier spasme agitait son corps avant l'immobilité complète.

Van der Zee bondit de sa chaise et leur hurla en se précipitant à travers la cabine :

– Allons, ne restez pas plantés là !

Les vigiles vinrent aussitôt s'agenouiller près du jeune garçon. L'un d'eux lui prit le poignet, chercha le pouls.

– Rien, annonça-t-il.

– Vous êtes sûr ? demanda Van der Zee.

L'homme confirma ; son collègue et lui ôtèrent leurs lunettes noires et leurs inhibiteurs.

– Qu'est-ce que vous faites ? s'indigna Van der Zee. Méfiez-vous qu'il ne…

Mais Adam avait eu besoin d'une seule seconde : une seconde pour s'emparer de leurs esprits.

Dès lors, ils étaient ses marionnettes.

# 57

Morag et Duncan auraient dû être sortis de la grotte et revenus sur la plage depuis déjà dix minutes. Ils étaient censés ne pas quitter Ali d'une semelle, or ils avaient pris une autre direction sans trop savoir comment et avaient fini par le perdre. Maintenant qu'ils essayaient de retrouver le chemin de l'entrée, ils l'entendaient les appeler quelque part dans les profondeurs du labyrinthe de galeries et de salles. Ils sentaient l'inquiétude dans sa voix.

– Ali ! cria Morag. On est là…

Mais les hautes parois humides réverbéraient ses paroles, et elle sut qu'il aurait du mal à les retrouver uniquement grâce au son.

– L'écho, marmonna Duncan. L'effet d'une onde acoustique qui parvient à un point donné, après réflexion, avec une intensité et un retard suffisants pour être perçue comme distincte de l'onde directe…

– Peut-être qu'il vaudrait mieux rester où on est, suggéra Morag.

– … et le nom d'un personnage dans *Daredevil*, compléta Duncan.

– Il ne peut pas être loin, dit Morag. Il nous trouvera sûrement, à force de chercher.

Elle se tourna pour regarder son frère, mais celui-ci avait déjà disparu. Elle fit quelques pas d'un côté, puis de l'autre, tout en l'appelant. Lorsqu'il lui répondit enfin, c'était sur un ton étrange.

– Morag… Je suis là-dedans…

Elle emprunta sur la gauche un tunnel qu'elle n'avait pas remarqué jusqu'alors, prit de nouveau à gauche et, par une étroite ouverture entre deux gros blocs dressés, pénétra dans une petite cavité. Les parois s'inclinaient vers l'intérieur et le plafond était si bas qu'aucun adulte n'aurait tenu debout. Le moindre centimètre carré de mur était couvert de dessins, de telle façon que Morag, au milieu de cet espace exigu, eut l'impression d'en faire partie, comme si elle s'était introduite dans un tableau.

Immobile devant une paroi, Duncan pointait le doigt.

Morag examina les images : une berge plongeait dans l'eau noire, un véhicule disparaissait sous la surface. La fillette se tourna et suivit les dessins sur la roche, son cœur battant la chamade.

Deux petites silhouettes s'élançaient vers la lumière.

Deux silhouettes plus grandes coulaient, prisonnières du véhicule ; prisonnières de la voiture.

Quatre paires d'yeux écarquillés, terrifiés. Et d'autres personnages qui observaient la scène d'en haut, sur la berge cinglée par la pluie.

– C'est nous, je crois, dit Duncan. C'est exactement comme dans mes rêves.

Morag confirma d'un signe de tête.

– Je ne comprends pas. Celui qui a peint ces images les a vues en rêve aussi ? continua Duncan.

Sa sœur n'eut pas le temps de lui répondre : elle distingua la voix d'Ali, venant de beaucoup plus près cette fois.

– Ali... par ici !

– Oui ! cria le Marocain. J'arrive...

Les enfants tendirent au même instant le bras l'un vers l'autre. Morag enfouit son visage contre l'épaule maigre de Duncan pendant que son frère faisait pareil contre la sienne. Tous deux sanglotaient, ne voulant plus regarder les images qui les cernaient, assez heureux de rester enlacés en attendant Ali.

– Je n'ai jamais vu un tel phénomène, cria le pilote de l'hélicoptère. On dirait que la mer s'est mise à bouillir.

Sa voix, qui sortait des haut-parleurs au-dessus du pupitre de Van der Zee, exprimait toute sa stupéfaction. Durant les pauses, le fracas des pales emplissait la cabine, mais un rugissement très différent était perceptible à l'arrière-plan : le bruit de flots impétueux...

– C'est à cause des poissons. Ils frôlent la surface, par milliers... par centaines de milliers. Des poissons argentés... je ne sais pas trop quelle espèce. Le banc entier avance dans la même direction. On dirait qu'ils composent un motif... Ma parole, c'est absolument extraordinaire.

Van der Zee cessa d'écouter. Il imaginait très bien le motif qu'essayait de décrire le pilote.

Une forme trilobée...

– Quelqu'un me reçoit ? demanda le pilote.

Van der Zee ne répondit pas. Il avait des difficultés à se concentrer avec ces deux pistolets braqués sur lui.

– Alors, que se passe-t-il maintenant ? dit-il aux deux vigiles qui l'encadraient.

Ceux-ci, impassibles, pointaient leurs armes sur l'homme auquel ils obéissaient encore quelques minutes plus tôt. Leurs esprits étaient désormais sous l'autorité complète d'Adam.

– Je n'ai pas vraiment décidé, reconnut le jeune garçon.

– Je crois pourtant que le temps vous manque.

– Ah bon ? répliqua Adam. C'est vous qui n'avez plus beaucoup de temps, il me semble.

Van der Zee essaya de paraître détaché :

– Voyons, ce n'est pas comme si vous alliez me tuer.

– Je n'ai pas à le faire.

Adam considéra les vigiles.

– Il me suffit de leur donner l'ordre.

– Êtes-vous sains et saufs ? demanda Ali.

Morag et Duncan s'écartèrent l'un de l'autre et regardèrent Ali, qui venait de réussir à se faufiler dans la cavité minuscule. Il avait la tête bloquée contre le plafond et, s'il avait étiré les bras, il aurait touché les murs de chaque côté.

– Qu'est-ce qui ne va pas ?

Morag tenta de parler, mais aucun son ne sortit de sa gorge.

Ali leva la main pour lui signifier que peu importait. Il examinait déjà les dessins. Il avait sa réponse.

– Ce sont… vos parents ?

Duncan confirma en silence.

Les parents que sa sœur et lui ne connaissaient qu'à travers des souvenirs flous et des rêves pénétrants. Les parents dont ils avaient été privés par les mêmes personnes qui menaçaient aujourd'hui leurs vies à eux.

C'était au tour d'Ali d'être muet d'émotion. Il s'efforça de chasser la boule dans sa gorge et fit signe aux enfants.

– Il faut venir à présent, leur dit-il. Les autres vont nous attendre.

Il se baissa le plus possible, recula avec précaution entre les blocs rocheux et se retourna dans la galerie. L'atmosphère s'assombrit soudain et, alors qu'il palpait le mur, sa main frôla une petite pierre lisse placée dans un creux. Ali sut immédiatement qu'il avait commis une terrible maladresse, mais il était trop tard.

Un traquenard...

Il entendit l'antique mécanisme vrombir et un crissement de roches tandis que le monolithe libéré commençait à descendre. Ali essaya de se plaquer contre la paroi, mais il n'y avait pas d'issue et, même s'il parvint à sauver le haut de son corps, le monolithe tomba en plein sur ses jambes, lui écrasant les tibias.

Son hurlement résonna dans le labyrinthe souterrain.

Morag et Duncan arrivèrent quelques secondes plus tard et s'agenouillèrent près de lui. Ils tentèrent de soulever le monolithe, en vain. Ils voulurent tirer Ali par les épaules, mais le blessé hurla encore plus fort.

– Pardon, s'excusa Morag.

Ali prit une inspiration et réussit, le souffle laborieux, à murmurer quatre mots :

– Il... faut... me... laisser !

Morag refusa d'un signe de tête décidé.

– On ne veut pas, déclara Duncan.

Ali saisit le bras du garçonnet et le serra.

– Laissez-moi…

Morag se leva.

– On va chercher de l'aide, annonça-t-elle.

– Non…

Duncan repoussa la main d'Ali et se redressa au côté de sa sœur.

– On fera vite, dit-il. Promis.

Ali gémit et tendit une main désespérée, mais trop tard. Il put tout juste tourner la tête et regarder les deux enfants s'éloigner en courant par les tunnels d'où leur groupe était arrivé.

Sa tête retomba dans la poussière, la souffrance dans son cœur aussi terrible que la douleur dans ses jambes.

# 58

Laura et Kate sortirent au soleil, battant des paupières. Elles s'étaient égarées dans le dédale de passages et, lorsqu'elles avaient enfin aperçu la lumière de l'après-midi au bout du tunnel, elles pensaient vraiment trouver tous leurs compagnons rassemblés sur la plage, à les attendre. Laura découvrit avec stupeur les agents d'Espoir vaincus et ensanglantés qui se traînaient jusqu'à la mer et aidaient leurs blessés à se hisser dans les canots.

Lucas et Loïc remontèrent la plage à toute allure audevant des deux femmes, l'air impatients de pénétrer eux-mêmes dans le réseau souterrain.

– Je vois que vous avez eu quelques ennuis, leur dit Laura.

Lucas sourit.

– Rien qui nous ait posé problème.

– Où sont les autres ? demanda Laura. Morag et Duncan devraient être dehors depuis longtemps.

– Non, vous êtes les premières, répondit Loïc.

Laura et Kate échangèrent un regard inquiet.

– Rachel est toujours à l'intérieur, dit Kate d'un ton alarmé en pivotant sur ses talons. J'y retourne.

– Je vous accompagne, annonça Laura. Et nous ramènerons aussi les petits jumeaux.

– Attendez ! cria Loïc en lui attrapant le bras. Tout va bien pour eux.

– Rachel arrive, ajouta Lucas. Elle a trouvé ce qu'elle cherchait.

– Comment le savez-vous ? les interrogea Kate d'une voix tendue et perçante.

Les deux jumeaux se tapotèrent le front en même temps.

– Attendez ici, ordonna Loïc. Et nous, on file à leur rencontre.

Réprimant leur immense envie de partir en quête des trois enfants dont elles étaient conjointement responsables, Laura et Kate regardèrent les jeunes garçons pleins d'énergie s'engouffrer dans l'entrée de la grotte en poussant des cris aigus d'Apaches.

Rachel et Gabriel remontaient à travers le labyrinthe, tâchant de reconnaître le chemin. Gabriel avançait vite, la jeune fille à sa suite. Les passages répercutaient des bruits lointains ; des cris et de vagues appels flottaient. Rachel ne les situait pas bien : résonnaient-ils tous autour d'elle ou certains étaient-ils dans sa tête ? Malgré les triskèles solidement noués à son cou, elle ressentait un trouble croissant.

L'un des bruits – un son criard, aigu, qui évoquait le hurlement des singes – se rapprochait. Au détour d'une galerie, Rachel et Gabriel faillirent heurter Lucas et Loïc, qui se crispèrent aussitôt, prêts à se battre.

– Doucement, dit Rachel.

Les jumeaux français se détendirent, souriants.

– Pas de complications sur la plage ? se renseigna Gabriel.

– Du gâteau, répondit Lucas. Tu nous as donné une mission…

Il haussa les épaules.

– Mission accomplie.

– Bien, dit Gabriel. À présent, demi-tour. Il faut ressortir.

– Mais les petiots ? demanda Lucas. Morag et Duncan.

Gabriel parut soucieux :

– Ils ne sont pas dehors ?

– Non. Il n'y a que Laura et ta mère, dit Loïc en pointant le menton vers Rachel.

– Pourtant, j'ai chargé Ali de vite les reconduire à la surface.

– Il faut qu'on les trouve, affirma Rachel.

Elle se mit à tirer Gabriel en arrière, mais les yeux du jeune garçon lui signifièrent qu'il ne se laisserait tirer nulle part. Qu'il prendrait, lui, les décisions.

– Gabriel, l'implora-t-elle.

– On va s'en occuper, nous, assura Lucas.

– Et où sont Inez et Carmen ? demanda Loïc.

L'expression sur le visage de Rachel lui révéla tout.

– Non ! hurla-t-il. Non ! Non… !

Il recula le poing pour frapper Gabriel, mais son frère l'arrêta et parla d'une voix calme et ferme :

– On va les trouver, Loïc. On va les ramener.

Il saisit le bras tremblant de son jumeau et tous deux s'enfoncèrent dans le réseau sinueux des tunnels obscurs.

Clay van der Zee dardait çà et là des regards nerveux. Les canons des pistolets placés à quelques millimètres de ses tempes lui donnaient des sueurs froides.

La voix métallique grésilla encore une fois dans le haut-parleur :

– J'attends toujours, Van der Zee. Les dernières nouvelles, s'il vous plaît.

Adam acquiesça. Van der Zee humecta ses lèvres sèches, se préparant à répondre, à feindre la sérénité.

– Comme vous le savez, il y a eu découverte de l'objet, dit-il.

Il chercha des yeux l'approbation d'Adam et l'obtint.

– Et… les cibles ? poursuivit la voix.

Van der Zee interrogea l'adolescent du regard.

– Dites-lui que tout est en ordre, chuchota celui-ci.

– Nous sommes maîtres de la situation, mentit Van der Zee. L'escouade qui a débarqué va me transmettre son rapport final.

– Des informations contradictoires me parviennent, Van der Zee. Les cibles sont-elles toujours dans la grotte ? Je dois prendre une décision… immédiate.

Adam fit non de la tête. Van der Zee ne sut que dire.

– Vous me recevez, Van der Zee ? Les cibles sont-elles toujours à l'intérieur ?

Adam coupa la communication. Des pensées alarmantes tournaient dans sa tête. Il scruta le rivage au loin pendant que l'hélicoptère décrivait des cercles en contre-haut.

– Les cibles ? Qu'entendait-il par là ?

Van der Zee haussa les épaules.

– Et qui est cet homme ? lança le jeune garçon au visage de son prisonnier.

– Même moi, je ne connais pas son vrai nom. C'est le chef des opérations du consortium Éclipse, l'organisation à laquelle appartient Espoir, à New York. Il se fait appeler Max, je n'en sais pas plus.

– Et son supérieur ? continua Adam, d'une voix plus forte. Donnez-moi un nom !

– Ils n'utilisent que des prénoms, Adam. Ce serait trop dangereux, expliqua Van der Zee, qui paraissait grave et terrifié.

– Écoutez ce qu'on va faire, dit Adam, radouci. Vous allez ordonner à l'hélicoptère de se poser, puis notre bateau s'approchera de la plage pour récupérer ma famille.

– Le bateau ira partout où vous l'exigerez, Adam, promit Van der Zee. En revanche, je regrette, ce n'est pas moi qui commande l'hélicoptère.

Tandis qu'il regagnait avec Rachel l'entrée du labyrinthe, Gabriel visitait en esprit la succession de salles, explorait boyaux et galeries, mais les petits Écossais demeuraient introuvables. Enfin, comme le soleil déclinait dans le ciel de l'après-midi et que ses rayons pénétraient à l'horizontale, les deux amis aperçurent la lumière extérieure.

Ils jaillirent dehors, espérant voir Ali, Morag et Duncan en compagnie de Kate et de Laura.

Rachel scruta la plage. Elle distingua sa mère, accroupie avec Laura derrière des rochers dix ou quinze mètres plus loin. Elle l'appela, et Kate bondit sur ses pieds, agita la main et se mit à courir vers la grotte. Gabriel lançait des coups d'œil frénétiques en tous sens.

Duncan et Morag n'étaient toujours pas ressortis.

Une grosse vedette noire surgit à l'horizon. Rachel regarda l'écume bouillonnante que le bateau laissait dans son sillage alors qu'il accélérait en direction du rivage. Elle entendit le rugissement de ses moteurs puis, dans les airs, le bruit d'un autre engin qui descendait en piqué, silhouette d'insecte noir devant le soleil.

La scène sembla se dérouler au ralenti pendant qu'un ruban de fumée s'allongeait au-dessous de l'hélicoptère et qu'un second missile frappait la grotte derrière eux.

Le souffle de l'explosion plaqua Rachel au sol et, lorsqu'elle redressa la tête, de la poussière et des débris s'abattaient autour d'elle. Sa mère était clouée sur place, tétanisée. Pareille à une statue, excepté les hurlements terribles qui s'échappaient de sa gorge. Rachel se tourna et vit Gabriel à plat ventre près d'elle. Il leva son visage noirci par l'explosion.

– C'est toi qui as fait ça ! glapit Rachel par-dessus le fracas des pales de l'hélicoptère qui s'éloignait. Tu as ouvert la porte du labyrinthe… et maintenant tu l'as refermée.

– Non…

– Tu l'as condamnée exprès, pour que personne ne puisse plus s'y introduire. Et en même temps tu as condamné Morag, Duncan et les autres !

Gabriel secouait fébrilement la tête en signe de dénégation. Des larmes sillonnaient ses joues, les striaient de lignes claires. Il se remit debout, se prit la tête à deux mains dans son angoisse.

– Je n'y suis pour rien, jura-t-il. Ce n'est pas moi ! Rachel, ce n'est pas moi…

Il virevolta et repartit à toutes jambes vers la grotte. Le missile était tombé juste au-dessus de l'entrée. Réduit à l'impuissance, Gabriel regarda les rochers dévaler la falaise et s'amonceler sur la plage, barrant l'accès. Il ne resta qu'un interstice à l'endroit où s'ouvrait jusqu'alors la première salle.

Gabriel s'y précipita.

Il se glissa dans la brèche obscure, replongeant sous terre une seconde avant que la grotte s'effondre sur elle-même.

# 59

Rachel hurla et voulut courir vers la grotte, mais sa mère la retint d'une main ferme.

– Laisse, dit Kate. Il a disparu...

– Non !

Rachel secoua la tête, le visage ruisselant de larmes.

– Il ne peut pas juste... disparaître.

Elles observèrent l'entrée. De petits rochers continuaient à rouler jusqu'au sable ; la poussière formait un nuage noir que la brise chassait vers elles.

– Je crois qu'il est temps de partir, déclara Laura.

Rachel ne bougea pas.

– Mais Morag et Duncan sont toujours à l'intérieur. Et Lucas et Loïc...

Laura lui posa une main sur le bras.

– Personne ne sortira plus d'ici, Rachel.

Comme le tonnerre de l'éboulement rocheux s'apaisait et que l'hélicoptère virait en s'éloignant derrière la falaise, Laura discerna un autre son. Elle se retourna et constata que la vedette s'approchait toujours du rivage. Des hommes portant des lunettes noires et des armes automatiques se tenaient sur le pont. Après la cuisante défaite que les adolescents français avaient infligée à leurs collègues non armés, la nouvelle escouade d'agents d'Espoir refusait de prendre des risques.

– Il faut partir d'urgence, dit Laura à Kate et Rachel. Nous…

Toutes trois pivotèrent avec lenteur face à l'océan, leurs joues soudain mouillées par les embruns alors que l'eau se soulevait inexplicablement et rugissait.

– Que se passe-t-il ? hurla Kate.

Devant leurs regards médusés, la surface de la mer se mit à tournoyer à une vitesse incroyable à une trentaine de mètres au large. Au début, il sembla qu'un gigantesque remous apparaissait, mais ensuite il monta dans l'air, resta en suspension et s'amplifia en une tornade monstrueuse, dont le cylindre mesurait plus de vingt mètres.

Laura faillit être renversée, le sable lui cinglait les yeux.

– Baissez-vous ! cria-t-elle.

Elles se jetèrent sur le sol à l'instant précis où la colonne d'eau et de vent se mettait en mouvement. À l'instant précis où l'hélicoptère, de retour, franchissait le sommet de la falaise. L'engin volait trop vite pour s'écarter de la trombe impitoyable qui venait à sa rencontre.

Adam observait Clay van der Zee. Celui-ci s'était résigné, de toute évidence, sans que le jeune garçon sache bien à quoi. L'homme gardait un visage impassible malgré les deux pistolets toujours pointés sur lui. Malgré la voix angoissée du pilote de l'hélicoptère qui emplissait la cabine.

– Je ne maîtrise plus rien… je ne peux rien faire…

Le fracas des pales augmenta soudain, et Adam comprit que le son n'arrivait plus seulement par la radio.

– Les instruments ne répondent plus !

L'hélicoptère était près. Beaucoup trop près…

– Impossible de m'éjecter. Impossible !

Adam relâcha son emprise sur l'esprit des deux vigiles. Ceux-ci se ressaisirent, comme brutalement tirés d'un mauvais rêve, évaluèrent la situation en quelques secondes, puis se ruèrent hors de la cabine.

– Il faut que j'essaie ! cria le pilote.

Adam courut vers le hublot, tendit le cou et tâcha d'apercevoir le ciel. L'eau que le tourbillon projetait contre la vitre brouillait tout, mais il devinait la forme sombre qui grossissait à vue d'œil.

– Le bateau… il faut que j'essaie de l'éviter ! lança le pilote d'une voix stridente.

Adam se retourna juste à temps pour voir Van der Zee se tasser dans son siège et fermer les yeux. Le haut-parleur n'émettait plus qu'un hurlement au milieu des parasites.

– Je suppose que c'est la fin, dit Van der Zee.

Depuis la plage, Rachel, Kate et Laura regardèrent l'hélicoptère se faire happer par la tornade et en rester prisonnier. Elles le virent ballotté comme un simple jouet. L'engin se retournait et vrillait à l'intérieur du cylindre sombre, ses pales battaient l'air en pure perte pendant que le pilote s'efforçait de reprendre le contrôle.

– On dirait qu'il a décroché, murmura Kate. Qu'un immense bras l'a attrapé…

Leur effroi s'intensifia jusqu'au moment où toutes trois ressentirent comme un coup de poing dans le ventre ; où elles comprirent que l'hélicoptère allait s'écraser, et à quel endroit précis il se fracasserait.

Où elles virent quel serait le point d'impact.

Laura plaqua sa main sur sa bouche.

– Oh mon Dieu ! souffla-t-elle.

Elles n'eurent pas même le temps de détourner la tête…

Il y eut un courant d'air très bref, puis toute la force de l'explosion les balaya, les fit tomber à la renverse. Le vacarme était insupportable, et lorsqu'il eut assez diminué pour leur permettre de se redresser, la boule de feu s'élevait déjà haut dans le ciel. Des débris s'engloutissaient de tous côtés, et elles ne distinguaient plus rien de l'hélicoptère et du bateau détruits.

Rachel regardait, pétrifiée, et durant les quelques secondes qui précédèrent la prise de conscience, le chagrin, elle vit la scène avec les yeux d'une autre.

Ceux d'une jeune fille qui avait accouru à cet endroit même trente mille ans auparavant. Le jour où un autre vaisseau était tombé du ciel. Où une boule de feu avait fusé de l'océan et où la fumée avait masqué le soleil.

Le hurlement la ramena à la réalité.

Rachel se tourna : sa mère s'effondrait sur le sable comme morte et Laura se précipitait pour la réconforter comme elle pouvait.

– Adam ! cria Kate.

Alors, Rachel comprit. Elle vit la fumée continuer à monter et sentit son univers s'écrouler tandis que ses jambes se dérobaient sous elle.

– Adam était sur ce bateau.

Rachel enlaça sa mère et leurs larmes se mêlèrent, leurs joues pressées l'une contre l'autre. Aucun geste, aucun mot n'aurait pu exprimer le traumatisme de l'heure écoulée. Tandis que leurs ombres s'allongeaient sous le soleil de l'après-midi finissant, elles restèrent agenouillées sur le sable, en pleurs.

Laura faisait des allées et venues au bord de l'eau, secouait la tête, s'interrogeait sur l'épave en feu qui flottait au large. Des cendres et des fragments de bateau fumants décrivaient des courbes sifflantes et disparaissaient dans la mer devant elle. Le tourbillon s'était calmé ; pourtant, à un kilomètre du rivage, les flots continuaient à rouler et à bouillonner…

Rachel se leva et chassa le sable collé à ses joues. Elle cracha la poussière qu'elle avait dans la bouche et se dirigea d'un pas résolu vers l'océan à la suite de Laura. Elle rattrapa l'Australienne et l'attaqua, empoignant son pull, l'attirant dans l'eau, la rouant et la bourrant de coups. Laura essaya de la maîtriser, mais elle avait été prise au dépourvu et elles basculèrent toutes deux dans l'Atlantique froid et gris.

Kate vit ce qui se passait et se précipita sur les traces de sa fille.

– Rachel… non !

Laura et Rachel avaient de l'eau jusqu'à la taille lorsque Kate arriva et s'efforça de les séparer. Elle les saisit chacune par le col de la chemise, tels des enfants insupportables. Tandis qu'elles se débattaient, elles tombèrent dans les bras les unes des autres, regagnées par les sanglots, cherchant du réconfort dans cette étreinte maladroite et mouillée.

Puis Rachel sentit autre chose…

Elle crut d'abord qu'une boule de chagrin dure lui nouait la gorge. Mais la sensation s'adoucit, devint une vibration, et comme une chaleur nouvelle l'envahissait, l'adolescente remarqua que les triskèles jumeaux palpitaient sur sa poitrine.

– Vous le percevez ?

– Oui, dit Laura.

– Qu'est-ce que c'est ? demanda Kate.

La sensation s'intensifia, bourdonnante, et emplit l'esprit de Rachel de sons et de voix.

– C'est… l'espoir, répondit-elle. Un heureux présage, je crois.

Elle leva les yeux. Au lieu des cendres, une fine brume de gouttelettes tombait du ciel. Les trois rescapées redressèrent le front et la pluie tiède apaisa leurs visages cuisants, maculés de larmes.

*Gabriel ?* appela Rachel en esprit.

Silence, hormis le rugissement des vagues au large. Mais dans sa tête, Rachel voyait Gabriel, Morag et Duncan réunis, s'éloignant au cœur de ténèbres empoussiérées. Avaient-ils survécu, ou n'était-ce qu'un rêve ?

– Adam !

Le hurlement de sa mère arracha Rachel à sa vision. Laura et Kate pataugeaient le long du rivage en direction d'une silhouette ruisselante que l'océan venait de rejeter. Rachel s'élança vers le corps de son frère. Toutes trois s'évertuèrent à le remonter sur la plage, le traînant au sec, inerte.

Ses lèvres étaient bleuies, ses cheveux bruns plaqués sur son front. Kate couvrit ses joues froides de baisers brûlants.

Rachel trouva qu'il était beau. Elle prit sa main flasque.

Puis Adam toussa. Des secousses et des soubresauts le parcoururent. Des spasmes agitèrent ses bras et ses jambes, et une giclée d'eau salée sortie de sa bouche aspergea le sable.

Il ouvrit lentement les yeux.

– Bonjour, dit-il.

# 61

Rachel contemplait le large. Son regard quitta la scène d'horreur et de désolation sur la mer, d'où s'élevaient encore des flammes et de la fumée, et monta jusqu'à l'unique étoile scintillante, là-haut dans le ciel.

Quel mot avait-elle employé pour qualifier son sentiment ?

L'espoir…

Adam, Laura et Kate arrivèrent près d'elle. Rachel se retourna.

– Prêts ? demanda-t-elle.

Adam haussa les épaules.

– Pour une randonnée dans le désert, sans la moindre idée de notre direction ? Oui, bien sûr !

– Tu sais, je ne crois pas que quelqu'un vienne nous chercher, dit Rachel.

Elle glissa les triskèles jumeaux sous le col de son pull, puis cala son sac sur son dos.

Les autres firent de même, et ils se mirent en route.

# épilogue

L'obscurité aurait dû être là depuis longtemps, mais il semblait que le soleil avait cessé de décliner. Rouge sang, il demeurait immobile dans le ciel, juste au-dessus de la mer. L'eau sombre était veinée de traînées roses qui s'étendaient jusqu'au rivage et striaient le sable et la falaise d'une étrange lueur.

La lumière était d'autant plus anormale qu'elle venait aussi des énormes projecteurs disposés au long de la plage. Leurs puissants faisceaux étaient braqués sur l'entrée de la grotte, où des pelles mécaniques continuaient à travailler pour retirer les rochers éboulés. Pendant qu'une demi-douzaine de groupes électrogènes ronflaient et cliquetaient, des gens s'activaient sur le sable comme des fourmis : des secouristes, du personnel médical et des individus dont le rôle était un peu plus difficile à préciser.

Des hommes et des femmes que nul chef ne dirigeait, apparemment, et qui portaient des lunettes noires malgré la lueur crépusculaire.

Un bureau avait été installé en hâte un peu plus loin sur la plage, ainsi qu'une salle des urgences où les équipes se préparaient à accueillir les blessés, voire les morts.

Une effervescence identique régnait à une centaine de mètres au large. Des bateaux manœuvraient près de l'épave d'une vedette nommée *Espoir* et de l'hélicoptère qui l'avait percutée. L'explosion et l'incendie qui avait suivi avaient été intenses, et des fragments des deux engins fumaient toujours. Les feux des bateaux de sauvetage tranchaient l'épais nuage qui flottait à la surface.

Déjà, des experts en aéronautique débattaient des causes exactes du drame, mais il semblait probable que la monstrueuse tornade décrite par les stations météorologiques locales avait happé l'hélicoptère, dont le pilote avait ensuite perdu le contrôle. Ce n'était vraiment pas de chance que l'appareil ait heurté la vedette – accident que personne n'aurait pu prévoir.

Aucun survivant n'avait été retrouvé ; désormais, les plongeurs cherchaient des corps.

L'atmosphère était beaucoup plus calme au sommet de la falaise. Plus sombre aussi, et différents animaux nocturnes étaient apparus, fouillant les broussailles et les tiges en quête de nourriture.

Des lézards, des rats, des serpents, un petit renard…

Une brise légère passa dans l'herbe haute quand, à une dizaine de mètres du bord de la falaise, une portion de sol remua et s'éboula. Un gros scarabée fila s'abriter alors que le tremblement s'accentuait et que le sol cédait.

Alors, un poing surgit de la terre.

Sortie à l'air libre, la main serrée sembla luire dans la faible lumière. Après quelques instants, les premiers insectes, des moucherons et des moustiques, vinrent se poser, attirés par l'odeur douceâtre. Mais ils s'envolèrent dès que le poing se mit à bouger.

Lorsque les doigts couverts de cloques et de miel eurent commencé à se déplier et à griffer l'air frais de la nuit.

# note de l'auteur

En 2007, une équipe internationale qui fouillait un réseau de grottes sur la côte atlantique du Maroc a exhumé les restes d'une tribu néandertalienne. Les archéologues ont été étonnés de constater, au terme de recherches approfondies, que les dents et les os de certains spécimens appartenaient à une espèce différente : plus proche de *Homo sapiens sapiens*, dont on pensait jusqu'alors qu'elle était arrivée bien après l'extinction des hommes de Neandertal. Les éléments découverts suggéraient qu'en Afrique du Nord, il y avait eu coexistence, voire métissage, de cette nouvelle espèce et des néandertaliens.

Les archéologues continuent à débattre des causes de ce changement génétique et comportemental, mais tous sont d'accord pour dire qu'il s'est produit « quelque chose » ayant entraîné le développement et la propagation de l'homme moderne à travers l'Europe.

Quelques kilomètres au sud de ces grottes, dans une paisible ruelle de la ville d'Essaouira (l'ancienne Mogador), il existe un café nommé La Triskalla. Un triskèle est accroché à l'extérieur. On y mange des crêpes délicieuses…

# TRISKELLION 3

à paraître en 2010

# prologue

## Australie occidentale

Molly Crocker porta son regard sur la cour, là où travaillait le jeune garçon. Elle renversa la limonade et, se maudissant, prit un chiffon pour éponger la flaque. Lorsqu'elle releva la tête, le garçon n'était plus visible, et une grosse abeille cognait doucement contre la vitre à l'extérieur.

Bzzz… dnk. Bzzz… dnk.

Molly se dit que c'était un peu tôt pour les abeilles, mais il n'y avait pas vraiment de quoi s'étonner. Le climat se déréglait. Le réchauffement de la planète ne quittait pas la une de l'actualité.

Tout en faisant attention à ne pas renverser davantage de limonade, Molly sortit, descendit les marches de la galerie et s'avança jusqu'à l'endroit où le garçon peignait l'un des montants de la barrière.

– Tiens, dit Molly.

Elle lui offrit la boisson fraîche.

– Ça ne te fera pas de mal, j'ai l'impression.

Le jeune garçon, qui s'appelait Levi, travaillait chez eux depuis quinze jours. Il avait réparé le toit de l'une des écuries, remis en état le portail de l'enclos où était parqué le cheval de Molly et réalisé de petits travaux de plomberie à l'intérieur. Molly lui donnait seize ans, à peu près le même âge qu'elle et Dan, et selon leur mère, la tribu aborigène à laquelle il appartenait s'était établie dans la région plus de quarante milliers d'années auparavant.

Levi but d'un trait la moitié de la limonade.

– J'avais soif, reconnut-il.

En attendant qu'il termine, Molly contempla la propriété. Un lieu isolé, certes (le voisin le plus proche habitait à sept kilomètres et les premiers magasins se trouvaient à une demi-heure de voiture), mais agréable à vivre. Ils n'étaient qu'à dix minutes de la mer et pouvaient aller surfer après l'école ou partir à cheval dans les collines dès qu'ils en avaient envie.

Debbie, leur mère, et Mel, l'amie qui logeait avec eux, considéraient qu'ils avaient de la chance.

Qu'ils menaient tous une existence plutôt douce.

Molly essuya la sueur sur sa nuque et chercha à se rappeler depuis combien de temps ils étaient là. Deux ans, peut-être ? Quelque chose comme ça...

Levi lui rendit le verre.

– Merci, Rachel.

Molly battit des paupières. Le verre lui échappa et vola en éclats sur le sol.

– Pardon ?

À cet instant, Dan, qui regagnait la maison, agita la main à l'autre bout de la cour. Levi lui répondit d'un geste enthousiaste. Et lança :

– Salut, Adam !

Molly regarda son frère jumeau jeter un regard confus et s'empresser de rentrer chez eux.

– Comment m'as-tu appelée ? demanda Molly.

– Je t'ai appelée par ton prénom, répondit Levi. Tu te prénommes Rachel, mais tu l'as oublié. Tu as tout oublié.

Molly le dévisagea. Ces paroles n'avaient pas de sens, et pourtant… quelque chose émergeait des recoins de son esprit. Quelque chose qui essayait de se préciser.

– Je crois que tu devrais y aller, dit Molly.

Levi ne bougea pas.

– C'est bien que tu aies oublié, que vous ayez tous construit une nouvelle existence. C'était la seule façon pour vous de rester en vie. Mais aujourd'hui, il est temps de retrouver la mémoire.

– Tu racontes n'importe quoi, répliqua Molly.

Elle se tourna lorsqu'un bruit retentit du côté de la maison : d'un pas résolu, Mel et sa mère traversaient la cour dans leur direction. Dan suivait à quelques mètres, nerveux. Mel portait le fusil de chasse.

– Quel est mon prénom ? chuchota Levi.

Molly le regarda, captivée par ses yeux verts – bizarre qu'elle n'ait jamais remarqué leur couleur jusque-là –, et distingua une plage.

Une explosion et un garçon qui courait. Des rochers qui tombaient et une boule de feu qui montait haut dans le ciel. Molly éprouva une immense tristesse inexplicable et le mot sortit de sa bouche sans que son esprit intervienne :

– Gabriel.

Le garçon sourit.

– Hé ! se mit à crier Mel alors qu'elle se rapprochait en compagnie de Dan et de Debbie.

Elle brandit le fusil.

– Dégagez immédiatement de notre propriété. Et ne vous avisez pas de revenir.

– Tu ferais mieux de lui obéir, dit Molly.

– J'ai besoin de toi, dit-il. De toi et d'Adam.

– Besoin de nous pour… ?

Les autres n'étaient plus qu'à quelques pas.

– Vous êtes sourd ? hurla Mel.

– Il y a des gens dans l'ombre, dit le garçon. Ils sont restés dissimulés longtemps, ils préparaient en secret votre destruction, votre destruction à tous.

Molly hocha la tête. Elle sentait le danger. Elle se souvenait de l'urgence et de la douleur. D'une course échevelée…

– Il y a longtemps que tu te caches, Rachel, mais cette situation ne peut pas durer à tout jamais. Il faut que ça change. Le moment est venu de sortir de l'ombre.

– Pourquoi ? demanda Molly.

Elle n'avait pas pris garde aux nuages qui s'amoncelaient, et les premières grosses gouttes de pluie la frappèrent, froides et lourdes.

– Pourquoi maintenant ?

Le jeune garçon se rembrunit.

– Parce qu'ils arrivent…

À suivre…

CHEZ LE MÊME ÉDITEUR

## Le Surnatureur

## L’orphelinat du bout du monde

d’Éric Sanvoisin

L’orphelinat Crésus n’est pas un endroit facile d’accès. Comme si ses fondateurs ne voulaient pas qu’on le trouve. La plupart des pensionnaires s’accommodent fort bien de cet isolement, largement compensé par des conditions de vie luxueuses. Mais pas Alexandre Legrand, qui n’a qu’une idée en tête : quitter Crésus. Jusqu’au jour où un mystérieux agresseur au regard hypnotique fait irruption à l’orphelinat ; Alexandre va alors se découvrir des dons surnaturels qu’il ne soupçonnait pas...

## Opération Joshua

## La prophétie Maya

de M. G. Harris

Imaginez. Vous êtes dans la jungle. Seul. Poursuivi par un tueur à gages et des agents du FBI. Et vous avez 13 ans. C'est ce qui arrive à Joshua, qui n'en mène pas large. Venu au Mexique sur les traces de son père, mort dans un accident d'avion, il a découvert ce qu'il n'aurait jamais dû découvrir. Un secret, précieusement gardé depuis le temps des Mayas. Un secret qui pourrait bien cacher la face du monde…

## Opération Joshua 2

## La légende d'Ek Naab
### À paraître en octobre 2009

de M. G. Harris

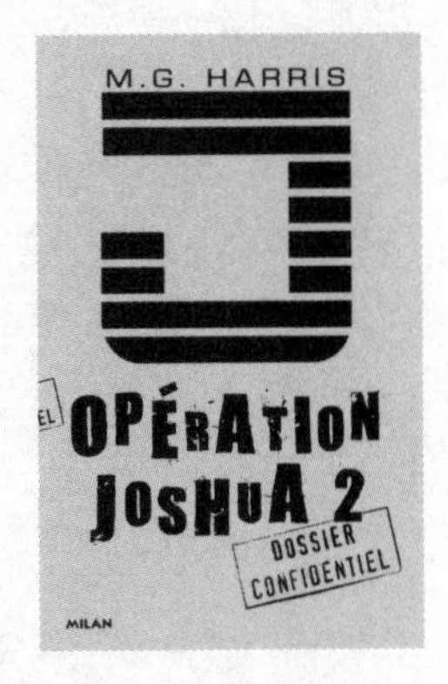


Imaginez. Votre père est mort dans des conditions mystérieuses, vous avez échappé à un tueur à gages, au FBI, vous avez découvert un secret précieusement gardé depuis le temps des Mayas. Et vous avez 14 ans.

Mais c'est ce qui arrive à Joshua dans La prophétie Maya et c'est loin d'être le pire… De l'Angleterre au Mexique, de la cité d'Ek Naab au glacier du mont Oritziba, Joshua continue sa quête de vérité sur la disparition de son père. Il sait qu'il ne peut faire confiance à personne. Mais que va-t-il découvrir au bout du chemin… Si le chemin s'arrête un jour…

## Jack Flint et le secret de l'épée magique

de Joe Donnelly

Jack Flint sait bien ce qu'on raconte sur le Bois noir de Cromwath : les disparitions inexpliquées, les créatures maléfiques, tout droit sorties de légendes celtes… Personne, jamais, ne s'y hasarde. Mais une force irrésistible attire Jack vers ce domaine interdit. Et c'est là-bas, au cœur de la forêt, qu'il découvre l'incroyable royaume de Temair. Un monde fantastique, auquel il semble étrangement lié. Un monde en guerre, que lui seul peut sauver. À condition de reprendre l'épée magique des mains du sanguinaire Mandragore…

## Jack Flint et la malédiction du serpent

de Joe Donnelly

Corriwen a disparu. Jack Flint n'a pas le choix : il doit traverser une nouvelle fois les portes du Bois noir de Cromwath. Même s'il sait que tout peut lui arriver, même le pire… Il parvient en Eirinn, un pays ravagé par un hiver permanent. Pour y rétablir le cycle des saisons et espérer revoir Corriwen, Jack doit retrouver la Harpe d'or. Ce n'est pas un, mais deux redoutables adversaires que Jack doit affronter : le tyran Dermott et Fainn, l'impitoyable sorcier jeteur de sorts. Quand on parle du pire...